古龍自署

盛期之風貌

臥龍生作品 帶動武俠風潮

《飛燕驚龍》開一代武俠新風

《飛燕驚龍》(1958)爲臥龍生成名作，共48回，約120萬言。此書承《風塵俠隱》之餘烈，首倡「武林九大門派」及「江湖大一統」之說，更早於香港武俠巨匠金庸撰《笑傲江湖》(1967)所稱「千秋萬世，一統」達九年以上。流風所及，臺、港武俠作家無不效尤；而所謂「武林盟主」、「江湖霸業」等新提法，竟成爲社會大眾耳熟能詳的流行術語了。

《飛燕》一書可讀性高，格局甚大。主要是寫江湖群雄爲覬覦傳說中的武林奇書《歸元秘笈》而引起一連串的明爭暗鬥；再以一部假秘笈和萬年火龜爲餌，交插敘述武林九大門派（代表正派）彼此之間的爾虞我詐，以及天龍幫（代表反方）網羅天下奇人異士而與九大門派的對立衝突。其中崑崙派弟子楊夢寰偕師妹沈霞琳行道江湖，卻如夢似幻地成爲巾幗奇人朱若蘭、趙小蝶之絕世武功技驚天龍幫，而海天一叟李滄瀾復接連敗於沈霞琳、楊夢寰之手；致令其爭霸江湖之雄心盡泯，始化解了一場武林浩劫云。

在故事佈局上，本書以「懷璧其罪」（與真、假《歸元秘笈》有關）的楊夢寰屢遭險難，卻每獲武林紅妝垂青爲書膽（明），又以金環二郎陶玉之嫉才害能，專與楊夢寰作對(暗)爲反派人物總代表。由是一明一暗交織成章，一波未平，一波又起，極盡波譎雲詭之能事。最後天龍幫冰消瓦解，陶玉帶著偷搶來的《歸元秘笈》跳下萬丈懸崖，生死不明，卻予人留下無窮想像空間。三年後，作者再續寫《風雨燕歸來》以交代陶玉重出江湖，爲惡世間，則力不從心，當屬狗尾續貂之作。

在人物塑造方面，臥龍生寫男主角楊夢寰中看不中用，固然乏善可陳，徹底失敗；但寫其他三名女主角如「天使的化身」沈霞琳聖潔無瑕，至情至性，處處惹人憐愛；「正義的女神」朱若蘭氣質高華，冷若冰霜，凜然不可犯；「無影女」李瑤紅則刁蠻任性，甘爲情死等等，均各擅勝場。乃至寫次要人物如「賓中之主」海天一叟李滄瀾之雄才大略，豪邁氣派；玉簫仙子之放蕩不羈，爲愛痴狂；以及八臂神翁聞公泰之老奸巨猾，天龍幫軍師王寒湘之冷傲自負等，亦多有可觀。

與

摘自 葉洪生、林保淳著
《台灣武俠小說發展史》

武俠小說

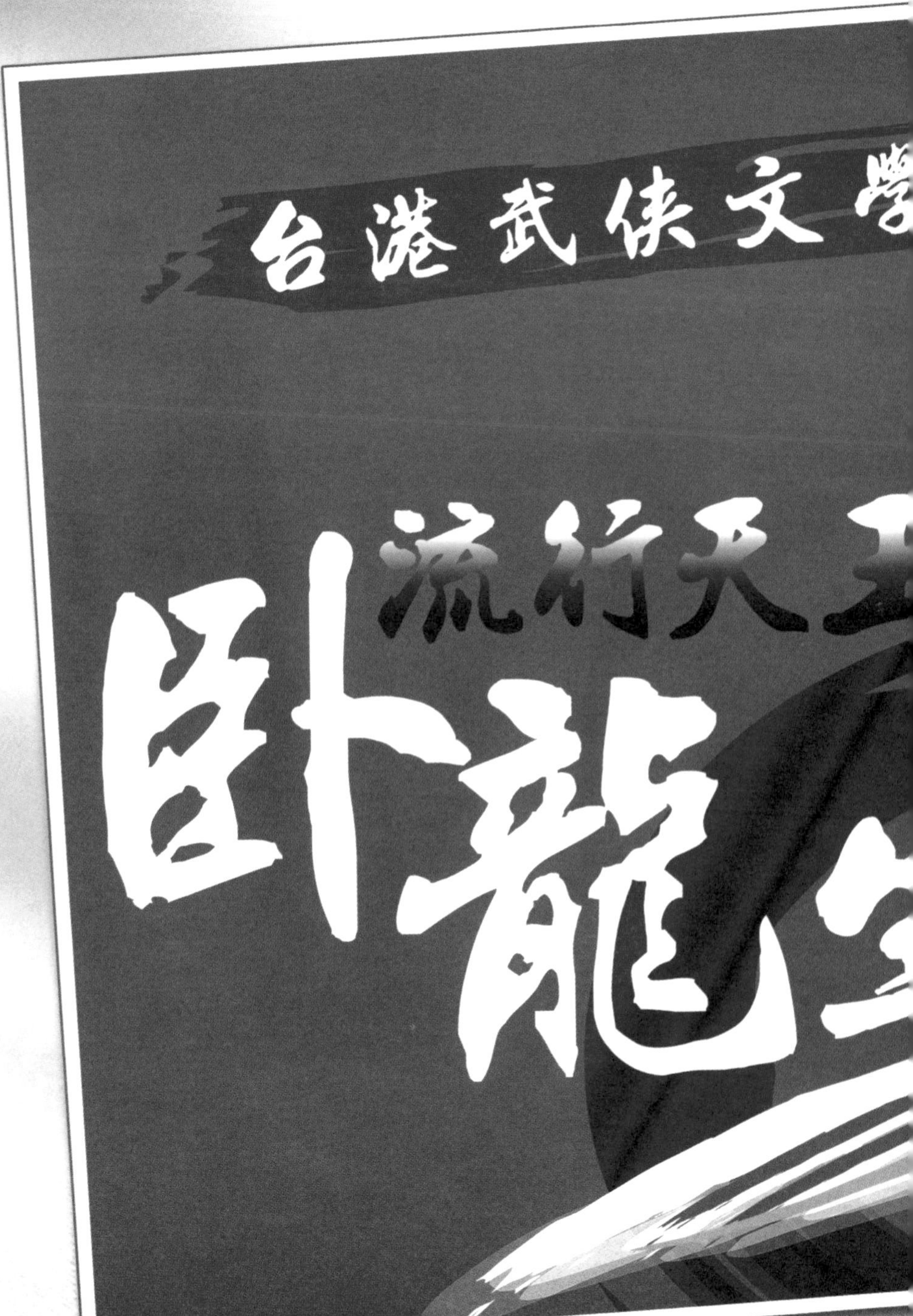

台港武俠文學
流行天
臥龍

臥龍生是台灣最著名的武俠小說作家之一，自然也是海外新派武俠小說家中的重要一員。

在台灣武俠小說界，臥龍生曾獨領風騷被稱為「台灣武俠泰斗」。後來司馬翎、諸葛青雲脫穎而出，才與臥龍生並稱台灣俠壇的「三劍客」。那時候古龍還默默無聞。後來古龍名氣漸大，躋身高手之林，與「三劍客」合稱「台灣武俠小說四大家」，但臥龍生仍是深受讀者歡迎的武俠小說作家。

陳墨

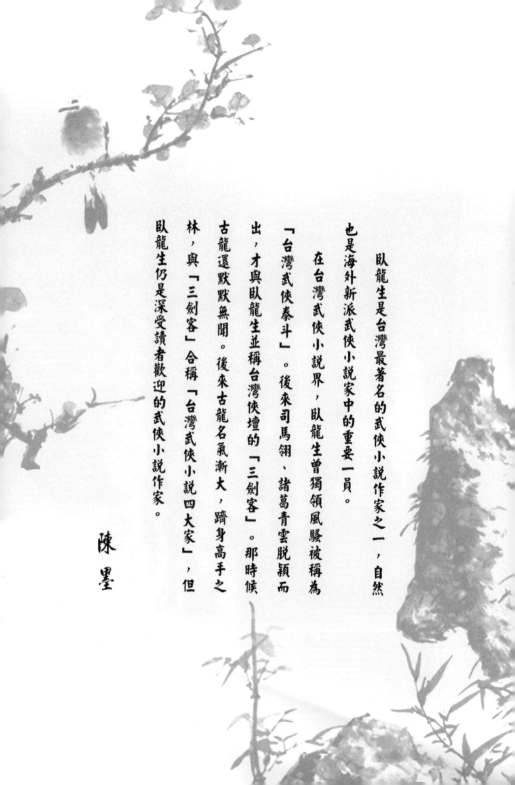

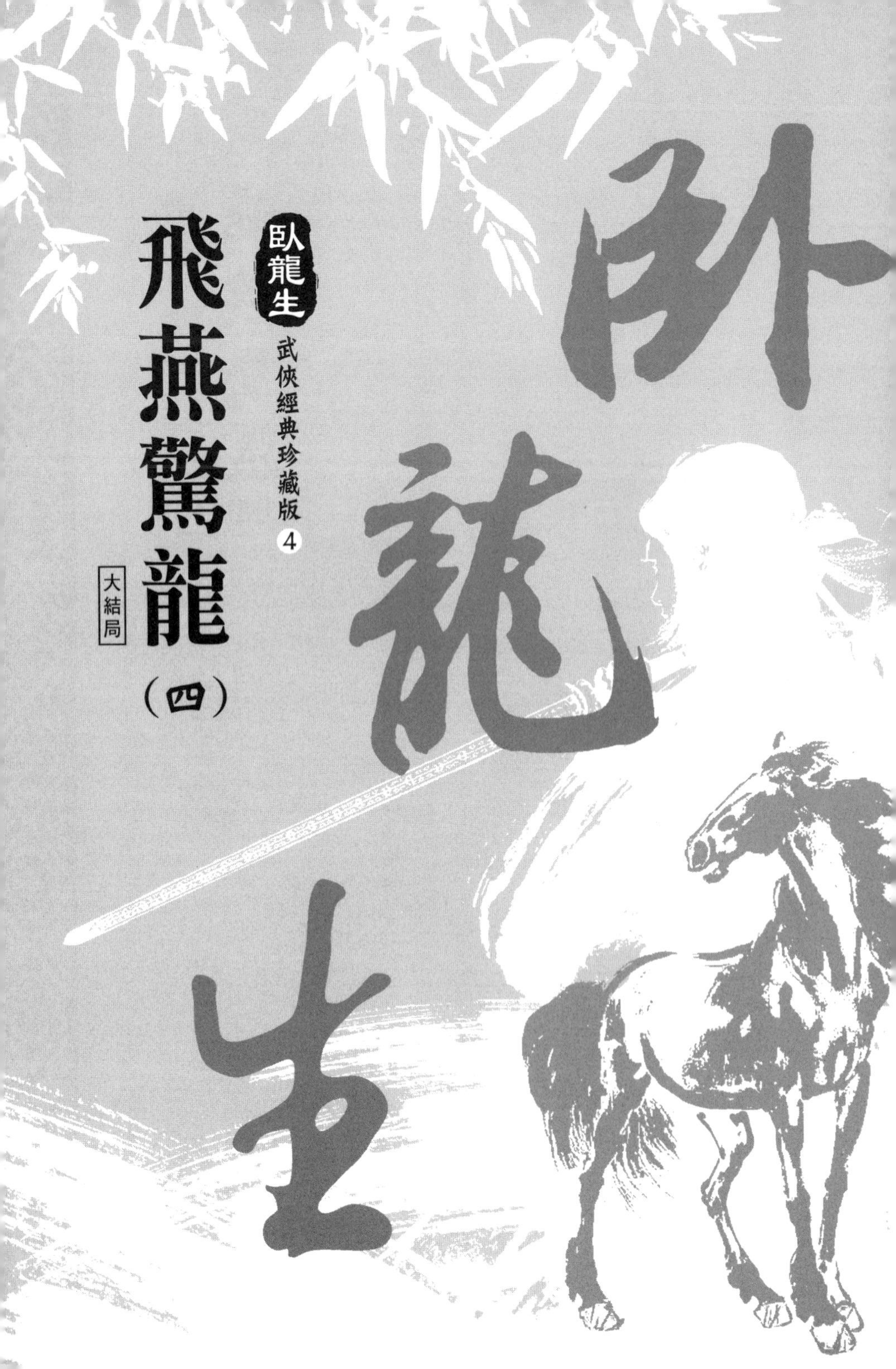

飛燕驚龍（四）

大結局

臥龍生

武俠經典珍藏版 4

臥龍生 精品集04

飛燕驚龍

(四)

目錄

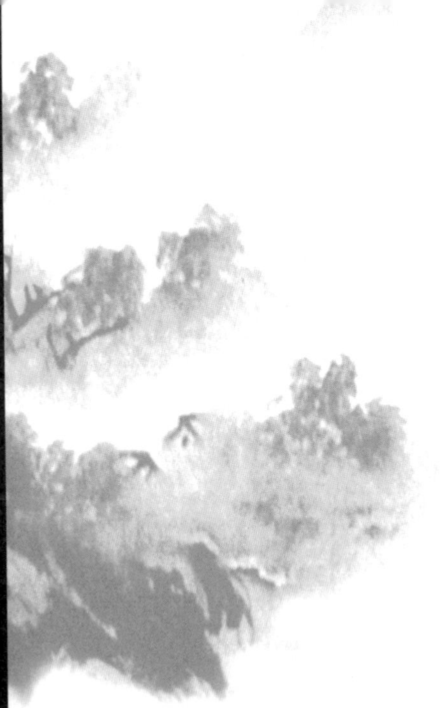

三九　梟雄情深

但聞數丈外厲喝怒吼，六、七股強勁的罡風，紛紛向那瀰空毒沙上擊去。

這不過是剎那之間的工夫，趙小蝶劈出內力彈回毒沙，一陽子和四個白衣小婢以及三手羅剎彭秀葦，都已趁機向後躍退數尺，趙小蝶也收住疾向前衝的身軀，落著實地。

趙小蝶初度和人互以內家真力相拚，毫無半點經驗，中間又隔一片毒沙，看不清對方情形，她因任、督已通，感應特別靈敏，對方幾人合力出手，阻力本極強大，雖然無能擋得趙小蝶擊出的力道，但她本身已受到感應，心頭微感震盪，如果她再運氣加力，對方必要傷亡一半，但她卻在驚駭之下，散去了提聚的真氣。

趙小蝶散去真氣，那迫擊過去的暗勁潛力，忽然大減，疾衝而去的毒沙，也散落地上，對方幾人，如遇大赦，紛紛收回擊出力道，躍退數尺。

楊夢寰抬頭看去，只見六人並肩而立，正是華山派掌門人八臂神翁聞公泰，和他師弟多臂金剛屠一江，雪山派掌門人白衣神君滕雷，在他身側站著兩個身材瘦長，白麻長衫，腰繫紅帶的詭異裝束人物，因為既瘦又高，所以襯得那中間的滕雷特顯低短。

在三人右邊站著一個道裝背劍的人，一陽子看清楚那人之後，不覺心頭微微一震，暗道：武林中盛傳此人已封劍閉關，怎麼竟然會在這括蒼山中出現？

朱若蘭迅快的地拍了李瑤紅幾處要穴，使她從暈迷中清醒過來，低聲問道：「你用力過度，先靜心養息一下，有話等一下再對我說。」

李瑤紅有氣無力地點點頭，目光環向四周望去，她已累得力盡筋疲，眼中早已沒有神光，雖然如此，但在楊夢寰和她目光相觸之時，仍然大感心頭一震。

忽見超慧師太身子向前一探，疾如流矢一般，向李瑤紅猛撲去，她在眾人目光貫注八臂神翁，分散心神之時，突然間發難攻襲，大出幾人意外，只有楊夢寰早已暗中留心，他知峨嵋三老，心中恨極李瑤紅，怕他們趁人不備當兒，突然下手，早已暗運功力，蓄勢戒備，監視著峨嵋三老的一舉一動，超慧一出手，他也同時發動，疾如雷奔，直撲而去。

超慧正要探伸左手準備把李瑤紅擒住，再以李瑤紅的生死作威協，以便平安地撤離括蒼山，忽覺一股極猛的潛力，直撞過來。這情境迫得她不得不先自保，左掌突然一翻，橫裡拍出一掌。

她因不知施襲之人是誰，不敢用足十成力道，直待左掌拍出，人才隨著擊出掌勢，轉頭一瞥。一望之下，登時怒火大熾，突然運氣加力，掌勢威猛一倍。

兩股潛力一接，立時判分高下，楊夢寰功力差遜一著，又正值藥性發作，體力未復之際，當時被超慧一掌，震得由空中摔跌下去。

這本是一瞬之間，朱若蘭拍醒李瑤紅穴道，返身向聞公泰等迎去，剛走幾步，耳際已突聞衣袂飄風之聲，回頭望時，楊夢寰已被超慧掌力震摔地上，立時怒火暴起，嬌叱一聲，返身疾撲超慧。

超元、超塵在超慧出手時已知事情鬧出亂子，但想伸手阻止時，已來不及，只得運功蓄勢，以備超慧陷身危境時，出手相救，朱若蘭返身撲向超慧之時，超元、超塵也同時發動，一左一右地猛撲過來。

這突然間的大變，引得全場諸人，一致注目，沈霞琳啊了一聲，縱身一躍，落在夢寰身邊。

她在情急之下，哪裡還顧得眾目睽睽相視，伸手抱起摔在地上的夢寰，叫道：「寰哥哥……」

忽聽聞公泰大喝一聲，迅如電光一閃般猛向李瑤紅撲去，手中青竹杖舞起一團碧光開路。八臂神翁一發動，翻天雁馬家宏和白衣神君滕雷緊隨著疾撲過來，幾人都是當代武林一流高手，來勢迅快至極，但見人影閃動之間，人已到了李瑤紅的身側。

幾人行動雖然一致，但用心卻是各不相同，聞公泰雖然早了一步，但馬家宏卻因距離較近，兩個在同一時間，一齊躍落到李瑤紅的身側。

翻天雁雙腳落地之時，故意把身子向側面一傾，右肩向聞公泰撞擊過去。他內功精深，借那傾肩一撞之勢，發出內家真力，聞公泰驟不及防，被一股逼身潛力撞的向後退了一步。

高手動作，靈快絕倫，馬家宏一著搶著先機，左手已閃電而出，抓向李瑤紅的右臂。

但聽聞公泰冷哼一聲，右腕一翻，青竹杖橫向馬家宏探出的左臂上掃去。

馬家宏武功卓絕，右臂一沉，讓過青竹杖，左手寶劍斜出一招「神龍掉頭」，疾向聞公泰當胸刺去。

兩人這一緩之勢，滕雷和崑崙三子已然趕到，一陽子、玉靈子雙劍並出，結成了一片光幕，擋住馬家宏，慧真子卻趁勢一把抱起李瑤紅向後躍退。

馬家宏陡然一挫腕，收回刺擊向聞公泰的長劍，人也同時向左側橫躍五尺，冷笑一聲，振腕揮劍，疾向慧真子追刺過去。

趙小蝶和四個白衣小婢，目睹場中局勢詭異的變化，心中甚感不解，不知這般人何以忽敵忽友，一時間怔在當地，不知該打誰幫誰。

要知她自幼在深山大谷中，人跡罕到之處長大，從未涉足過江湖，雖是聰明絕倫之人，但也無法能在幾日之內，了然江湖間重重的奸詐陰惡。

這時，峨嵋三老已和朱若蘭對拆十一、二招，朱若蘭以精奇的招數，逼得三人像走馬燈，團團亂轉，她因不願傷人，無法施展身負絕技求勝，單以拳掌的精奇變化，要想在十幾回合之內，把三個武林一等人物打敗，實是一件十分困難之事。她雖在激鬥之中，仍留心著場中局勢變化，因有世無其匹的趙小蝶在場，使她放心不少。

哪知趙小蝶目睹幾人忽敵忽友的變化，心為所惑，不知該幫哪個，怔在當地發呆。四婢看主人呆站著不動，也就站在一邊看熱鬧起來。

彭秀葦怕傷了楊夢寰和霞琳，守在兩人跟前不敢離開，一陽子和聞公泰動上了手，玉靈子被滕雷纏住，多臂金剛屠一江及滕雷二位師弟，虎視眈眈地監視著馬家宏，只要他一從慧真子手中奪下李瑤紅，立時出手攔劫。

要知這般人都是久歷江湖的人物，個個老謀深算，每人心中都有他們的如意算盤。剎那間詭異變化造成的混戰局面中，以慧真子最是危險。馬家宏深厚的內力，和精奇的劍術，迫得慧真子險象環生，她又抱著李瑤紅，無法施展追魂十二劍招，只餘下勉強的招架之力。

楊夢寰經霞琳推拿了幾處大穴之後，清醒過來，長吁一口氣，睜開雙目。

他清醒之後，立時轉頭向四周張望，看到慧真子的險象，不禁心頭大急，忽的挺身而起，剛剛抽出長劍，忽覺頭一暈，人已跌坐下來，情急之下不自覺地失聲叫道：「趙姑娘快些出手，換我師叔下來。」

趙小蝶正在注意朱若蘭和峨嵋三老動手，聽得楊夢寰呼喊之聲，轉頭微微一笑，柳腰擺動，凌空而起，直向翻天雁撲擊過去，這時，馬家宏剛把深厚的內力，貫注劍身，準備震飛慧真子手中寶劍，忽覺眼前白影一閃，兩縷指風，急襲而到。他在運氣之後，全身都有一層罡氣保護，但那襲來指風，竟能衝破他護身罡氣，襲向兩處要穴，這凌厲的一擊，使翻天雁大感震駭，挫腕收劍，疾退了一丈多遠。抬頭望去，只見趙小蝶擋在慧真子前面，也不知她心中想到了什麼高興之事，翠眉上揚，星目望天，嬌靨上笑意盈盈，似乎浸沉愉悅之中，風姿綽約，情態撩人，哪裡是剛剛出手向他施襲之人。

可是除了趙小蝶，那四個白衣小婢，和三手羅剎彭秀葦，均停在原地未動，朱若蘭還在和峨嵋三老相搏，一陽子、玉靈子正在和聞公泰、滕雷打得難分難解，不覺一皺眉頭，忖道：這女娃兒看上去不過十六、七歲，難道竟有破我護身罡氣的功力不成？

剛才趙小蝶出手震回毒沙，馬家宏並未看清是她一人之力。當場諸人都知朱若蘭本領奇大，想那剛才互以內力推震毒沙之事，定有朱若蘭插手相助，趙小蝶縱然出手，力量也極有限，是以，他並未把趙小蝶視為勁敵。

但他究竟是久歷江湖之人，心中沒有十成把握，決不肯輕舉妄動，當下冷笑一聲道：「剛才出手向貧道施襲之人，可就是姑娘你嗎？」

趙小蝶似是被他一問，打斷了心中思想之事，臉上笑容一斂，答道：「不錯，你要怎麼樣？」

馬家宏哈哈大笑一陣，暗中卻借那大笑之聲，運聚了功力，正待突然施襲，忽聞兩聲悶哼傳入耳際。

轉頭望去，只見峨嵋三老中的超元、超塵一齊踉蹌地後退了五、六尺遠。

原來兩人各自中了朱若蘭一掌，幸得朱若蘭未有傷人之心，兩掌打得並不很重，話雖如此，但亦受傷不輕，頭暈眼花，幾乎栽倒地上，跟蹌出十幾步，才拿樁站住。

朱若蘭擊退了超元、超塵之後，並未再向超慧下手，翻身一躍，落到慧真子身側，望著李瑤紅道：「你可受了傷？」

李瑤紅淒涼一笑，道：「剛才他們在苦苦追我之時，擊傷了我的左臂，當時在生死交關之下，我也無暇看傷勢如何，現在卻感到傷處痛疼異常。」

朱若蘭伸手一拉李瑤紅右臂，道：「傷在哪裡，快些給我看看！」

她這伸手一拉，觸到李瑤紅的傷處，只聽李瑤紅啊喲一聲，粉頰上登時汗水滾滾直流。

朱若蘭微微一顰黛眉，趕快縮回右手，慧真子卻趁勢把李瑤紅的嬌軀，放置地上。

忽聽馬家宏吐氣出聲，呼地一掌，猛向趙小蝶劈擊過去。

他這蓄勢一擊，運足了全身功力，威勢非同小可，劈空勁氣，挾帶著一片呼嘯之聲，狂飆如濤，排山湧到。

哪知掌風到處，趙小蝶的身軀，竟然隨著那疾猛掌風飄飛而起，升起兩丈多高，衣袂拂動，藍紗飄舞，像一片浮在空際的花瓣。

忽見她懸空打了一個轉身，疾如隕星飛瀉一般，猛向翻天雁馬家宏撲擊而下。

馬家宏目睹她這等奇奧的身法，心頭大感震駭，疾揮手中劍，幻化出千百朵護身劍花，人卻仰身向後疾退了一丈多遠。

但聞四個白衣小婢齊聲嬌叱，蝴蝶穿花一般，急撲而上，馬家宏剛剛站隱身子，四婢已合圍而上，玉掌粉拳，紛紛擊到。

馬家宏長劍揮動，舞出一圈銀虹，以阻四婢攻勢，仰臉一聲長嘯，破空直上，施出八步登空絕技，從四婢頭上飛過，身懸半空，振腕揮劍，劍化一片護身光幕，疾如驚霆迅雷，猛向朱若蘭和李瑤紅停身之處罩下。

趙小蝶玉腕一翻，聞公泰便連人帶杖，忽覺一陣疾風，直擊過來，急劈兩掌，把玉靈子逼得退一步，轉眼看時，只見一團碧光迅如雷奔電閃撞到。他目光敏銳，一望之下，已看出施襲之人，正是八臂神翁，不覺大怒，冷笑一聲，揮拳直擊過去。

聞公泰是身不由己地飛撞過來，並未存心向滕雷出手，白衣神君這一掌又是運足內力擊來，拳風呼呼，聲勢驚人，在這生死須臾之間，聞公泰縱想呼喊，也來不及，只得揮掌硬接一拳。

這一擊一迎之間，各用了八成以上真力，只聞兩人同時一聲悶哼，滕雷馬步不穩，連退七、八步，才拿樁站住，聞公泰卻被這一招硬拚，震得由空中直落下來，身軀搖擺，臉色鐵青。

一陽子、玉靈子都是成名人物，不肯乘人之危，雙雙收劍躍退。

這陡然的大變，震驚全場，一時間鴉雀無聲。

多臂金剛屠一江在一怔之後，縱身躍落到聞公泰的身側，兩個瘦長的白衣人，也在同時躍落到滕雷身邊。

兩人在情不由己的局面下，硬拚一招，彼此都覺內腑震盪甚烈，白衣神君滕雷探手入懷摸出兩顆雪蓮子，自己吞下一粒，另一粒抖手投向聞公泰，道：「聞兄接住，試試兄弟這雪蓮子功效如何？」

他和五毒叟莫倫對掌之後，本已爲莫倫毒掌力所傷，全杖懷中雪蓮子的神效，把侵身毒性解除。

聞公泰接住雪蓮子後，立時吞入口中，但覺一股微帶苦味的涼液，直下咽喉，登時滿腹清涼，大感舒暢，連聲讚道：「雪蓮子果不虛傳，兄弟感謝不盡。」

滕雷一咧大嘴巴，微笑不答。

朱若蘭耳目敏銳，已看出趙小蝶施展的導陰接陽手法，使他們自相硬拚，只是她功力深厚，比自己高明極多，不但可借對方劈出內力，而且能把對方身體導引相向，心中大感佩服。

只聽李瑤紅有氣無力地叫道：「姊姊，小妹幸不辱命，已把《歸元秘笈》取回。」

她說話聲音雖然微弱，但在場之人，俱是一等的高手，都聽得十分清晰。立時全場注目，齊向李瑤紅望去，連被朱若蘭施展天罡指戳破護身罡氣，受傷的馬家宏，也不自主地睜開眼睛望去。

只見李瑤紅右手探入懷中，摸出幾本薄薄的冊子，向朱若蘭手中交去。

這部瘋狂江湖人心奇書，已不知多少人爲它濺血送命，但那頻傳的慘事，仍不能阻止武林中大部份的貪得無厭之心，儘管死的人白骨累累，可是後繼者仍然勇往直前。

聞公泰、馬家宏、屠一江，連同崑崙三子中的玉靈子、慧真子，身負掌傷的超元、超塵以及超慧師太等，都不自禁地向李瑤紅身邊走去，只有一陽子靜站著未動，沈霞琳緊守在楊夢寰身側，這位天使般的玉人，似乎對那傳言的奇書，毫不動心，連看也不看一眼。

朱若蘭迅快接過李瑤紅手中《歸元秘笈》，藏入懷中，目光環掃一周後，冷冷地喝道：「都給我站住。」

她雖然嬌如春花，卻有一種高華的懾人氣度，這冷冷一喝，群雄都不禁收住腳步。

聞公泰側望滕雷和馬家宏一眼，冷笑一聲，道：「滕兄、馬兄，看來咱們是白費了一場奔追之苦，要讓別人坐享其成了！」

他自知一人之力，決不是朱若蘭的敵手，縱然不計身分，突然下手施襲，只怕也未必能搶到《歸元秘笈》，但又不願眼看著這部風靡江湖的奇書，落入別人手中，是以出言試探滕雷和馬家宏的心意，想挑撥兩人出手，搶那《歸元秘笈》。

聽滕雷陰森森的一聲怪笑，道：「咱們辛辛苦苦奔追了數座山頭，要讓人家毫不費力的把書得去，那可是一樁奇恥大辱之事，不知駕兄對此事有何高見？」

馬家宏內功精湛，經過一陣運氣調息之後，傷勢已經好轉，當下微微一笑道：「兄弟和兩位一樣心意，無論如何也得看看那《歸元秘笈》上記載之學，有什麼精奧之處，竟能引得千百武林同道，爲它如癡如狂！」

三人你言我語，說得十分緊張，大有不奪回《歸元秘笈》誓不放手之慨，但是誰也不願領先出手。

朱若蘭兩道冷電一般眼神，在三人面上望了一陣，突然伸手入懷，摸出《歸元秘笈》，向前走了數尺，到一座突立的大青石邊，把三本奇書整整齊齊地放在石上，退回原位，冷冷地說道：「幾位既然都想據有《歸元秘笈》，儘管出手去取。」說完，目光環掃全場，橫劍而立，眉宇間湧出殺機。

群雄雖知首先伸手取書之人，必然首擋朱若蘭凌厲一擊，但仍在不自主間向那大青石旁走去。

朱若蘭一提真氣，貫注劍身，目光注定大青石放著的《歸元秘笈》，只要一有人伸手取書，立時施展馭劍之術，攻那取書之人。

只聽一陽子嘆息一聲叫道：「掌門人快請回駕，那《歸元秘笈》乃極爲不祥之物，不看也罷。」

忽見趙小蝶衣衫飄飄，緩步對大青石處走去，步履十分從容地由滕雷和聞公泰兩人之間穿過。

看上去她走的悠閒從容，但卻迅快至極，剎那間到了大青石邊，右手一伸，去取青石上置放的《歸元秘笈》。

哪知她右手剛剛觸及書面，突然又縮了回來，轉臉望著朱若蘭，問道：「姊姊，我可以拿嗎？」

聞公泰突然一伸手中青竹杖，向大青石上的三本《歸無秘笈》挑去，口中接道：「你能拿得，別人亦可拿得。」

趙小蝶動作如電，頭還未轉過來，右手已連續拍出三掌。

她毫無江湖閱歷，不知先搶救大青石上奇書，卻揮掌攻襲八臂神翁。

三掌勢在意先的快攻，雖然把聞公泰迫退，但八臂神翁的青竹杖，已挑到大青石上的三本

《歸元秘笈》，三本奇書一齊向滕雷飛去。

白衣神君目睹三本《歸元秘笈》直對著自己飛來，心中雖明知道這可能是聞公泰嫁禍於人之策，但卻不自禁的伸手接住了飛來的奇書。

朱若蘭冷笑一聲，正待施展馭劍之術擊去，突聞幾聲嬌叱連響，四個白衣小婢已搶先出手，但見人影閃動，一齊向滕雷攻去。

兩個瘦長的白衣人，在聞公泰青竹杖挑書投向滕雷之時，早已運功戒備，這班人個個都是久聞江湖的老手，見機應變，均極迅速。

四婢飛身襲擊滕雷之時，兩人也同時長嘯一聲，凌空躍飛過來，人還未近滕雷，雙手已自劈擊而出，兩股強猛的掌風，疾向四婢撞去。

四婢本是撲向滕雷，忽覺兩股潛力迎面襲來，只得聯手而出，硬接一掌。

她們雖不像趙小蝶俱絕世內功，但也都是內外兼修的高手，功力雖然不深，無法施展劈空掌力傷人，可是聯手一擋，力道也自不小，彼此各運內力一震，全部空中落了下來。

白衣神君滕雷看兩個師弟出手，心中忽然一動，翻身一躍，退後九尺遠。

只聽朱若蘭清叱一聲：「站住！」忽的一振皓腕，身劍合一，凌空直飛過來。

要知馭劍之術，為劍術中，最高的一種功夫，如果是內力達到絕頂之人，可斬人於十丈以內。朱若蘭那深厚功力，威勢已是驚人心魄，但見一道白光，疾如閃電，直向白衣神君罩下。

翻天雁馬家宏閉關二十年，以全力修為內功，修習馭劍之術，均因不得要訣，毫無成就，現下忽睹自己夢寐難求之學，震駭之中，卻又混入了一種莫名其妙的喜悅，不自覺地大聲讚道：「好劍法，貧道今天算開了眼界。」

滕雷只見一道白光捲帶著凌厲的劍風而下，看不清對方人影，空負一身絕技，不知如何出手招架，驚急之下，把手中《歸元秘笈》，猛向那矯如游龍的白光投去，奇書出手，緊接著又打出兩股掌風。

他這驚急之間自保之法，真還被他用對，朱若蘭生怕傷及《歸元秘笈》，只得散去馭劍真氣，白光一斂，人影驟現，伸手把投來三本秘笈接過，就這一剎之間，滕雷舞出的兩股奇猛拳風，已然襲到，朱若蘭再想出手招架，哪裡還來得及，但見一個玲瓏的嬌軀，在空中連翻了三、四個觔斗，飛落三丈以外。

趙小蝶啊喲一聲驚叫，直向朱若蘭身側躍去，彭秀葦和四個白衣小婢，亦急急地奔向朱若蘭身側。

朱若蘭雖然是雙腳先行落地，但她在落著實地之後，一連退了四、五步，仍無法站穩身子，終於一跤跌坐在地上。

她似乎受傷不輕，跌坐在地上之後，張口吐出來一口鮮血。

趙小蝶迅快地探手入懷，取出一粒紅丹丸，投入朱若蘭口中，說道：「姊姊，快些把丹丸吞下，那是我娘費了數年苦功製成的丹丸。」

朱若蘭微微一笑，道：「我不要緊……」只覺那入口丹丸，自行化成液汁，瀝瀝流下咽喉，一股緩慢的熱流，由內腑逐漸向四肢散去。她內功本極深，再被靈丹神奇的藥力一托，精神立時大見好轉，一挺身站了起來，把手中《歸元秘笈》，送到趙小蝶面前，道：「妹妹先把《歸元秘笈》收好。」

趙小蝶右手剛剛伸出，突聞一陣格格大笑之聲，道：「你們是要書呢？還是要他的命？」

朱若蘭一揚黛眉，怒道：「你膽子不小……」轉頭望去，只見陶玉左手拿著楊夢寰右肘關節，右手放在他背上「命門穴」上，冷漠地笑道：「不錯，你如敢妄動一步，我立時碎他內腑六臟。」

群雄都把精神集中在《歸元秘笈》之上，竟不知陶玉何時到來。

慧真子距離較近，怒喝一聲，疾向陶玉撲去。

只聽金環二郎冷笑一聲，飛左腳挑起地上的沈霞琳，直向慧真子迎頭撞過去。慧真子只得一沉丹田真氣，落著實地，寶劍斜向外面一推，敞開門戶，把沈姑娘嬌軀接住。

原來，沈霞琳早已被點了穴道。

一陽子大喝一聲，凌空而起，振劍疾向金環二郎攻去。

陶玉微一側身，順勢一帶夢寰，擋在自己前面，喝道：「老雜毛快些停手，再敢妄攻一劍，可別怪我心狠手辣。」

朱若蘭手中扣著三粒牟尼珠，咬著櫻唇，不敢出手，氣得她圓睜著一雙星目。

一陽子疾收長劍，躍退八尺，雙目湛湛，注定陶玉，一語不發。

忽見李瑤紅掙扎著從地上爬起，踉蹌著向陶玉奔去，口中喊道：「快些放開他，是我偷了你的《歸元秘笈》，和他毫無關係。」

她早用盡了全身氣力，右臂又被人打傷，強忍著無比的痛苦，聲嘶力竭地大喊著，向陶玉衝去，長髮散披，淚如泉湧，形如瘋子一般。

陶玉突然一揚眉，冷冷地說道：「快給我退回去，再要向前奔闖，我要你當場血濺。」

李瑤紅狂喊道：「我不怕你。」用盡僅有氣力，一頭向陶玉撞去。

陶玉右手一提楊夢寰衣領，兩人向左側閃開三尺，飛起一腳，踢中李瑤紅右胯，直踢得李瑤紅嬌軀凌空，直向一側飛去。

彭秀葦身軀一橫，一把抱住李瑤紅向旁摔飛的身子。

陶玉這一腳用力奇大，彭秀葦接住李瑤紅後，不自禁地向後退了三步，低頭看時，李瑤紅早已暈了過去。

趙小蝶看夢寰雙目怒睜，但卻不發一言，知他已被人點了穴道，幽幽地嘆道：「姊姊，把《歸元秘笈》給他吧！別讓他傷了楊相公。」

朱若蘭聽得微感一愣，側臉望了趙小蝶一眼。

趙小蝶莫名其妙地臉一紅，接道：「楊相公是很好的人，我不忍看他被人震碎內腑死去。」

朱若蘭一提氣，壓制著翻動的血氣，緩步向陶玉走去。

趙小蝶玉掌一揮，四個白衣小婢立時繞到陶玉身後，擋住去路。

陶玉面如寒霜，望著四面逼近群雄，右掌緊按在楊夢寰後背「命門穴」上，運功蓄勢，嘴角間掛著一絲冷笑。

朱若蘭看陶玉神色陰沉，心中甚是不安，停住步，目光環掃逐步逼來的群雄，對趙小蝶道：「蝶妹妹，他們哪個再往前跟進，就先把他們殺掉。」

趙小蝶微一猶豫，凝目轉向群雄看去，發現多臂金剛屠一江，走在最前，立時嬌叱一聲，揮掌直劈過去。

她雖身具絕世武功，但始終不敢相信自己，是以，在聽得朱若蘭要她殺掉再往前跟進之人時，微微一呆後，才發掌向屠一江劈擊過去。

她這劈出的掌勢，看上去輕飄飄的毫無一點破空風聲，但卻是佛門中極高的掌力，如果屠一江揮掌接架，勢非要被她強烈的反彈之力，震傷不可，對方擋擊之力愈大，她的反彈之力也愈強。

幸得翻天雁馬家宏識得厲害，他雖不知趙小蝶的是般禪掌力，但卻看出那是一種極高的內家氣功，立時高聲喊道：「屠兄快退，千萬不可硬擋那近身力道。」

八臂神翁聞公泰已嘗試過趙小蝶的厲害，當下急接道：「師弟快退。」

屠一江聽得馬家宏和師兄同時呼叫之言，立時仰身疾退，閃讓開一丈多遠，滕雷和馬家宏也同時向旁側閃開。

趙小蝶並不知她這劈出一掌，有多大力道，但見群雄紛紛逃避，不禁看得一呆。

這時，除了崑崙三子原地未動之外，馬家宏、聞公泰等，果然都紛紛向後退去。

朱若蘭又向前緩進五步，望著陶玉冷冷地說道：「你如在他身上暗中下了毒手，你也別想活著離開。」

陶玉一提夢寰擋在自己前面，笑道：「朱姑娘但請放心，我只點了他兩處穴道，其他別無損傷。」

朱若蘭一抖皓腕，把三本《歸元秘笈》投在陶玉身側三尺左右地方，道：「拿去吧！」

陶玉目光環掃了四周群雄一眼，突然一伸左腳，挑起地上的《歸元秘笈》，接在手中，對朱若蘭道：「委屈姑娘，再請送我一程。」

朱若蘭道：「哼！你就是逃到天涯海角，也一樣有人追你……」

陶玉冷笑一聲，接道：「你是答不答應？」

朱若蘭心中雖氣，但因楊夢寰的性命握在他的手中，發作不得，只好強按下心中憤怒，道：「要我送你不難，但要先把他穴道解開。」

陶玉微微一笑，左手扣著楊夢寰右肘關節不放，右手連拍了楊夢寰兩處穴道。

只見楊夢寰眼睛轉動一下，左手迅如電火一般猛向陶玉劈去。

陶玉早已防備，不慌不忙地微一側身，讓開楊夢寰掌勢，左手突然一加力，楊夢寰登時感到半身痠痲。掌勢劈出一半，自然地垂了下來，頭上汗水如雨，滾滾而下。顯然，陶玉用力極重，楊夢寰吃的苦頭不小。

忽聽趙小蝶高聲叫道：「他用的是『拂穴錯骨手法』，陰毒無比，你要掙動，只是多找苦吃……」說至此處，倏然住口，緩步向陶玉步去。

陶玉看她一開口居然能把自己用的手法說出，心頭大感震駭，心知多留一分時間，即將增多一分危險。當下冷笑一聲，對朱若蘭道：「朱姑娘請爲在下開路，再要猶豫不決，我可要震碎楊兄內腑，毀去《歸元秘笈》……」

朱若蘭聽得一顰黛眉，還未來得及答話，一陽子突然一躍而上，接道：「生死有命，算不得什麼大事，朱姑娘但請出手，奪回《歸元秘笈》，不必顧慮寰兒生死之事！」

趙小蝶看他氣勢洶洶一躍而上，怕他在氣憤之下，當真出手，激怒陶玉，逼他出手傷害楊夢寰，不禁心頭大急，嬌軀一晃，擋在一陽子前面，道：「姊姊，你就送他一程吧！」

朱若蘭點點頭，望著陶玉說道：「走吧！」轉身向前奔去。

忽聽沈霞琳喊道：「蘭姊姊，我和你一起去，好嗎？」說話之間，人已奔到朱若蘭身側，朱若蘭拉著沈霞琳玉腕，聯袂開路，陶玉手扣著楊夢寰右肘關節，和兩人保持了一丈的距離，趙小蝶走在陶玉身後。

聞公泰、馬家宏等，又遠遠地追隨在趙小蝶身後。

轉過兩處山腳，陶玉突然加快腳步，超到朱若蘭前面，回頭笑道：「兄弟一向言無不踐，朱姑娘請留步吧。」

朱若蘭冷笑一聲，依言停住腳步，道：「我們已送你出險，還不把人留下！」

陶玉道：「兩位暫留玉趾，兄弟到十丈後，就放他回來。」

朱若蘭冷笑道：「哼！你生性毒如蛇蠍，誰相信你的鬼話。」

陶玉道：「我此刻放他不難，但你如出手攔住我的去路，在下不是白費了一場心機嗎？」

朱若蘭道：「你只要真的沒有暗下毒手傷他，我決不追你就是。」

陶玉格格一笑道：「在下相信姑娘之言，接住。」一振雙臂，把楊夢寰疾向朱若蘭投擲過去，人卻借勢反躍，飛出兩丈多遠。

朱若蘭一側嬌軀，接住了楊夢寰的身子。

突見白影一閃，趙小蝶凌空而起，疾如電光一閃般，由陶玉頭上飛過，翻身攔住了去路，道：「你還走得了嗎？」

陶玉冷哼一聲，舉手一掌劈去，趙小蝶嬌軀側讓，纖指輕彈，一縷指風，急襲陶玉脈門。

陶玉驚駭得躍退五尺，望著趙小蝶發呆，他已從三音神尼拳譜上看得了這門極難為的彈指打穴神功，單是這一門功夫，就需要三十年的時間，而趙小蝶看上去，只不過十六、七歲。

他哪裡知道，趙小蝶自幼就坐修佛道合璧的「大般若玄功」，任、督二脈已通，常人需要數十年才能修成的武功，在她卻易如折枝反掌，只要能通達竅訣，數日內即登大乘。

趙小蝶似是不知道她那輕彈纖指的一擊，已使敵人大感震駭，見陶玉呆呆地望著自己，不再出手，不禁怒道：「你望著我做什麼？」

雙肩微晃，欺身而進，迅如電光石火般劈出三掌。

陶玉施展移形換位的身法，避開三掌快打，錯掌反擊，展開快攻，疾如輪轉般，倏忽之間，連攻了二十多掌。

如以趙小蝶身具的功力，和她胸羅的奇奧搏擊手法而論，只需二、三回合之內，便可把陶玉擊斃掌下，或把他生擒活捉，但她卻讓陶玉攻了二十餘掌。

二十餘回合後，趙小蝶已逐漸地沉靜下來，雖然還不知搶制先機，反守爲攻，但已能料敵出手，寓攻於防守之中，陶玉掌勢一出，她立時能以克制對方手法，制敵機先。

陶玉連換了十餘種不同的掌法，但均被趙小蝶以機先的對制，追他收勢變招。

兩人又對拆幾招之後，陶玉已被趙小蝶機先的壓制，逼迫得無法出手。

這時，聞公泰、馬家宏、滕雷等，都站在三丈左右，看著兩人過招動手，只看得幾人心中又奇又驚。

陶玉又勉強撐鬥了兩個回合，愈打愈覺害怕，不管自己用的什麼招術，只一出手，必爲對方克制，心知再不見機逃走，只怕凶多吉少。當下大喝一聲，猛攻兩掌，向後躍退了一丈四、五。

趙小蝶右袖一拂，立時有一股潛力，把陶玉逼住，人卻直欺而下，右手一揚，只聞砰砰兩聲，陶玉雙頰頓時紅腫起來，口中鮮血汩汩而下。

這兩個耳括子，打得奇詭無比，不但四周群雄沒有看清楚她用的手法，就是陶玉也不知她如何出手，只見她右手一揚，立時兩頰各中一掌。

沈霞琳看得高興，不覺失聲叫道：「姊姊再打他兩下，這個人壞死了。」

趙小蝶微微一笑，舉手又向陶玉臉上打去，她出手奇奧難測，陶玉雖然看著她掌勢打到，卻是無法閃避，只覺一陣巨疼，雙頰又各著一掌，登時血若泉湧，滿口噴出。

這兩掌似乎打得很重，陶玉身軀晃了兩晃才拿樁站好。

這時，朱若蘭已推活楊夢寰被點制的穴道，站在一側，靜靜地觀賞趙小蝶和陶玉動手的情形。

她所學的武功，亦都是《歸元秘笈》上所記載之學，這本深奧博大的武學秘錄，的確是一部精奇絕倫的武功大成。

陶玉在連中四掌之後，被打得頭暈眼花，已無能再和趙小蝶動手相搏，心中一急，回顧朱若蘭怒聲問道：「你說過不攔我下山去路，怎的這等不講信義？」

朱若蘭淡淡一笑道：「我只答允你我不出手，並未答應也不許別人出手。」

陶玉忽地向後一躍，取出懷中《歸元秘笈》，道：「你等如敢再追進一步，我立時毀去這部奇書。」

四圍群雄一看陶玉要毀去《歸元秘笈》，個個怦然心動，不約而同，一齊向前躍進。

八臂神翁一揮手中青竹杖，大聲叫道：「毀不得，有話好說。」

翻天雁馬家宏，一提真氣，長嘯一聲，接道：「《歸元秘笈》乃千古武學大成奇書，豈可隨便毀去……」

餘音未絕，驟聞大笑之聲，劃空傳到，十幾條人影，聯袂如飛而來，乍刻之間，已到幾人身側。

群雄轉頭望去，個個心頭一震，只見天龍幫龍頭幫主李滄瀾，和屬下五旗壇主，在川中四醜護擁之下趕到。

李滄瀾一掄手中龍頭拐，帶起了陣陣風嘯之聲，笑道：「盛會！盛會！各位竟都比在下先到了一步。」瞥見陶玉雙頰紅腫，滿臉鮮血，手舉三本書冊，立時接道：「玉兒！你手舉何物？」

陶玉道：「師父來得正好，弟子正被人追得無路可走，準備毀去《歸元秘笈》。」他乃工於心計之人，口中雖在答應著李滄瀾的問話，但左手仍然緊握著《歸元秘笈》。

趙小蝶被陶玉毀書的舉動唬住，一時之間，不知如何處理這等局面，呆呆地站在當地。因那《歸元秘笈》乃無比珍貴之物，朱若蘭既非持有主人，也不便擅作主意，只怕萬一被陶玉毀去奇書，難以對趙小蝶交代。

李滄瀾舉起手中龍頭拐，在空中劃了一圓周，川中四醜和五旗壇主，突然迅速地分散四周，運功戒備，以防群豪出手搶書，李滄瀾卻緩步向陶玉走去。

這局面，緊張得可聞呼吸之聲，全場之人，都暗中凝神運氣，提聚了本身功力，生死一搏之拚，一觸即發。

忽見朱若蘭玉腕一揚，三粒牟尼珠劃起破空嘯聲，分取李滄瀾上半身三大要穴，來勢勁急，一閃而至。

李滄瀾似是爲朱若蘭暗器出手勁急力道震懾，倏然停步，揮拐一掄，這怪傑的武功當真是已達出神入化之境，就那一掄之勢，立時湧起一片拐影，三粒牟尼珠，盡被擊落。

忽聞破空金風，劃出的尖嘯之聲，一面大如輪月的鋼鈸，直向朱若蘭飛擊過來，陰詐的齊元同，施放出飛鈸之後，才大聲喝道：「姑娘請試試在下飛鈸……」話還未完，飛鈸已挾帶風嘯之聲，向朱若蘭當頭落下。

朱若蘭看這著名江湖的霸道暗器，飛來之勢大異平常暗器，盤空自旋，嘯風強勁，勢道雖然不快，但看上去卻蘊蓄極大的暗力。

她初遇這等暗器，倒也不敢大意，提氣凝神，蓄勢戒備。

海天一叟趁著朱若蘭分心之際，突然向前一躍，直向陶玉身側欺去，想先把《歸元秘笈》搶到手中。

哪知馬家宏和聞公泰，早已留上了心，李滄瀾剛剛一發動，兩人同時大喝一聲，雙雙躍起，凌空撲去。

只聽隨同李滄瀾而來，五旗壇主中的黃旗壇主王寒湘、黑旗壇主崔文奇，一齊怒喝，振臂躍飛，分向馬家宏、聞公泰迎擊過去。

這時，李滄瀾已欺到陶玉身側，低聲喝道：「玉兒，快把手中《歸元秘笈》給我……」

陶玉被趙小蝶幾記耳光，打得暈暈糊糊，眼前金星亂飛，雖然已聽出是李滄瀾的聲音，仍不禁轉臉望了一望。

忽聽趙小蝶清叱一聲，嬌軀凌空直飛過來，她怕李滄瀾搶去奇書，顧不得陶玉毀書威脅，振臂直搶過來。

川中四醜中的老大、老二，雙雙大喝一聲，一起振袂斜躍，橫裡攔截。

趙小蝶突然一收雙腿，滑溜無比地從兩人掌影交錯中穿過，雙手向後一揮，拍中兩人肩背，只聽二醜同時哼了一聲，由空中直摔在地上。

川中四醜自小就在一起，久練四象陣法，早已心意相通，趙小蝶從大醜、二醜合擊中滑穿而過之時，三醜、四醜已自躍起出手。

趙小蝶剛剛擊落大醜、二醜，轉瞬間已聯袂攻到。

突見她一雙白玉掌一分，迎住兩人掌勢，皓腕一震，三醜、四醜兩個高大的身軀，陡然間摔飛出去。

原來她在情急之下，施出內家彈震之力，把三醜、四醜懸空彈飛出去。

她連闖二道攔截，擊傷四個武林高手，只不過是一眨眼的功夫，腳未落地，口未換氣，輕靈迅捷，若無其事。

就在這一瞬之間，李滄瀾已把陶玉手中的《歸元秘笈》搶到手中，趙小蝶嬌軀飛到，李滄瀾已奪到奇書，向後躍退。

趙小蝶左袖一拂，腳不沾地，呼地一聲，又向李滄瀾追擊過去。

海天一叟只看得心頭大感驚駭，忖道：這是什麼武功，竟能連闖二道攔截，擋受一記劈空掌風之後，仍然腳不沾實地，人不需換氣，衣袖一拂之勢，追人施襲，縱是凌空虛渡的上乘神功，也難達這等境界，難道她真能御風飛行不成嗎？

需知輕身飛行之術，全憑提聚丹田中一口真氣，閉著呼吸，才能縱躍飛奔，登萍渡水，身輕如燕，不致墜落，內功精湛之人，不但閉氣時間較久，而且換氣也較迅快，但那換氣之時，必需腳著實物，或借別人彈震之力相助，即是內功登峰造極之人，亦得在身子由空中下落之時，抽暇換氣。

要知趙小蝶這等平行飛躍，連闖攔截，不沾實地，繼行追敵施襲，實是罕聞之事。他哪裡知道趙小蝶任、督二脈已通，真氣可運轉於陰、陽二脈之間，閉氣時間，超過一般習武之人數倍之久。但他乃久經大敵之人，雖感驚駭，但心神不亂，拐杖揮動，橫掃出手，凌厲的拐風，帶起一片呼嘯之聲。

趙小蝶看他掃擊一拐威勢，風聲虎虎盈耳，心生顧忌，不敢再向前逼進，真氣一沉，飄落實地。

這時，朱若蘭已施展「天罡指」神功，把那飛鈸撥向一側，瞥見《歸元秘笈》已不在陶玉手中，自是不必再對陶玉相許諾言，嬌軀一晃，凌空而起，直向李滄瀾撲擊過去。

就這一剎之間，五毒叟莫倫、子母神膽勝一清、百步飛鈸齊元同，已躍擋在李滄瀾身前，川中四醜也相繼奔向李滄瀾而來。

王寒湘抖開鐵扇，崔文奇解下腰纏軟索三才錘，目光炯炯，環視全場。

忽聽一聲大喝傳來，劃破了緊張的沉寂，群豪不自禁地轉頭望去，只見彭秀葦背負著李瑤紅，和崑崙三子、峨嵋三老等急奔而來。

峨嵋三老一看王寒湘、齊元同、勝一清都在場中，哪裡還能控制住滿腔怒火，大喝一聲，分向三人撲去。

超元左掌右刀，撲向王寒湘，超塵掄起銅缽，帶起強勁風聲，連人帶缽一齊向子母神膽撞擊過去。

他在峨嵋山時被勝一清子母神膽暗藏的五粒小型鋼彈，打中右腿，傷得十分嚴重，經了數日療治才好，心中懷恨甚深，一見之下，全力猛撲過去。

勝一清看他來勢猛惡，銅鉢有如泰山壓頂一般擊下，倒也不敢硬接他這一擊，側身讓開，揮臂一刀掃去。

超塵回鉢一擋，只聽鏘然一聲大震，鋼刀、銅鉢相擊，飛出一串火星，兩人勢均力敵，各自震退一步，超慧疾撲齊元同，一上手就以狂風迅雷般的攻勢，連續搶攻了二十幾劍。

齊元同傷臂未癒，又被她掄去先機，一時之間被迫得只有招架之功。

超元和王寒湘都以上乘內功，換擊五招，兩人武功各有獨到之處，打得激烈絕倫。

李滄瀾心中忌憚朱若蘭和趙小蝶出手，不敢相助，怕引起混戰局面，但見幾人武功，似在伯仲之間，打下去只怕不是兩百招內才可分勝敗，當下沉聲喝道：「住手。」

他內功精湛，這一聲有如巨雷震耳，天龍幫下三旗壇主，各自搶攻兩招，向後躍退。

峨嵋三老因心中積存一股怨憤之氣，出手幾招搶攻，猛惡至極，但經過一陣搏擊之後，已逐漸失去搶得先機，李滄瀾那一聲大叫，對幾人也無疑當頭棒喝，心神一清，不再追擊。

李滄瀾目光環掃四周群雄一眼，仰天一陣哈哈大笑，聲如龍吟，只震得群山回鳴。

聞公泰突然提聚真氣，大聲喝道：「李幫主有什麼好笑之事，今日群英濟濟，還能讓你帶走《歸元秘笈》不成？」

他怕眾人忘去《歸元秘笈》之事，特意提醒。

馬家宏離開括蒼山時，一心一意要找李滄瀾替師弟追風雁葉惠報仇，但見他剛才隨手一揮的拐風，已知自己二十年閉關苦修，成就竟然有限，真要和人家動手相搏，只怕未必操勝算。

心念疾轉，主意大變，那報仇之心，變成了搶奪《歸元秘笈》之意，當下朗朗一笑接道：「聞兄說得不錯，今日咱們華山、峨嵋、崑崙、雪山、點蒼五派都有人在此，如讓天龍幫把《歸元秘笈》帶走，那可是羞見武林同道了！」

他見眼下實力，以天龍幫最強，如果不聯合群力，求勝不易，不如激起各派同仇敵慨之心，先把《歸元秘笈》搶回，不管被哪個搶到手中，自己尾隨其後，俟機搶奪，要比現下有把握得多。

他說完話後，轉目四顧，察看聞公泰、滕雷等神色。

峨嵋三老對天龍幫懷恨最深，聽得馬家宏一番話後，不禁心中一動，彼此互望一眼，齊聲接道：「馬道兄所言甚是，天龍幫崛起江湖之後，從沒有把咱們九大門派看在眼中……」群雄大都不知峨嵋派超凡大師被天龍幫擄走之事，但見三人接口相應，都不禁微微一怔。

只聽超元大師低宣了一聲佛號道：「出家之人，最戒貪念，我們峨嵋派並未存搶奪那《歸元秘笈》之念，但卻不願使這部奇書落入幫匪手中，那不但貽害武林，而且今日當場之人，都將落下千古罪名，受人恥笑，不管哪一位動手搶書，我們峨嵋派都全力相助。」

聞公泰冷笑一聲，道：「大師乃極具身分之人，說了話可是不能反悔？」

超元微微一笑，道：「貧僧已是花甲高齡，一生之中還沒有說過不算之言。」

滕雷一咧大嘴巴，呵呵兩聲乾笑道：「大師一言九鼎，兄弟深信不疑，何況當著這多英雄之面，聞兄實在多慮了。」

原來他還不放心，又拿話激了超元一句。

超慧怒道：「我大師兄向無虛言，你們再三追問，不覺是以小人之心度君子之腹嗎？」

滕雷笑道：「好說，好說。」

忽見王寒湘身軀一轉，十分自然地走近李滄瀾身邊，低聲說道：「正西方那座山嶺之後，有一片很大的松林，咱們不妨先衝到那松林中去，再以暗器拒敵，待入夜，再謀脫身之法。」

他這幾句話說得異常之低，群雄都沒有聽到。

李滄瀾微微側臉望了依偎彭秀葦懷中的女兒一眼，只見她雙目緊閉，臉色慘白，左臂軟垂，似是受了很重的內外之傷，不禁心頭一酸，幾乎滴下老淚。

只聽王寒湘冷笑一聲，道：「超元大師，你如敢傷損敝幫中一名弟子，可別怪王某人心狠手辣了！」

他這幾句話，聽起來沒頭沒腦，但峨嵋三老卻心裡明白，個個聽得臉上變色。

李滄瀾心頭一凜，由傷痛中清醒過來，忖道：今日之事，決難善了，縱然我們放棄《歸元秘笈》，也不能夠保得我女兒平安無事……但那潛在心靈深處的父女之情，又使他不忍看著女兒落在別人手中。一時之間，忖思難決，不知先救女兒好呢？還是保有《歸元秘笈》要緊？正感為難當兒，忽見聞公泰翻身一個急躍，直向三手羅剎撲去。

原來他看出李滄瀾神色之中，流現出惜愛女兒之色，突然心中一動，暗道：我如把他女兒擒住做為人質，不難迫他交出《歸元秘笈》，當下猛撲過去，右手青竹杖疾點三手羅剎玄機要穴，左手疾向李瑤紅抓去。

彭秀葦毫無防備，措手不及，幾乎吃八臂神翁青竹杖點中穴道，匆忙中側身一讓，向後躍退。

四十　密林陷阱

聞公泰旨在搶人，這攻敵一杖，本是虛招，搶人的左手，卻是去得迅快絕倫，借彭秀葦側身閃讓杖勢，已抓住李瑤紅的左臂，用力一拉，硬把李瑤紅奪了過去，三手羅刹不敢和他爭奪，只得鬆手。

他正暗中慶幸得手，忽覺劍風森森迫到他抓人的左臂肘間，不覺微微一呆。轉臉望去，只見一陽子滿臉怒氣，長劍壓在他左肘關節之處，只要他微一用力，左臂勢必被他斬斷不可，不禁一皺眉頭，怒道：「道長，這是什麼意思？」

一陽子道：「聞兄一派宗師之尊，怎能用這等手段對付一個受傷少女，再不放手，可莫怪貧道失禮了。」說話之間，右手微一加勁，劍鋒劃破衣袖而入，觸及皮肉。

聞公泰怒視了一陽子一眼，放開李瑤紅，冷笑道：「道長乃身列九大門派中人，不想竟然反助外人，咱們華山和貴派，看來是結定樑子了。」

一陽子淡淡一笑，收回寶劍道：「如果天龍幫有意和咱們九大門派為難，貧道自應算得一份，但聞兄這等卑劣手段，貧道卻不敢苟同。」

聞公泰冷笑一聲，青竹杖反臂疾點三杖，分襲一陽子三大要穴。

這時，陶玉已運氣調息復元，除了雙臉紅腫未消之外，均已如常，微睜雙目向四外打量一陣，只見五派高人分守四處要道，把天龍幫圍在中間。

馬家宏看群雄雖都分守在四面要道之上，但卻都在靜觀變化，不肯出手，當下一擺寶劍，大聲喝道：「今日如不借機會把天龍幫中幾個重要人物除去，咱們九大門派，永無安枕之日。」人隨聲起，當先向李滄瀾猛擊過去。

峨嵋三老對天龍幫心懷大恨，果然一齊出手相助。

王寒湘一張摺扇，接住馬家宏來勢，川中四醜迅快地搶了方位，排出「四象陣」法擋住了峨嵋三老。

齊元同反手由背上取下兩面銅鈸，一手一個蓄勢待發，勝一清右手橫刀，左手扣了一枚子母神膽，五毒叟莫倫黃鼠般的臉色，冷漠得像罩了一層嚴霜，左袖虛飄飄地在山風中搖蕩，右手卻潛運五毒神掌，俟機劈出。

聞公泰和多臂金剛屠一江，白衣神君滕雷及他兩個師弟張化、張洛，一齊緩步向場中逼去，五人不肯出手相助，十道眼神卻盯在《歸元秘笈》之上。

朱若蘭看場中刀光劍影，打得十分激烈，但一時之間似難分出勝敗，低聲對趙小蝶道：「妹妹切莫慌著出手，等他們打個筋疲力盡之後，咱們再出手搶那《歸元秘笈》不遲。」

只見趙小蝶呆呆地望著幾人動手，對朱若蘭的話，卻似未聞一般。

原來，她正在用心把熟記於胸中的各種武功要訣，設法融會於對敵搏擊中，雖是看人動手，但心神之專注，比動手之人，更有過之，每見人家出手一招，就思索拆解之法，如對方所用破解手法不同，又推想何以會出這一招。

朱若蘭看她神采飛揚，英氣煥發，那副躍躍欲動神情，知她在融會劍法，心中大悟，不再打擾於她。

回頭望去，只見楊夢寰滿臉痛惜之色，目光不時向李瑤紅投瞥過去，目睹情傷，心如劍創，不覺間妒恨大起，探懷摸出牟尼珠，正待施展米粒打穴絕技，擊襲李瑤紅兩處死穴，忽聽沈霞琳輕輕嘆息一聲，叫道：「黛姊姊，寰哥哥的傷勢可是全好了嗎？」

原來朱若蘭推活楊夢寰穴道之後，沈霞琳就一直守護身側，看著他運氣調養傷勢。她全副心神貫注在夢寰身上，對外局勢變化，看也不看一眼，現下忽見他睜開眼睛，瞧來瞧去，心中十分擔心，不自覺地問了朱若蘭一句。

她聲音雖極嬌柔動聽，但聽在朱若蘭耳中，卻如巨雷轟頂一般。心頭一凜，暗自責道：朱若蘭啊！朱若蘭！如非琳妹這一句相詢之言，你幾乎造成了大錯，李瑤紅已然和他有了夫妻之實，沈霞琳更早已全心相愛，難道你真還要加入這場情愛紛爭之中不成？既是相愛於他，就該爲他設想，應該盡你之力，促成他們三位一體才對……經此心念一轉，心中妒恨頓消，只覺那深蘊在心中的情愛煩惱，刹那間昇華人間最高境界。

私情消滅，心靈一片空明，數月來困擾於她的萬縷情絲，盡被一念而生的慧劍斬斷，當下微微一笑，道：「他穴道已解，不會再礙事啦。」說完話，忽然凌空躍起，兩個起落，躍到了三手羅刹身側，低聲問道：「她的傷勢如何？」

彭秀葦道：「傷勢不輕，神志一直在昏迷之中。」

朱若蘭輕輕一嘆，目光在李瑤紅臉上望了一陣，道：「現下《歸元秘笈》已落她父親手中，在場之人都志在那三冊奇書，縱有私怨，但到利害一致時，亦可暫棄私怨，攜手聯盟。她傷得這等慘重，非經療治難癒，救她清醒過來，只有徒然使她受苦，還不如讓她暫時昏迷著好些。你要好好保護於她，其他的事可以不管，僅防他人突然搶她，迫她父親以奇書交換，她已重傷奄奄，無論如何是再受不住傷害了。」

彭秀葦看她陡然之間，這等關心李瑤紅起來，心中甚感奇怪。

當下答道：「姑娘但請放心，婢子當盡力保護於她，決不讓她再受到損害就是。」

朱若蘭自把數月以來難決難斷的困擾，思透解脫之後，心境甚是快樂，聽完彭秀葦回答之後，不禁展眉一笑。

朱若蘭生性端莊，平日難得一笑，她突聞一聲嘆息入耳，笑容突斂，轉臉望去，只見陶玉瞪著一雙眼睛，凝神相望。

原來陶玉自見得朱若蘭易換女裝之後，就覺她美艷難以倫比。只是柳眉含威，英氣逼人，過於莊嚴，不似沈霞琳那等溫婉柔和，嬌稚可人。但剛才看她盈盈一笑，竟是嬌媚兼具，動心懾魄不覺微微一嘆。

朱若蘭冷哼一聲罵道：「死在眼前，還敢作孽。」

這當兒陡聞李滄瀾大喝一聲，緊接著聽得聞公泰說道：「好一個海天一叟，果然名不虛傳。」

朱若蘭側目看去，只見李滄瀾右拐左掌，領先開路，向正西方向衝去，齊元同、勝一清、崔文奇、五毒叟，緊隨身後，王寒湘和川中四醜斷後，且戰且走，華山派的多臂金剛屠一江，卻閉目站在一側，運氣調息，看上去，似已受了內傷。

原來，李滄瀾初見一陽子救愛女時，心中甚是奇怪，但聽到他一番話說得大義凜然，心中又十分敬服，暗道：玄都觀主為人，果有君子之風，返回總壇之後，我要傳令天龍幫各地分舵，不和崑崙門下為敵，遇事讓上三分，以報他今日救我愛女之情。

正在忖思之間，瞥見朱若蘭已躍落到女兒身側，不禁大吃一驚，忖道：此女武功絕倫，如她擒住我女兒做為人質，可是太難搶救。

哪知事情大出了他意料之外，朱若蘭似對李瑤紅毫無敵意，而且神色情態之間，還似很關心她的傷勢。

他乃一代怪傑，智計武功有過人之處，雖然還想不出朱若蘭何以會對女兒那般愛護，但已看出朱若蘭對女兒絕無惡意，而且還會盡心力保護於她，心頭一寬，低聲喝道：「往西闖。」手舞龍頭拐，當先開路。

天龍幫五旗壇主個個都是武林中傑出人才，不但武功過人，而且都有超群的機智，臨危不亂，審敵判勢，幾人雖都覺那《歸元秘笈》乃武林極為難得的奇書，既然到手，就應該早些突圍而出，但因李瑤紅是幫主的唯一愛女，父女情意，自難免使他猶豫難決，是以，誰也不敢正言相勸，只有王寒湘用旁敲側擊的辦法，提出意見，供他參決。

待聽到李滄瀾下令突圍，幾人心中暗暗佩服，忖道：龍頭幫主果然才智過人，雖是父女之情，仍不能亂他心意。

華山派中多臂金剛屠一江，一見李滄瀾揮拐突圍，橫裡一躍直搶過去，橫阻去路。

李滄瀾一探臂，龍頭拐直點過去，去勢勁急，挾著破空風聲。

屠一江吃了一驚暗道：此人功力之深，果真是罕見罕聞，隨手直點一拐，竟有這等威勢，哪裡還敢大意，身軀疾轉半周，讓過點來一拐，右臂疾出，一掌迎面劈去。

李滄瀾急欲脫身，不耐久戰，大喝一聲，硬接多臂金剛一掌。

他內功精深，一掌硬打，只震得屠一江內腑血翻氣湧，半身麻木，一連退了四、五步，才拿樁站住。

他只需趁勢劈出一掌，屠一江在運氣調息之時，自無能再運用內家真氣抗拒，勢非被震斃掌下不可，但他卻在運掌欲待擊出之時，猶豫了一下，他怕這追魂奪命的一掌，激怒了環伺在四周的強敵。

就在這一剎那間，聞公泰已大喝一聲，青竹杖疾點而到。

李滄瀾揮拐掃杖，欺身直進，左手揮出一招「手揮琵琶」當胸拍去，同時招呼屬下，合力突圍。

這時的局勢，是天龍幫走在最前，五大門派高手相隨於後，朱若蘭、沈霞琳、趙小蝶、楊夢寰等，又跟在五大門派高手後面。

聞公泰剛才和李滄瀾相搏兩招，心中已明白如不能各捐私心，求得眼下五派中人同心合作，全力和天龍幫一拚，決難勝得人家。

量敵審勢，心念大轉，當下對滕雷說道：「滕兄，看今天局勢，是什麼人的天下，那《歸元秘笈》最終要落在什麼人的手中。」

滕雷道：「好說！好說！如果聞兄能予退讓，兄弟亦將甘心放手。」

聞公泰微微一笑，道：「馬道長既肯用心去想辦法，看來也是不甘後人了。」

滕雷道：「這個麼，兄弟很難預料，不過，看來今日之勢，不鬧出流血慘局，只怕難得罷手。」

兩人這一說話，立時落後了丈餘，滕雷震臂一個急躍，追了上去。

聞公泰亦急急趕了上去，翻越兩座山嶺，到了一片濃密的松林所在。

李滄瀾一看那山勢形態，不禁微微一怔，原來那片松林兩側都是削立的高峰，後面形勢如何，又被那一片濃密松林擋住，難以看得清楚。

他微一猶豫，後面緊追的五派高手，已然趕到。

王寒湘低聲說道：「幫主暫請入林，俟天色入夜，再思脫身之策不遲。」

李滄瀾回頭一看，見朱若蘭和趙小蝶也追了上來，只得進入松林。

群豪追到林邊之後，停住了腳步，互相望了一眼，誰也不敢冒險深入。

聞公泰目光環視，掃掠群豪一眼，說道：「天龍幫崛起江湖之後，短短二十幾年，勢力已遍及江南。近年以來，又以極快的進度，向西南江北擴展，不是兄弟說句洩氣之言，眼下咱們稱武林九大門派，只怕沒有一派能和天龍幫的實力抗衡，如果再被他們取去《歸元秘笈》，不出十年，整個江湖都是天龍幫的天下了。」

他這一番話果然激發起群豪同仇敵愾之心，馬家宏首先點頭道：「聞兄之言，說得一點不錯，咱們今日如不能把《歸元秘笈》搶到手中，在場諸人，不但都無顏再見武林同道，而且還替咱們武林中九大門派的下代弟子們，埋下滅門慘禍。李滄瀾一代梟雄，武功已高強絕倫，如再得《歸元秘笈》武學奇書，那可是如虎添翼，此事關係太大，不能等閒視之。咱們如不能捐棄私心，合力聯手，對付天龍幫，只怕是難以奪得奇書。」

滕雷一咧大嘴巴，皮笑肉不笑地說道：「馬道長言之有理，但不知有何高見能奪回《歸元秘笈》？」

馬家宏心中暗罵一聲，好個刁惡之徒，日後非要好好給你一頓教訓不可。

他心中雖暗罵，嘴裡卻微微一笑，接道：「最好的辦法，自然是大家都不存謀得《歸元秘笈》之心，把那奪得奇書，歸還給原主，但此事只怕難以行得通，第一個滕兄就不贊成……」

他回目望了朱若蘭、趙小蝶一眼，目光轉注在白衣神君臉上，接道：「滕兄你說是也不是？」

滕雷乾笑兩聲道：「佩服！佩服！好一個嫁禍他人之計，不過兄弟想馬道長說出這等豪語，想來定是未存取得那《歸元秘笈》之心了。」

馬家宏目不轉睛，望也不望滕雷一眼，繼續說道：「因而兄弟想到了個十分公平的辦法，既可合力對付天龍幫，又可各憑武功取得那《歸元秘笈》。」

聞公泰拂髯一笑道：「高明，高明，兄弟當洗耳恭聆道長高見，不過，峨嵋派超元大師已經聲明在先，無意於《歸元秘笈》，咱們武林中人，最重信諾二字，峨嵋派既是不願取得，那就不妨退除。」

超元冷哼了一聲，但卻未接一言。

馬家宏笑道：「這是最好不過，兄弟原本想奪得《歸元秘笈》之後，把它封存起來，然後再由咱們五派具名，邀請另外四大門派，定期比劍，一來決定秘笈誰屬，順便亦可把數百年的排名之爭決定。」

聞公泰望了滕雷一眼，道：「滕兄是志在必得，決定不甘退讓了。」

馬家宏笑道：「兄弟只想看看奇書記載些什麼武功，並未存久霸之心。」

聞公泰轉臉望著崑崙三子：「三位道兄心意如何？不知是否願退讓一步。」

玉靈子冷笑一聲道：「幾位這等說來說去，不覺著是自我陶醉嗎？等幾位商量好辦法，只怕人家天龍幫早已攜著奇書，回到黔北總壇了。」，群豪聽得呆了一呆，不約而同一齊把目光投集到朱若蘭身上，想從她神色之中，看出一點跡象。

只見朱若蘭抬頭望天，臉上一片冷漠，竟是看不出一點可資揣測的神情。

聞公泰低聲問屠一江道：「師弟可覺著好些嗎？」

屠一江道：「經我一陣調息，氣血均已復常，不礙事了。」

聞公泰心兒一寬，回頭向崑崙三子說：「三位道兄也是九大門派中一環主節，如果天龍幫真的把《歸元秘笈》帶走，十年內必形成獨霸江湖局面，那時貴派決不能獨樹一幟……」

玉靈子截住了聞公泰的話，道：「那以聞兄之意如何？」

聞公泰道：「兄弟之意是先把那《歸元秘笈》奪回再說，不管被哪位搶到手中，只要是咱們九大門派中人，事情就好辦得多，不知道兄以為如何？」

玉靈子側目望著一陽子，道：「師兄有何高見？」

一陽子淡淡一笑：「一切都請掌門人作主裁決，小兄恭候調遣。」

玉靈子低頭沉思了一陣，對聞公泰道：「聞兄既然瞧得起我們崑崙派，貧道等自是不便推拒。這麼吧，我們崑崙派負責搶書，聞兄等可分頭拒擋五旗壇主和川中四醜。」

聞公泰暗罵道：好個刁惡的牛鼻子，縱是搶到了奇書，還真能帶得走嗎？心中雖在暗罵，口裡卻笑道：「就依道兄之意吧，不過，蛇無頭不行，兄弟想推舉馬兄發令，不知各位是否贊成？」

馬家宏微微一笑道：「兄弟德薄能淺，豈可當此大任，我看請滕兄主持其事吧？」

滕雷咧開大嘴，無聲一笑，道：「兄弟和聞兄意見相同，馬道兄不必謙辭了。」

馬家宏目光轉到峨嵋三老臉上，笑道：「那麼由峨嵋三位師兄主持吧？」

超元道：「好說，好說，我們峨嵋派未存半點私心，只是爲我們九大門派著想，只要是對付天龍幫的人，我們甘願受命聽遣。」

玉靈子不待馬家宏開口相詢，就搶先說道：「我們崑崙派已有專司之責，甚望道兄在調遣人手之時，能以兼顧大局，免得功虧一簣。」

馬家宏笑道：「各位大師、道兄都這麼賞兄弟臉，貧道只好勉力應命，但各位大都是一派掌門之尊，遣分職司，實難情理並顧，有什麼錯誤之處，還望諸位師兄、道兄包涵一些。」

聞公泰拂髯大笑道：「這個馬兄儘管放心，以兄弟而言，但有所命，無不遵從，馬兄乃眾意推選之人，如有人藉故抗命，那無異自毀承諾。」

馬家宏又道：「滕兄所帶兩位師弟，分鬥天龍幫紅、藍二旗壇主，聞兄和令師弟接戰黑、白二旗壇主，兄弟對付黃旗壇主，尙有那位奇裝異服的黃衣少年，兄弟想勞動……」

玉靈子不待話完，立時接道：「我們已專司奪書之責，恕難另接重任。」

馬家宏道：「貧道之意是想請貴派門下一位弟子楊夢寰出手。」

慧真子冷笑一聲，道：「你明知他不是對方敵手，派遣他對敵，是何用心？」

馬家宏哈哈一陣大笑，道：「三位道兄儘管放心，崑崙三派天罡掌和分光劍法，江湖上無人不知，道兄門下雖年齡有限，功力略遜一籌，但那劍招、掌法，想必已盡得傳授，如果他有了什麼損傷，貧道甘願以命相抵。」

玉靈子回頭望了夢寰一眼，暗道：今日如不讓他出手，崑崙派威名何在，如若答應，又怕他難和對方抗拒，一時間沉吟難決。

楊夢寰一見掌門師叔面現爲難之色，當下挺身而出，道：「弟子傷勢已好，已能受命出戰。」

玉靈子還未答話，聞公泰已搶先讚道：「小兄弟豪氣干雲，果不愧崑崙門下弟子。」

趙小蝶一顰黛眉，低聲問朱若蘭道：「他傷勢還未好，豈能出戰，姊姊快些喚他回來。」

朱若蘭笑道：「不要緊，讓他去吧。」

趙小蝶探手入懷，摸出一粒丹丸，正想送給夢寰，忽然心中一動，暗道：我如送這靈丹給他，必然引得人人注目相視，不如給他師妹轉送於他。當下走近霞琳，低聲說道：「你把這粒丹丸給你師兄服下。」

沈霞琳展顏一笑，接過靈丹，緩步向夢寰走去。

朱若蘭秀目側轉，望了趙小蝶一眼，暗自嘆息一聲。

趙小蝶忽覺臉上一熱，垂首望著鞋尖，低聲說道：「蘭姊姊，我做錯了事嗎？」

朱若蘭伸出手來握著她一隻玉腕，輕聲笑道：「你沒有錯，是姊姊錯了。」

趙小蝶忽地抬頭，茫然問道：「你哪裡又錯了？」

朱若蘭似是未想到趙小蝶會有此一問，不禁怔了怔，道：「一時之間也無法說得清楚，等到咱們奪回你那《歸元秘笈》之後，回去再談吧。」

趙小蝶輕輕地嗯了一聲，未再追問，仰臉望著天上一片悠悠浮雲，眉宇之間，隱泛起憂慮之色，顯然，她對楊夢寰挺身出戰之事，甚爲擔心。

一陽子冷眼旁觀，把幾個玉容如花的少女神情，盡都看到眼中，不禁輕輕嘆息一聲。暗道：看來她們都似對寰兒有情，此事再要發展下去，不知鬧成何等悲慘結局，我如再不出面過問，只怕事情愈變愈糟。這次括蒼山事過之後，藉機把他帶回金頂峰去，罰他五年面壁苦修，或能挽救他這些桃花孽債……

轉臉望去，只見沈霞琳已走到夢寰身側，緩緩伸出白玉般的手掌，掌心托放著一粒丹丸，微笑著對夢寰說道：「寰哥哥，那位小蝶姊姊要我送粒丹丸給你。」

楊夢寰側目一看，認出是趙小蝶在岷江舟中所贈於自己的靈丹，不禁心頭一跳，忖道：此丹靈效無比，她不過只有五粒，在岷江舟中已送我兩粒，僅餘下三粒。她一向厭惡於我，何以此珍貴靈丹相贈？正想謝絕，忽然心念一轉，暗道：我內傷未癒，等下和人動手時，只怕難以支撐下去，對方又都是江湖上久負盛名的高人，這一戰定是兇惡絕倫，雖有朱若蘭所授「五行迷蹤步」足以護身，但如正值動手當兒，內傷發作，不支而敗，那可大損師門威名，此丹靈驗神效，世無其匹，助我穩住內傷，當下伸手接過靈丹，一口吞下。

沈霞琳看他沉思良久之後，終於取過丹丸，轉臉向趙小蝶望去。

只見趙小蝶也正凝目對她相望，彼此相視，各自微微一笑。群豪之中，有不少注視著二人行動，只覺二人那相對微微一笑，有如春花怒放，各自心頭一跳。

聞公泰突然大笑說道：「馬道兄這調兵遣將之才，果然與眾不同，兄弟佩服至極。」

馬家宏微微一笑，道：「聞兄且莫過獎貧道，崑崙三位道兄是否應允門下出戰，還未可知呢？」

聞公泰拂髯笑道：「這個馬道兄儘管放心，崑崙三子乃豪氣干雲之人，焉有不允門下出戰之理。」

玉靈子鐵青臉色地對夢寰道：「此戰有關我們崑崙派在江湖間的聲譽，你自信能當大任嗎？」

楊夢寰道：「弟子如果技不如人，願戰死以謝師門。」

玉靈子擔心楊夢寰不是陶玉敵手，想要他知難而退，哪知楊夢寰竟然願以戰死謝罪，當下一皺眉頭，望了一陽子一眼，對夢寰道：「好吧！你既願出戰，我也不再攔阻於你……」

馬家宏不待玉靈子說完，立時哈哈大笑道：「道兄既然答應，事情不宜再遲，兄弟既承各位抬愛，自應當身先難……」說著，一擺手中長劍，竄入林中。

聞公泰一揮手中青竹杖，叫道：「這是我們大家之事，豈可讓馬道兄一人涉險？兄弟願奉陪一行。」左手探懷中摸出一把金丸，右手竹杖護胸，緊隨著進入林中。

滕雷望望峨嵋三老和崑崙三子，笑道：「馬道兄和聞兄已都入林，咱們豈能袖手旁觀？不如一齊進入林中去吧。」

峨嵋三老別具用心，他們想擒得天龍幫一、二壇主，以交換掌門人超凡大師，藉此挽回一點失去的面子，當下首先應好，各揮兵刃，搶先入林。

慧真子原想聯合大師兄一陽子勸說師兄，放手不問搶奪《歸元秘笈》之事，但因面對幾派高人，只怕有損玉靈子掌門尊嚴，始終未說出口，及見一陽子隨聲附和了掌門師兄意見，又不好再表反對。

玉靈子拔出背上長劍道：「師兄、師妹既無異議，咱們也入林去吧。」說完，仗劍當先，衝入林中，一陽子、慧真子，雙劍並出，緊隨追去。

楊夢寰低聲對霞琳說道：「你跟黛姊姊走在一起。」說著急步相隨師父進入林中。

沈霞琳微一怔，楊夢寰已隱入密林不見。

滕雷乾笑了兩聲，對峨嵋三老一拱手道：「三位請。」白衣閃處，竄入林中。張洛、張化，同時躍起急追，峨嵋三老和多臂金剛屠一江互望了一眼，同時進林。

沈霞琳眼看群豪，霎時間盡入密林，心中既掛念師父和寰哥哥安危，但又覺著應當遵從夢寰之言，一時之間，進退難決，呆在當地。

朱若蘭看群豪盡皆入林，緩步走到霞琳身側，拉著她一隻手，笑道：「走！咱們也進去看看。」當下和霞琳、趙小蝶等一起入林。

她神色異常輕鬆，臉上始終帶著微笑，似乎早把《歸元秘笈》之事，忘諸腦後。

這道密林，並不很深，不過一頓飯工夫，已然走到盡處，只見兩側峭壁聳天，中間是一道四、五丈寬的山谷，朱若蘭回頭對趙小蝶說道：「這道山谷，足有十五、六里深淺，深谷盡處，面臨萬丈絕壑，天龍幫攜書入林，必從這道深谷中覓尋出路，正好自投絕境，咱們只要擋守住這一條出谷之路，必可奪回你《歸元秘笈》。只是五大門派中人，各存了奪書之心，情勢變化難測，別看他們現在聯手同力，對付天龍幫，但如那奇書被咱們奪回之後，只怕他們又要聯合天龍幫合力對付咱們。」

「這些人都是江湖上久負盛名之人，各人都身懷一種或幾種絕學，不到性命交關之時，不肯炫露出手，別看他們剛才動手時打得十分激烈，但並未施展其本身真正絕技。我們在動手奪書之時，千萬不可魯莽出手。這時機的選擇，最爲重要，一個不好，即將造成四面楚歌之局。你雖已盡得《歸元秘笈》上記載之學，但要同時拒擋十幾個武林中一流高手，恐怕也非易事，那時，不但難以收回奇書，只恐本身安危，也成問題了。」

趙小蝶茫然一笑，沒有答話。

要知她從小就在母親監督之下，修習「大般若玄功」，從未練過拳掌，這等上乘內功，必需意誠心專，胸無雜念。她不知自己已具上乘武功，要她陡然相信自己武功為天下第一高手，實是大不容易之事。

朱若蘭看她臉上茫然之色，心知不經一段時間歷練，絕難使她建立自信，也不再多做無謂解說，加快腳步，向前奔去。

奔行不到一刻之後，已聞得呼喝之聲，朱若蘭突然放慢腳步說道：「再轉一個彎，就是深谷盡處，天龍幫被逼絕地，必作困獸之鬥，勢非有一場激烈絕倫的拚鬥不可。咱們可隱在暗處觀察，待雙方鬥到力盡之時，咱們再出手搶書，那時，縱然雙方聯合搶書，咱們也抵拒得住了。」

趙小蝶似對奪取《歸元秘笈》之事，不太放在心上，輕輕一顰黛眉，道：「要是咱們相距幾人搏鬥之處太遠了，救人不是很不方便嗎？」

朱若蘭先是微微一怔，繼而想到她所指之人，不禁淡淡一笑，道：「不要緊，他的『五行迷蹤法』已極純熟，雖未必定勝得陶玉，但自保決無問題。」

趙小蝶嘆道：「如果他要早學會了『迴龍三式』，那麼他一定可以勝得陶玉了！」

朱若蘭聽她念念不忘楊夢寰，心中大感驚異，暗道：她本極厭惡楊夢寰，何以忽然會這般懷念於她，她雖是心地善良之人，但因自小幽居深山，又常聆翠姨偏激遺訓，見聞均少，如一旦動了真情，只怕難以制止，我要早些設法把她和楊夢寰分開，免得愈陷愈深，進入難以自拔之境，做出什麼傷情害理之事，使這場已然繁雜的愛情糾紛，再加困擾，鬧到無法收拾的局面……」

她心中雖在暗作盤算，口中卻未說出，其實她對楊夢寰相愛之深，並不低於沈霞琳。不同的是，沈霞琳心中想什麼，口中就說什麼，她覺著今生今世不能和楊哥哥分離，那就流露於言詞情態之間，無顧忌，毫無隱瞞。但朱若蘭就不同，她乃天生傲骨，氣度高華，聰慧、膽識均非常人能及，自目睹楊夢寰迷藥亂性，和李瑤紅在山腹洞中諸般經過，芳心片片碎裂，當時亦會由妒生恨，動過殺機，但她究竟是大智大慧之人，經過了一番忖思，妒恨全消，反而回到天機石府，取了衣服給兩人送去，剛才又目睹楊夢寰對李瑤紅流現惜愛之色，又觸發她無限感慨，設身處地，爲人一想，實難有責怪兩人之處，這才揮劍絕情絲，使一縷私情，昇華至最高境界，決心抽身而退，以促成沈霞琳、李瑤紅並侍楊夢寰。哪知事情又生變化，趙小蝶竟也自陷入漩渦之中，這確實增加了朱若蘭一大煩惱，她被這煩惱困擾得心急如焚，表面上雖還看不出什麼，心中卻是反覆籌思解決之策。

沈霞琳一心想念著師父和寰哥哥勝敗安危之事，一語不發，連那經常掛在嘴角間的笑容都已消失不見，小蝶眉宇間籠罩一層憂慮之色，顰著黛眉想心事，三個人都懷著沉重的心事，慢步向前走著，四個天真的白衣小婢，卻仍然神態如常，滿臉歡愉容色。

這三個人的神態，都落入了三手羅刹彭秀葦的眼中。這位身歷情場大變的老江湖，早已窺透三顆少女的心，只因自己身屬下人之位，不便多嘴。

幾人走到轉彎之處，已可聞得清晰的大笑怒喝之聲，趙小蝶第一個忍耐不住，忽地縱身一躍，直飛過去，沈霞琳緊隨追上。

朱若蘭本想隱身在那轉角之處，暗察五大門派和天龍幫動手情形，然後再選擇適當的時機出手搶回奇書。但因趙小蝶和沈霞琳毫無顧忌地現身出去，朱若蘭也只得躍身追上，抬頭望去，只見一片十餘丈空闊草地上，已排成對陣之勢，李滄瀾和屬下五旗壇主，川中四醜，散排成一個半圓形的陣形，五大門派中人，兵刃都已出手，局面劍拔弩張，大戰一觸即發。

李滄瀾抬頭望了擋守谷口的楊夢寰一眼，緩步走前數尺，一橫手中龍頭拐，道：「老朽已久慕武林中九大門派武功，已打算在半年飛柬邀請九大門派高人，到我們天龍幫總壇比劍，屆時敝幫亦當選出高手敬陪末座，不意人算不如天算，今天我們已和幾位碰上了頭，雖然九大門派不全，但九占其五，總算差強人意了。」說完仰臉長笑不絕。

聞公泰聽李滄瀾那長笑聲中，充滿著忿怒，已知他心中怒火極熾，暗道：江湖之上，久傳海天一叟之能，但始終未能一睹他真正武功如何，今日被堵此絕谷，勢非拚命不可……

但聞海天一叟李滄瀾那長笑之聲，由低而高，愈笑愈響，空谷回音，繞耳不絕，片刻之間，滿谷盡都是哈哈大笑之聲。

馬家宏終於忍耐不住，運氣一聲長嘯，喝道：「李幫主好精深的內功，不過眼下之人，大都是一派掌門之尊，我想李幫主似不必再炫露內功，故作驚人之聲了。」

李滄瀾果然收住那大笑之聲，說道：「幾位既自知是一派掌門之尊，想必知道武林中比武動手的規矩了，我們天龍幫雖是一群草莽人物結合，但卻沒有把你們九大門派放在眼內，今天老朽索性誇句海口，眼下你們五大門派，不妨聯合一起，群毆、獨鬥，任憑選擇，我們天龍幫無不奉陪。」

馬家宏一揮手中寶劍，道：「既然如此，我們也不客氣，這番搏鬥旨在搶奪那《歸元秘笈》，這不比一般動手較量。」說完，仗劍當先直奔過去。

聞公泰帶著屠一江，滕雷帶著張洛、張化，緊隨著直衝而上，峨嵋三老、崑崙三子，也是一齊揮動兵刃衝上。

幾人本已經計議，分配有一定的對手，哪知天龍幫竟似早已預防一般，但見李滄瀾龍頭拐，盤空一舞，天龍幫五旗壇主和川中四醜，忽然交叉穿行，排成了一式，各守一個方位，把陶玉圍在中間，五派群雄本是各選定好人交手，哪知天龍幫迅快地交叉穿行，原先各人的位置，突然變換，待五派中人撲到對手位置，卻已換了別人。

馬家宏最先發動，去勢最快，長劍已然探臂向王寒湘點出，忽見王寒湘向後疾退，旁側迅如閃電般伸過來一支鐵拐，架開了他點出的長劍，而且來勢勁急，長劍幾乎被彈震脫手，不禁微微一怔，就在這一眨眼間，對方還擊已然近身，拐風如嘯，攔擊而去。

原來王寒湘向後疾退之時，李滄瀾已同時探臂出拐，橫跨兩步填補上了王寒湘的位置，移動之間，配合得恰到好處，絲毫未留下可乘之機。

馬家宏被李滄瀾那一拐所封，幾乎震脫手中寶劍，噗地心頭一跳，疾向右後側躍退五尺，讓開橫腰一拐，暗道：江湖上盛傳李滄瀾生具異稟，神力驚人，看來傳言不虛，倒不可和他硬拚。正等揮劍，以「天干風雷劍法」中幾招精絕之學，一試對方武功，忽見人影一閃，對方陣式又變，只聽一聲陰惻惻的冷笑，道：「接老夫一招五毒神掌試試？」餘音未絕，忽覺一股陰柔之力，加著觸鼻欲嘔的腥臭之氣，直襲過來。

他封劍閉關，在括蒼山面壁二十年歲月，把點蒼派鎮山之學的六十招風雷劍法，悟加了一十二招，易稱「天干風雷劍法」，暗合七十二天干之數。其間有一如投劍出手的傷人絕學，是憑藉本身真氣，配合精密的時間計算——他夢想習成劍術中最上乘的武功馭劍之術，但因不知要訣，始終未能修習成功。不過他這二十年的歲月，亦沒有白費。

馬家宏雖未修習成他夢想的馭劍之術，但悟加了一十二招劍法，卻是極爲精奧之學，尤以那投劍出手傷人的一招，可飛劍傷兩丈內之人，而且內力精進，能運氣護身，尋常刀劍暗器，難以近身傷他，眼下五派高人之中，他武功可算最高。一覺出掌風有異，立時閉住呼吸，全身上下，滿布護身罡氣，硬接了莫倫一記五毒神掌。

莫倫武功，別走一徑，出手全是陰柔之力，絲毫不帶破空之聲，但擊中人後彈震之力卻是極大。馬家宏硬擋一掌，被震得退後了三步，但他內家反震之力，亦把莫倫一條手臂震得完全麻木，彼此心頭都大感驚駭。五毒叟暗自忖道：我這五毒神掌，不但奇毒絕倫，就單是那彈震之力，最少亦有七、八百斤暗勁，此人硬擋一掌，竟是毫無損傷，難道我二十幾年的苦練，完全白費了不成？前幾日雪山派掌門人滕雷和我硬對一掌，竟未爲毒功所傷，今日此人挺身硬接我一擊，看樣子亦未爲毒功所傷，這麼看來，江湖上九大門派中高人，果然是不可輕視呢！

他哪裡知道，滕雷有千年雪蓮子，專解毒傷，馬家宏的護身罡氣，毒力難侵，狂傲之心，減去了不少。

馬家宏呢，他亦被莫倫一掌震得心中驚恐不安，暗道：我以二十年的歲月，閉關苦修，雖未能修具馭劍之術，但自信內功精進不少。這次初遇高人，不但九大門派中人，武功個個精進，天龍幫這般江湖魔頭們，也是一個個都有大成，看來這局面仍和以前相差不多，我們點蒼派要想在武林之中揚眉吐氣，看來是難以實現了……想到此處，下山之時的雄心，登時減消一半。

這時五派聯擊之勢，已經發動，剎那間，拐風如嘯，扇影飄飄，輪芒耀目，刀光若雪，追杖縱橫，劍氣沖霄，拳勢如雨，拳風呼呼。

武林中第一高手的聯袂群鬥，看得人目迷五色，眼花撩亂。

五派聯攻了一陣工夫之後，不但未能衝破天龍幫的陣式，而且被天龍幫分叉穿行，位置易換的戰法，把五派的強猛凌厲攻勢壓制下去，取得主動，漸成了反擊之勢。尤以海天一叟李滄瀾，更是勇不可當，拐風所指，竟無人敢硬擋他的拐勢。

海天一叟乃一代梟雄之才，文才武略，均超常人，深思遠慮，面面兼顧，所以不肯出手傷人。衝出五派聯手圍困，並非不能，實因他想到擊倒五派聯攻之後，勢將招致朱若蘭和趙小蝶出手，那時，強弱易勢，必落下風，未受其利，反蒙其害，是以，他在未籌思得對付朱若蘭和趙小蝶辦法之前，不願先把五派聯手之勢擊潰，失去憑藉的均衡。

天龍幫五旗壇主之中，以王寒湘所學最博，才貫古今，旁通星卜，心思亦最爲縝密，眼看天龍幫已經搶得優勢，但此刻幫主卻不下令變換九宮陣式，衝出五派聯手圍困，心中已解其意，想他是顧慮朱若蘭和趙小蝶兩人出手，但這樣久戰長拖下去，亦非辦法，心念一動，手中摺扇突然急攻三招，霎時間扇影翻滾，橫削直點，把對手迫退了兩步。

這時和他動手之人正是八臂神翁聞公泰。此人心機深沉，初和天龍幫動上了手，揮杖全力搶攻，但到十回合之後，他已看出今日局面難有善果，五派聯手，只怕未必能把天龍幫制服得住，同時他看出天龍幫穿叉換位迎敵陣式，變化奇奧，因他把半生精神都放在習練武功，整頓派務之上，無暇研究星卜易理之學，是以，他不懂天龍幫排的什麼陣式，但見人運行靈動，隨進轉換對敵之人，已感難操勝算，心中一動，不再出手全力搶攻，隨手揮杖，只求無過，以保持內力，留待必要時和人硬拚。

王寒湘這時又突然揮扇遞出三招凌厲絕倫的猛攻，聞公泰大有措手不及之感，只得向後退了兩步。

待他運杖反擊之時，王寒湘已抽身急退，和開碑手崔文奇，易換了位置，緊靠在海天一叟身側，摺扇搖舞之間，撒出一天扇影，把當前的張洛迫得縱身向左側一躍，剛好擋在了滕雷前面。

王寒湘借機低聲對李滄瀾道：「幫主顧慮那兩個女娃兒出手，不變換陣式突出重困，但這樣拖下去，也不是辦法。他們擋在谷口要道，縱然俟天色入夜，也一樣無法衝出。不如借機應變，變換九宮陣式，把五派高人逼到谷口。衝出谷口，且戰且走，只要咱們能衝到樹林之中，借重齊壇主的雙手飛鈸絕技，和子母神膽兩種神器之力，阻擋追兵，他們武功再高，也不敢冒險入林。幫主和川中四醜攜書先走，我們留在林中拒敵，待天色入夜，再行撤走，大家不必在路上相會，以黔北總幫為重聚之處。」

李滄瀾想王寒湘籌思之法，就眼前而論，不失上策。當下答道：「也只此一策，可予一試。」他雖在說話之間，但手中龍頭拐卻已加強，把滕雷和張洛、張化兩位的招術，盡皆接過，嘯空拐風，把三人擋在七、八尺外。

滕雷和張洛、張化，雖然拳掌齊施，猛力衝打，但彼等始終無法衝過那如山的拐影。

激戰中，忽聞得李滄瀾一聲長嘯，揮拐在頭上劃了個圓圈，九宮陣形立時大變方位，李滄瀾、王寒湘走在前面，川中四醜大醜、二醜和開碑手崔文奇護守右翼，三醜、四醜和百步飛鈸齊元同守在左翼，莫倫和子母神膽勝一清擋住後衛，各人都背向裡，面向外，一面拒擋敵人，一面向前衝走。

王寒湘在九宮陣式之中，為配合陣式變化，未出全力，此刻和龍頭幫主並肩開路，忽然大展神威，摺扇揮舞起滿天扇影，削、點、掃，著著帶起嘯風之聲，當真是靈動如出雲神龍，威勢猛不可擋。

李滄瀾龍頭拐縱送橫擊，更是凌厲無比，拐風所指，有如巨浪擊岩，當頭攔擊的滕雷和張洛、張化，被兩人排山倒海的攻勢，逼得步步後退。

馬家宏本在攻襲側翼，看滕雷擋不住李滄瀾和王寒湘猛衝之勢，突然長嘯一聲，道：「滕兄莫慌，兄弟來助戰了！」長劍揮動，連出三招絕學，霎時間劍化滿天寒星，把崔文奇迫得退了一步，人卻凌空而起，懸空斜躍一丈多遠，人還未落實地，手中長劍已閃電下擊，直指李滄瀾天靈要穴。

李滄瀾正揮拐迫攻滕雷，忽覺劍風下襲，不得不先拒敵勢，反臂揮拐，直向馬家宏頭上掃去。

翻天雁馬家宏剛才已試過李滄瀾的拐勢，知他掃出力道強猛絕倫，哪裡肯和他硬接，下擊劍勢突然一收，腳落實地，忽然振劍一躍，反向王寒湘攻過去，滕雷借勢大喝一聲，欺身而上，呼呼劈出兩掌，把海天一叟擋住。

王寒湘一見馬家宏揮劍攻到，心中突然一動，暗道：此人揮手舉劍，發號施令，似是五派中的首腦人物，如果把他挫辱一番，也可一挫五派的銳氣。

心念一轉，右臂潛運功力以待，左掌突施絕招，一招「落日彩霞」，把張化逼退，右腿無聲無息地踢出一腳，把張洛迫向一側，摺扇橫胸待敵，直待馬家宏長劍快近前胸，才突然出扇一撥，冒險疾進，貼劍一個轉身，已欺到翻天雁馬家宏的身側，右手摺扇不動，運功逼住劍勢。

王寒湘左手食中二指並出，疾點馬家宏右戶「雲門穴」，右腳隨即飛起，踢向翻天雁左膝骨骼銜接之處的「犢鼻穴」。

馬家宏心頭一驚，暗道：此人武功果然與眾不同，當下左手下襲，反點王寒湘踢來右腿的「地機穴」，身子一蹲，讓開雙指，右肩頭疾向王寒湘「缺盆穴」上撞去。

這兩人都是當代武林中頂尖的高手，出手何等迅捷，施襲反擊，又都是指向對方穴道，王寒湘實未想到以對方應變還擊之勢，竟是這等迅速，踢出右腿忽地一偏，讓開對方下擊左手，掃擊在馬家宏的右腿之上，但王寒湘亦被馬家宏右肩頭撞在右臂上，彼此各自後退，暗叫一聲：好險！兩人這等近身相搏的險象，只看得李滄瀾和滕雷忘記了動手之事，直待兩人各自躍退，李滄瀾探臂一拐，向滕雷點去。

白衣神君驟不及防之下，被那疾來一拐之勢，迫得轉身倒臥，向右側翻滾三、四尺遠，幸得張洛、張化雙雙攻上，才解了滕雷之危。

如果李滄瀾乘勢施拐追襲，滕雷縱然能逃命拐下，亦必被迫得狼狽異常。

馬家宏微一怔神後，立即振劍進攻，王寒湘揮扇接鬥，兩人接手相搏，這次動手，彼此都知逢上了生平未遇之勁敵，絲毫不敢大意，各展生平之學，打得激烈絕倫。扇影劍光，交游飛舞，著著指襲要害，當真是險象橫生，生死一髮。

這當兒，陶玉已運用內功，把臉上傷疼止住，紅腫之勢，也消下去了一半，經這陣調息之後，精神也好了不少，雙目流動打量了四周一眼，正待拔出臂上金環劍出手相助，瞥眼見趙小蝶、朱若蘭正望著他，心頭一凜，暗道：我如拔劍出手相助，招致兩個女煞星出手，那可弄巧成拙，當下長長吁一口氣，微微把雙目閉上，裝做運氣調息，暗裡卻留神看四周打鬥，目光轉瞥之處，只見楊夢寰雙目注定場中，似欲加入搏鬥，精神飽滿，眼中神光炯炯，不禁心頭大駭，忖道：我迫他服用那「化骨消元散」，乃當今藥物之中，最為殘烈的慢性毒藥，縱然師妹給了他解藥服下，但也不能在這短短一夜半的工夫完全復元。

四一　五派聯盟

楊夢寰服用趙小蝶相贈的靈丹，乃當年天機真人半生致力研究而成的秘方所製。但因那調製的藥物難尋，縱然知道秘方，也不易製成此丹，翠蝶爲想促成女兒大成，不惜耗消數年之功，每日苦心尋找調製靈丹藥，終因靈藥難求，一十二種主藥，她只尋得了十一種。好在天機真人在研究藥方之時，已想到了其中一味主藥，乃是可遇而不可求的靈物，只好另易三十二種藥物代替，只是少此一味主藥，那靈丹的神效減了一半。雖是如此，但已俱起死回生之功，靈效難於倫比。

楊夢寰服藥之後，又運氣調息了很久，惟恐出手失敗，有損師門威望，是以不肯輕舉妄動，直待靈丹效能完全發出，自覺精神充沛時，才扭頭打量場中形勢，準備出手助戰。但見五派高人聯手陣勢，仍無法擋住天龍幫凌厲衝打，心中豪氣忽發，長嘯一聲，拔劍直躍過去。

這時，天龍幫已衝到相距谷口數丈左右之處，因爲李滄瀾顧及衝近谷口時，會招致朱若蘭出手，未敢再往前衝，暫時停頓攻衝之勢。

陶玉微閉雙目，餘光一掃，見楊夢寰拔劍奔躍而來，立時身軀一轉，避開了朱若蘭的視線，低聲說道：「師父，設法擒住那姓楊的小子，以他生死做爲要脅，可迫使那姓朱的女子俯首就範……」話至此處，忽然覺出不對，連忙停口。

他警覺之心雖然夠快，但已爲崑崙三子聽得，一陽子突然振腕揮劍猛攻，將勝一清逼退兩步，大聲叫道：「寰兒快退下去，眼下都是江湖上身分尊崇之人在動手，哪有你插手餘地。」

楊夢寰本已身臨戰場，正待揮劍攻出，突聽師父大叫之聲，不覺微微一怔。

李滄瀾突然大喝一聲，呼呼擊出兩拐，把滕雷逼到一側，雙肩一晃，疾進數尺，左臂一揮，向楊夢寰抓去。

玉靈子長劍一緊，突施一招「杏花春雨」，滿天劍光波動，迫得齊元同雙輪疾收，揮舞自保，使一陽子騰出手來迎接楊夢寰。

哪知李滄瀾動作迅快無比，一陽子剛揮出劍圈，海天一叟左手已快搭上楊夢寰左臂。

只見楊夢寰身軀一轉，忽然閃到了李滄瀾的身後，長劍疾出，點向崔文奇的後背「鳳眼穴」。

聞公泰哈哈一笑，道：「崑崙門下果然不凡，三位道兄身負絕技，不肯炫露，未免私心太重了。」

聞公泰見楊夢寰那側身一轉之勢，真是奧妙無比，不但閃讓過李滄瀾迅如閃電的一抓，而且竟衝入天龍幫九宮陣式之中，心中大感驚奇，暗道：我只道自己未出全力攻敵，原來人人都是如此，崑崙有這等絕妙身法，但崑崙三子竟然不肯用出對敵，究竟是嫩薑沒有老薑辣，這娃兒一上來就洩露了師門秘技。心念一轉，計謀又生，大聲叫了出來，想逼使崑崙三子施展絕學，全力向天龍幫猛攻，既可一睹崑崙絕技，自己又可多保存一點實力。

哪知崑崙三子對他刺激之言，充耳不聞，看也不看他一眼。

本來五派計議攻擊天龍幫的人手分配，並沒有大錯，就五派實力上說，也只有如此，如果天龍幫不排九宮式迎敵，來個分頭硬拚，此一仗必然打得慘烈絕倫，那就只有以武功強弱，分頭判生死勝負，勢必要鬧出流血慘局不可，各人就是不顧暴露本身絕學，亦不可能。但因天龍幫以九宮陣式變化對敵，使五派中人無法找到固定的對手硬拚。以及李滄瀾、王寒湘、莫倫三人的武功，高出了五派中人意料之外，使這場預想激戰的局面，大起變化，五派高人在激戰一陣之後，都有了保存實力的念頭，誰也不願再出全力攻敵，天龍幫雖是一心一意地對付強敵，但因九宮陣式的變化，限制住了個人武功的發揮。使這場預想慘烈的生死之拚，成了個明為呼應，暗保實力的群毆之局，只有馬家宏和王寒湘，在幾招近身險搏之後，為了顏面有關，才各用絕學力搏，馬家宏施展出「天干風雷劍法」，十幾招後，攻勢漸轉凌厲，劍氣漫天，隱隱起風雷之聲。

王寒湘摺扇劃帶尖嘯，撒下層層扇影，左掌還不時施展劈空掌風擊出，因兩人相搏過烈，王寒湘不自覺地脫離了九宮陣式，形成單打獨鬥的局面。

李滄瀾一抓落空，心頭大駭，回頭望時，楊夢寰已深入九宮陣中，而且長劍已指襲向崔文奇背心。

崔文奇正揮動軟索三才錘和八臂神翁聞公泰動手，哪裡會想到楊夢寰無聲無息地深入陣中，出劍疾襲後背。偏巧聞公泰面對楊夢寰，看得十分清楚，此人心地險詐，一看激不怒崑崙三子，立時不再言語，手中青竹杖突然一緊，倏忽間連攻七杖。

這七杖可是他八十一招伏魔杖法精奇之學，崔文奇被他陡然地猛攻急打，逼得手忙腳亂，幸得正和峨嵋三老相搏的莫倫，遙發一記劈空掌風相助，把聞公泰逼得向後躍退。

因他害怕莫倫發五毒神掌，所以不敢硬接，才疾退數尺，讓開一擊。

其實聞公泰並非存心成全楊夢寰，而是想讓崔文奇傷在楊夢寰劍下，激起天龍幫和崑崙派拚命之心，讓別人先出全力相搏，他可保存實力，伺機出手，果然這一劍崔文奇毫無所覺。

眼見那閃閃寒芒，就要刺中崔文奇後背的「鳳眼穴」，忽聞金環叮噹，寒光電奔而到，鐺的一聲，架開了楊夢寰刺向崔文奇後背「鳳眼穴」的長劍。

原來陶玉看到崔文奇面臨生死關頭，顧不得再裝模作樣，急揮金環劍，架開楊夢寰劍勢。

崑崙三子目睹楊夢寰閃避李滄瀾探手一抓的奇奧身法，心中略感放心，玉靈子低聲說道：「寰兒深入陣中，九宮連鎖已破，咱們如能趁勢猛攻，或能把他們全陣衝亂……」當下劍一變，追魂十二招出手，霎時間寒光飛繞，精芒電掣，威勢如江河堤潰直向陣中衝去。

一陽子、慧真子一看掌門人孤劍深入，只得隨著一變劍勢，兩側相護，三劍聯一猛衝，威勢又增加一倍。這時，九宮陣位置又動，子母神膽和齊元同對調了位置，勝一清和川中四醜的老大、老二，合守一翼，三人雖然竭盡全力，也無法擋得住崑崙三子這奇猛的攻勢，只聽冷笑一聲，道：「這等不識進退，難道貧道的寶劍，當真就不敢殺人嗎？」

玉靈子說完，長劍揮處，血雨四濺，陳應左臂被劍劃了一道三、四寸長的口子，悶哼一聲，向後退去。

原來張欽、陳應、勝一清早已被崑崙三子的劍勢罩住，迫得手忙腳亂，窮於應付，被迫得險象環生，但三人始終不肯後退一步。

玉靈子本不願傷人，但見三人苦纏不退，如不傷人實難衝破陣式，這才揮劍刺傷陳應。

陳應一退，張欽和勝一清更難支持，慧真子刷的一劍，「朔風狂嘯」，劍光掠著張欽頭頂掃過，張欽縮頭讓劍，慧真子乘勢而進，飛起一腳，把張欽踢了一個觔斗。

勝一清左掌潛運功力，劈向玉靈子一記掌風，右手九環刀探臂向慧真子劈去，但卻被一陽子斜裡飛到的長劍接住。

這不過一剎那的工夫，李滄瀾一把未抓到楊夢寰，滕雷和張洛、張化又急攻而上。海天一叟的武功，果然了得，右手運拐，獨拒三人攻勢，目光卻仍投注在楊夢寰身上，想看出他用什麼方法，竟能輕易地閃避開了自己一招迅快的擒拿。

但見陶玉疾出一劍，解除了崔文奇危難之後，立時揮劍疾攻，和楊夢寰鬥在一起，這兩人一動上手，只看得這一代怪傑，暗暗驚心。

原來金環二郎陶玉攻出劍勢，招招詭異難測，並非自己傳授的武功，身法亦靈動無比，飄忽如風，不知他在何處學來。

再看楊夢寰的身法，更是奇奧絕倫，不管陶玉劍勢如何精妙，他只要輕輕一閃，就讓避開去，楊夢寰隨手還擊兩劍，亦是凌厲至極。

待他聽到陳應悶哼之聲，轉臉看時，崑崙三子已衝破了九宮陣式，聞公泰和峨嵋三老，多臂金剛屠一江，因見崑崙三子，全力搶攻，已衝破了九宮連鎖變化，不約而同各出全力搶攻，一時間，刀光杖影，鈸風劍氣，威勢如排山倒海而下，莫倫、齊元同、崔文奇、川中四醜中的三醜游魂馬起、四醜惡魄周邦，盡都被迫出全力對敵，雖然看出勝一清等危急形勢，九宮陣破在眼前，卻無法分身相救。

忽聽李滄瀾長嘯一聲，龍頭拐陡然橫掃一擊，強勁的力道，帶起了盈耳嘯風。滕雷心頭一震，暗道：拐勢如此威猛，真是罕聞罕見，仰身一躍，疾退八尺，張化、張洛緊隨躍退。

李滄瀾一拐逼退三人，借勢凌空而起，直向崑崙三子撲去，半空揮舞拐杖，幻化出一天拐影，挾雷霆萬鈞之勢，當頭罩落。

崑崙三子眼看得手，九宮陣瞬息可破，忽見李滄瀾疾撲而到，拐勢威猛如泰山壓頂而下，不禁吃了一驚。

就是三人武功再高一點，也不敢以輕靈的寶劍，硬接李滄瀾那威猛無匹的拐勢，玉靈子大喝一聲：「快退！」三人聯袂躍起，倒翻出丈餘遠近。

李滄瀾腳落實地，拂髯一聲冷笑，道：「我們天龍幫和貴派素無嫌怨，三位出手傷人，不知是何用心？」

玉靈子道：「彼此動手過招，自難免有所傷亡，李幫主此刻這等責問，哼哼！實是貧道難以答覆的。」

李滄瀾聽他反唇激諷，不覺心頭大怒，冷冷接道：「令師兄玄都觀主，盛名卓著，俠肝義膽，大有君子之風，老朽由衷敬佩之極，想不到你卻是這般不識趣之人，哈哈，難道我們天龍幫還真怕了你不成……」話未說完，陡然一揚長眉，反臂一掌，疾向左側劈去。

只聽一聲大叫，張洛一個瘦長的身軀被他一掌震飛起來，摔出去七、八尺。原來張洛藉李滄瀾正在和崑崙三子講話之時，悄無聲息地欺身直上，一掌劈去。

但李滄瀾是何等人物，雖在和崑崙三子講話，但仍能眼觀四面，張洛欺身攻上之時，他已看在眼中，但他藝高膽大，竟把這武林中一流高手偷襲之事，不放眼中，直待張洛一掌劈出，他才陡然反臂一掌，猛劈過去，目不轉睛，身不翻動，反臂一擊，恰到好處，正好和張洛劈出掌勢迎個正著，兩股強勁的潛力一撞，張洛這瘦長身軀，立時被震飛起來，悶哼一聲，摔到七、八尺外。

崑崙三子眼看他有著如此深厚的功力，不禁臉色微變。

只聽海天一叟哈哈一笑，若無其事一般接道：「老朽素對玄都觀主敬仰，更承貴派中人數度援助小女，使老……」話到此處，滕雷已疾撲而上，雙拳並出，遙擊過來，拳風威猛絕倫，分擊向李滄瀾兩處大穴。

原來他見李滄瀾一掌震傷了師弟，心頭大怒，潛運真力，施出百步神拳，全力追擊過來。這兩拳不但是指向要穴，而且是滕雷畢生功力所聚，李滄瀾武功再高，亦不敢等閒視之，當下冷哼一聲，左掌打出一記劈空掌風，猛向滕雷迎擊過去。

兩股裂空勁力一接，李滄瀾不自禁地後退一步，滕雷卻悶哼一聲，懸空兩個觔斗，翻了一丈開外。

這等內家真力的硬拚硬打，絲毫取巧不得，李滄瀾天生異稟，生具神力，再加上他精深的內功，更是相得益彰，拐勢掌風，強勁無比；滕雷雖是一派掌門人的身分，武功盡得雪山派中奧秘，但因天賦不及對方，以己之短，對人之長，一招硬打，只震得他氣血浮動，五腑震盪，腳落實地，噴出來一口鮮血，趕忙閉目靜立，運氣調息。

李滄瀾回目望處，只見張洛已被張化救起，心中忽然閃出一個念頭，暗道：今日和五大門派高人這一戰，樑子已經結定，此刻先傷他們幾個，挫挫他們鬥志，日後也減去幾個強敵，心念一轉，殺機陡起，一振龍頭拐，疾向滕雷撲去。

突然寒光打閃，崑崙三子一齊揮劍擋住去路，玉靈子舉劍封住門戶，冷然道：「今日之事，非比尋常，貴幫和本派雖無恩怨可言，但大家爭的是《歸元秘笈》，如果李幫主肯把奇書獻出，貧道等決不再多留難……」

李滄瀾冷笑一聲，道：「就憑你們崑崙三子，還想迫老朽獻出奇書嗎？」猛然振腕一拐，橫向崑崙三子掃去。

崑崙三子看他拐勢威猛，不敢用劍封架，一齊猛振袂斜躍，讓開一拐，玉靈子大喝一聲：「李幫主好威猛的拐勢啊！」振腕一劍「起風騰蛟」，直刺過去。

慧真子長劍疾出一招「八方風雨」，幻化一片劍影，猛攻左側。

一陽子長嘆一聲道：「李幫主請原諒我們聯劍並攻了。」一招「倒撒金錢」從右側攻上。

這不過一眨眼的工夫，崑崙三子聯袂各出一劍，同是追魂十二劍中招術，這等奇異之學，一人一劍出手，已是威猛奇奧，兼具並有，眼下崑崙三子聯手攻出，更是聲勢嚇人。但見三柄長劍揮動之間，幻化出一片劍山光幕，把李滄瀾連人帶拐，罩入那瀰空劍氣之中。

海天一叟眼見崑崙三子一出手就結成一片濃密劍網，當真鳥雀難渡，潑水難入，心頭亦感駭然。暗道：崑崙派分光劍法，無怪能馳譽武林，的確是不可輕視。當下潛運真力，大喝一聲：「好劍法！」

揮拐一掄，舞出了一片護身拐影。但聞鏘鏘之聲不絕於耳，劍拐相觸，火星飛濺。

崑崙三子的聯攻劍勢，被李滄瀾一拐封開，玉靈子心頭一震，暗道：此人武功之高，真是罕見罕聞，如非目睹，實難置信。一領長劍，正待招呼一陽子、慧真子，同使十二追魂劍招，合力克敵，忽見李滄瀾疾進一步，左掌猛向一陽子劈去，右手龍頭拐，疾點玉靈子小腹「丹田穴」，右腿飛出，一腳踢向慧真子左腿「伏兔穴」，一進之勢，分襲三人。

他雖一拐把崑崙三子聯攻的劍勢封架開去，但已大感駭然，怕崑崙三子再搶先機，聯劍合攻，立時先發制人。玉靈子側身橫跨兩步，讓開點來拐勢，暗運內力，出劍一撥，想把對方龍頭拐撥開，再出險搶攻。

哪知海天一叟李滄瀾神力驚人，隨手點出一拐，力道亦沉雄絕倫，玉靈子那一撥之勢，本是巧勁並非和人角力硬拚，對方龍頭拐雖已撥開，但玉靈子卻感到握劍右臂，被震得微微發麻。

一陽子橫躍五尺，閃避開一記劈空掌風，慧真子卻沉玉腕一劍，向李滄瀾踢出右腿劈去。海天一叟李滄瀾踢向慧真子的右腿，突然變成橫掃之勢，迅速異常，讓避開慧真子一劍，疾向玉靈子掃到，劈向一陽子的左掌同時亦收回，疾點玉靈子前胸「神封穴」。收直擊變橫掃，讓劍攻敵，合一擊出，由分攻三人之勢，倏忽間集中向相距最近的玉靈子一人下手，當真是變化難測，詭異絕倫。

玉靈子吃了一驚，長劍斜出，橫斬海天一叟李滄瀾。

李滄瀾立時沉腕變招，化指為掌，虛空一按，一股無形勁力，立時發出，不獨把玉靈子的長劍震開，而且還迫得他身形微震，斜竄出兩、三步外。

慧真子一聲清叱，長劍一擺，舞起一片光幕，化成萬點寒星，劍如風雷，直往李滄瀾背後遞到。

海天一叟李滄瀾猛一挫身，避過慧真子遞來一劍，龍頭拐往上一迎，勢沉力猛，龍頭一震，立時化成無數拐影，像有千百枝龍頭拐似的，分向四方八面蕩開。慧真子知道厲害，不敢硬接，忙振腕一收長劍，使出追魂十二劍的一招「杏花春雨」，把李滄瀾的身軀，裹在一片劍光幕裡。

李滄瀾一聲長嘯，龍頭拐一圈一杖，讓開劍鋒，直往慧真子當胸點到。慧真子連忙斜身讓拐，劍隨身轉，正想還招，一陽子已振腕一劍，斜裡殺出。這時，玉靈子在避過一掌之後，也揮劍還攻。好個李滄瀾，確不愧稱爲一代草莽梟雄。仗著多年深厚功力，面對崑崙三子的合手圍攻，卻是全無懼色。三劍一拐，翻翻滾滾，鬥在一起，劍影如山，乍分還合。李滄瀾在崑崙三子的圍攻下，應付雖感吃力，可是還沒有呈出絲毫敗象。拐擋掌劈，銳不可擋，崑崙三子雖能壓制著他，不給他脫出重圍，但一時之間，還占不到什麼便宜。

擋在谷口的朱若蘭和趙小蝶，卻仍舊氣定神閒，冷眼看著這場曠世難逢的武林高手作生死搏鬥，趙小蝶剛才看到金環二郎陶玉出手幾招，詭秘異常，這幾招凌厲無比的劍招，別人看來雖覺驚奇，但趙小蝶卻是心裡雪亮。爲的是她早把這本震動武林的奇書《歸元秘笈》，熟記在心，奇怪的是陶玉不知從哪裡學得這些武林絕學，不禁暗暗替楊夢寰擔心。其後見楊夢寰巧用「五行迷蹤步法」，把陶玉的凌厲攻勢輕輕一閃躲過，身形飄忽得像鬼影似的，這才放下一塊心頭石，靜看鬥場的變化。

王寒湘見李滄瀾給崑崙三子合手圍攻，一時無法得手。在群雄環伺的當前形勢，久戰無功，更難逃脫，精鋼百摺扇向著一陽子面門一點，隨手向慧真子拍出一掌。

王寒湘這一點只是虛招，但這一掌卻是實招。招式雖有先後，但因快得出奇，看似同時發出，就在慧真子看見王寒湘精鋼鐵扇向著一陽子面門一點之時，立覺有股奇勁無比的罡風，襲到胸前。一陽子隨著斜身滑步，避過掃來的扇風。這時，李滄瀾的龍頭拐，也從斜裡點到，給他點著，右臂非廢不可。慧真子萬般無奈，只好振腕揮劍，硬接一拐。饒是這樣，慧真子這苦頭可也吃得不少。虎口震得發熱，一條右臂，立見痠麻。李滄瀾一招得手，更不饒人，「毒龍出洞」，如影附形再遞出一拐，快如閃電。

一陽子對於這位師妹，臉孔雖冷，心內卻熱。見她讓過掌風，硬接一拐之後，知她這苦頭可吃得不小，再來一拐，無論如何也接受不了。在王寒湘的一片扇影中，發出一聲深嘯，用足八成真力，反手劈出一掌。王寒湘估不到他情急拚命，精鋼摺扇，正遞出一招「蜻蜓點水」，雖可以點中他的「肩井穴」，廢了他的一條右臂，可是自己也得吃中他這一掌，權衡輕重，趕快撤招。一陽子才得從他的扇影中竄出，青鋼長劍斜遞一招「橫江截斗」，硬刺李滄瀾的腰腹要害。李滄瀾眼看這一招「毒龍出洞」正要得手，突覺一股勁風，從旁襲到，立知不對，趕忙把遞出的招式撤回，龍頭拐一沉一攪，再向上一挑，「倒打金鐘」，硬砍一陽子的青鋼長劍，隨著冷笑一聲道：「道兄，難道你真個要和老夫拚命。」

一陽子聽了不覺心中一凜，趕忙把長劍往回一撤，讓過一拐。心想：李滄瀾如不放聲發話，把這一拐加勁往上一挑，手中長劍不難給他震飛，自己便得在五大門派前，當場現眼。但他卻手下留情，出言相告，難道是見我剛才出手劍挾聞公泰，不讓他奪去愛女做人質，才留這餘地嗎？心有所念，略一分神，李滄瀾卻把握著這機會，發聲作嘯，身形平地拔起七、八尺高，竄出一丈多遠，脫出崑崙三子的包圍。

一陽子聽得一聲長嘯，恍如迷夢初醒，定神一看，見李滄瀾已平空竄出一丈有多，為免有損崑崙派在江湖上的聲威，隨著也一聲清嘯，身如大鳥凌空，從後竄到。正想凌空發招，陡聞耳畔發出一陣宏亮的聲音道：「道兄，讓我也來湊湊熱鬧。」話聲未落，但見一條灰影，已攔在他的面前，那人正是點蒼派的掌門人馬家宏。

當李滄瀾凌空衝出時，馬家宏因和他有殺弟之仇，就算不存心奪取那本武林奇書，也要和他清算日前那筆過節，恐給他衝出包圍，才仗劍攔路。一陽子看透他的心事，出言相激道：

「馬道兄肯來湊熱鬧最好，當年括蒼山的那筆血帳，道兄想還記在心上。」

李滄瀾確不愧稱當代武林奇人，絕不把這幾名武林高手，放在眼內，不待馬家宏身形落地，一拐蕩開一陽子長劍後，再拍一掌，發出一股強猛罡風，迫得馬家宏身形無法竄近。

馬家宏給擋住後，玉靈子恐給李滄瀾乘勢衝出，揮劍向李滄瀾腦後刺去。李滄瀾斜身讓劍，左手並指，直點玉靈子「肩井穴」，隨著橫裡掃出一腿。玉靈子右腕一沉，運劍劈李滄瀾的左臂，緊接著一提丹田真氣，身軀凌空而起，讓開李滄瀾橫裡掃來一腿。李滄瀾左臂一收，玉靈子趁勢施出「八步登空」身法，斜飛了一丈多遠，落著實地。

李滄瀾迫退了玉靈子後，突然仰臉一陣大笑道：「玄都觀主請往後站站，老朽要獻拙了。」就借這兩句話的工夫，已運足了『乾元指』神功，緩緩舉起左手，雙目注定著玉靈子，冷冷地接道：「道兄乃崑崙派掌門之尊，武功自有獨到之處，請試老朽一招『乾元指』如何？」

要知他這「乾元指」神功，乃獨步武林絕學，指風所指透金穿玉，玉靈子武功再高一倍，只怕也是擋受不住李滄瀾一指攻襲。

一陽子一擺寶劍，橫跨兩步，擋在李滄瀾前面，道：「貧道久聞『乾元指』神功之名，今番有幸一開眼界，何幸如之！」說話之間，左手探臂，拔出長形古劍，劍已離鞘，登時寒光耀射，冷氣逼人，雙劍交橫前胸，蓄勢待敵。

李滄瀾心念剛才相救愛女之情，不願玄都觀主傷在乾元指下，當下一吸真氣，脹得滿臉通紅，勉強把運足的功力收住，正色說道：「道兄品格武功，老朽素所敬慕，區區乾元指，自知難傷道兄，快請閃讓一側，替老朽留下一步餘地吧。」言中之意，軟硬兼具。

一陽子如何不知李滄瀾是替他保留顏面，只因他知那「乾元指」威力奇大，並世高手，只怕難有硬擋他一指攻襲之人。玉靈子身爲崑崙派中掌門，如若傷在對方手下，崑崙派在江湖數百年的威名，不但盡付流水，而且他在極恨之下，可能全力施爲，只怕玉靈子命也難以保得，自己拚擋一擊，仗寶劍威力，和李滄瀾對自己心存的友善，或可逃得他乾元指下……他這一番心念轉動，也就不過是眨眼之間，當下微微一笑，道：「李幫主但請出手無妨，貧道……」

話還未完，忽聽身後大聲叫道：「師兄閃開，讓我見識見識譽滿武林『乾元指』神功。」

李滄瀾目光中透露出殺機，輕緩地冷笑一聲道：「很好，道兄如能接得老朽一招『乾元指』，李某人願把《歸元秘笈》親手奉上……」

他微微一頓之後，陡然提高了聲音大喝一聲：「住手。」

這暴喝好像突然爆烈的一聲巨雷，震得人耳際中嗡嗡作響，果然，正在搏鬥中的人，都停了手。

李滄瀾緩緩把懷中《歸元秘笈》取出，托在左手上，目光環視一周，冷然地說道：「不管哪一位，只要能從老朽手中取去奇書，我們天龍幫就不再出手搶奪。」他說最後一字之時，目光正好投注在玉靈子的身上，五大派武林高手一見李滄瀾手中這本武林奇書，都不由自主地圍攏過來。

玉靈子微帶怒意地喝道：「讓開！」長劍偏轉，用力一撥，一陽子只得橫向一側跨開兩步，玉靈子提聚了全身真氣，緩步向李滄瀾走去。

海天一叟李滄瀾右手一頓龍頭拐，鐵拐入土半尺，人卻冷傲的一笑，緩緩把右手背到後面。

玉靈子去勢很緩，每一步都深陷草地中半寸多深，原來他每進一步，都借機提聚了一分功力，準備以自己生平的修爲，硬接李滄瀾「乾元指」神功的一擊。

忽然間一陣疾風，掠著李滄瀾身側而過，一條人影快得像閃光一般，到了他高舉的左手旁側，玉靈子微一怔神，停下了緩進的身子。

寂靜的山谷中，響起了一聲悶哼，那迅如雷霆的人影，忽然間倒了下去，聽不到第二聲喘息或呻吟，草地上，卻直挺挺地躺著一具屍體，高手環立，眾目睽睽，卻未看清那人如何死去。

海天一叟李滄瀾冷冷笑道：「哪一位還有興致，試試區區的『乾元指』？」

一陽子定神看去，橫屍草地上的，竟是華山派中的多臂金剛屠一江，不禁心頭大駭，這位身列江湖第一流高手的人，死得竟是這等無聲無息，全身看不出一點傷痕。

原來多臂金剛屠一江目睹李滄瀾背起右手，單用一隻左手高托著《歸元秘笈》，心中忽然一動，一聲不響，暗中聚力，陡然直掠了過去，想把奇書搶到手中。哪知手還未觸及奇書，忽覺一股潛力直擊過來，他一心搶書，忘了運氣防護，也難擋李滄瀾這「乾元指」神功威力，只覺擊來暗勁直透內腑，心脈崩斷，肝臟透穿，悶哼一聲，當場死去。

群豪目睹屠一江慘死之情，無不心頭大震，就是天龍幫屬下的五旗壇主，也看得聳然動容。他們平日雖知幫主武功奇高，身懷獨步武林的「乾元指」神功，但卻未料到「乾元指」竟有這等威奇之力，不需揚手作勢，竟能借一股暗勁，殺死武林中一等高手。

聞公泰忽地一擺青竹杖，向前疾衝幾步，馬家宏只當他情急拚命，當下一伸右臂，攔住去路，低聲勸道：「聞兄暫請保持冷靜，『乾元指』未必就有這等驚人威力，其中或有隱情。」

八臂神翁聞公泰何等陰辣，豈肯再冒大險，他向前疾衝幾步，只不過是想看清楚師弟究竟是否真的已死，聞公泰便借馬家宏伸臂一攔，立時借階下台，怒視了李滄瀾一眼，目光轉投僵臥在草地上的師弟屠一江。

李滄瀾目光環掃四周群雄一眼，冷笑道：「各位都這般客氣謙讓，說不得老朽只好暫時收起奇書了。」天龍幫中人已借這機會把受傷的人包紮好，準備再戰。玉靈子突然一擺手中寶劍道：「李幫主且慢收書，貧道還想向『乾元指』神功領教一下。」

李滄瀾冷笑一聲，道：「很好，道兄儘管出手……」餘言未絕，突聞一聲尖喝道：「爹爹……」李瑤紅長髮散披，踉蹌奔來。

李滄瀾目睹愛女狼狽模樣，心中大是傷痛，父女天性，他再也難保持冷靜之態，長髯抖顫著，問道：「孩子，你被什麼人打成了這個樣子，快些告訴我，看爹爹給你報仇，我今天已然開了殺戒，再多殺幾個，也是一樣。」說完話，目光突然轉投到聞公泰身上。

李瑤紅勉強提著最後一口真元之氣，由群雄身側奔行過來，身軀搖擺不定，她每一舉步之間，都有摔倒的可能。

張化看出便宜，心中突然一動，暗道：我如把此女擒住做為人質，不難迫李滄瀾交出奇書，一語不發，陡然直欺過來，探臂一把，疾向李瑤紅抓去。

海天一叟李滄瀾相隔愛女還有丈餘，搶救已來不及，情急之下，大喝一聲，凝聚的「乾元指」神功，遙向張化點去。

這獨步武林絕學，威勢果然不凡，一縷指風破空而到，張化右手剛抓住李瑤紅肩頭，突覺一縷暗勁，戳中前胸，宛如無形利刃穿胸而過，一聲未出，仰身向後栽去，但他抓住李瑤紅肩頭的右手，已用上力，倒栽的身子，帶動李瑤紅的嬌軀，一齊向後面摔去。

就在兩人身軀欲倒未倒之際，突見寒光一閃，張化一條右臂，被劈成二截，人影一閃，一隻手扶住了李瑤紅的身子。

這不過一瞬間的工夫，群豪定神看時，各自心頭一震，原來扶住李瑤紅的並非天龍幫中的人，卻是崑崙門下的楊夢寰。

聞公泰怒罵一聲：「好小子。」探臂一杖，直向楊夢寰背心點去。

楊夢寰奮力振臂一投，把李瑤紅向李滄瀾猛擲過去，但因他只顧救人，已無法閃避聞公泰疾點背心的杖勢。其實，他在救人之時，已存了必死之心，他明知和群雄數尺之隔，自己救人，必有人出手施襲，他覺得這樣糊糊塗塗死去很好，可省去一番口舌解說。即使他願意解說，也無法解說清楚，這等情孽的糾纏，關乎著他師門的清譽，和李瑤紅的少女尊嚴，是以，他救人之後，竟不理那點襲向背心的杖勢。

可是，事情的變化，往往會使一個人失去主宰自己的能力，他在注意著李瑤紅舉動之時，朱若蘭亦在注意著他的舉動，在他出手救人的同時，朱若蘭已探懷摸出了兩粒牟尼珠。

聞公泰青竹杖點擊出手，朱若蘭兩粒牟尼珠同時打出，一粒擊向青竹杖，另一粒擊取聞公泰「鳳眼」要穴，去勢迅急，劃起輕微的破空嘯聲。

聞公泰的彈指金丸，在江湖上冠稱一絕，他是暗器名家，耳目自是特別靈敏，聞聲驚覺，倏忽收杖疾退，牟尼珠已掠著他衣服飛過。

就在這一緩之勢，李滄瀾已接著愛女嬌軀，朱若蘭也振袂飛到，左掌斜劈一招「手揮五弦」，把滕雷遙擊楊夢寰的一股拳風擋開，右手一記天罡指指向馬家宏，一縷凌厲的指風，迫得馬家宏向後疾退五步，瞬息間，場中情勢大變，群豪紛紛退到一丈開外。

朱若蘭突然一轉嬌軀，掠楊夢寰身側疾過，香氣拂動之中，楊夢寰聽她低婉的聲音，在耳際說道：「你不能死……」一眨眼，已超越到身前數尺之處，目光投注李滄瀾臉上，冷冷地說道：「請把令媛托交你屬下保護，我要試試你稱絕武林的『乾元指』。」

李滄瀾左手抱書，右手抱著愛女，長笑一聲，答道：「咱們早晚總有一場生死搏鬥，早些了斷了也好！」右手輕輕一擊愛女背心「命門穴」，李瑤紅長嘆一聲，清醒過來，原來她被楊夢寰一擲，人又暈了過去。

王寒湘陡然一欺身，攔在李滄瀾前面，說道：「幫主乃千百萬弟子身心寄托，豈可親臨大敵，本壇主願代幫主一戰……」

李滄瀾搖搖頭，微笑道：「朱姑娘武功絕倫，只有我『乾元指』或可能抵拒，如我不幸傷損此地，天龍幫就由你接掌龍頭……陶玉何在？」

陶玉躬身應道：「弟子在此。」颯然風動，躍落在李滄瀾身側。

李滄瀾緩緩放下懷中愛女，笑道：「好好的保護住你師妹，她如有個三長兩短，你就橫劍死在她的身側。」輕描淡寫幾句話，只聽得觀者心痛如絞，仇者心生寒意，一代梟雄之才，果然是與眾不同。

突見李瑤紅一咬牙，猛然向上一跳，把父親手中三冊奇書，搶了過來。

這一下大出在場諸人意料之外，都不禁為之一怔。

李滄瀾一揚長眉喝道：「你瘋了嗎?快些把書還我！」

李瑤紅向後退了幾步，道：「爹爹，這《歸元秘笈》原本是別人之物，我師兄用盡心機把書奪去……」一陣急喘厲咳，打斷她未完之言。

李滄瀾突然向前欺進一步，伸手抓書，李瑤紅拚命向後一躍，讓開來勢，接道：「爹爹我……」

李滄瀾怒道：「你要作死嗎？」右手一拔地上龍頭拐，疾點過去。

李瑤紅突然大笑道：「好！我死在自己爹爹手裡，總比死在師兄手中好些。」一低頭向拐上猛撞過去。

李滄瀾心頭一寒，急把拐勢一偏，左手疾出奪書，李瑤紅一頭撞空，借勢斜臥，打了兩個滾，又挺身躍起，剛好讓避開李滄瀾的左手。

忽聽陶玉大喝一聲：「師父。」施展移形換位身法，迅快無比地欺到李瑤紅身側，右手一抓搶過《歸元秘笈》，左手一揮金環劍，登時鮮血如泉，噴起兩尺多高，一條玉臂直飛出七、八尺外。

楊夢寰縱身躍起，接住了那條血淋淋的手臂，身未落地，懸空斜飛，一掠之勢，已到李瑤紅的身側，大喝一聲，右手長劍脫手飛出，疾向陶玉投去，人卻一把抱起摔倒在地上的李瑤紅。

這本是一剎那間的事情，楊夢寰心神專注，是以反應較別人靈快，大家定神看時，陶玉已斬去李瑤紅一條左臂，搶得奇書，架開楊夢寰投擲來的劍勢，轉身向後疾奔而去。

朱若蘭咬牙怒罵道：「真是個毒如蛇蠍之人。」

但見白影閃動，藍紗飄舞，沈霞琳、趙小蝶和四個白衣小婢，紛紛躍到朱若蘭身側。

朱若蘭急道：「蝶妹妹，你看著兩人，我去追殺陶玉……」話未說完，人已到一丈開外，朱若蘭一動，群雄才如夢初醒般，紛紛追去，李滄瀾、馬家宏、王寒湘等，各展輕功，疾如脫弦之箭，衣袖長衫，帶起飄空之聲。

陶玉施展移形換位身法，但見黃影閃動，眨眼間就是三、四丈遠，群雄竟是難以追近他一步距離。

朱若蘭忽的嬌叱一聲，柳腰疾挫，猛一展身，凌空向前飛去，閉住呼吸，躡虛而行，快如離弦流矢，瞬息追到陶玉身後。

馬家宏見識廣博，一見朱若蘭躡虛疾行身法，不禁心頭大駭，失聲叫道：「絕傳神功，『凌空虛渡』，今天算開了眼界啦！」

他這一嚷，群雄都不禁定神一看，就這微一分神，陶玉和朱若蘭已超出群豪五丈開外，朱若蘭已追到陶玉身後，揚手一掌劈下。

陶玉太陰氣功，已有相當基礎，他知此刻乃性命交關之時，早已提足真氣，朱若蘭掌勢劈出，他已警覺，倏然回頭，右劍左掌，一齊還擊。

朱若蘭真氣一沉，腳落實地，右掌疾收，回拂劍背，暗運真氣，施展「彈指神通」，纖纖玉指在和陶玉金環劍相觸之際，食中一指猛向劍上彈去，左掌一招「雲封霧鎖」，把陶玉左手攻來一掌封到門外。

她這「彈指神通」功夫，火侯雖然不夠，但已非陶玉承受得起，只覺右腕一麻，金環劍脫手飛出，同時左掌擊出力道，被朱若蘭巧妙的手法封引落空，擊在數尺一株矮松之上，只震得枝葉紛飛，樹身中斷。

他這一掌一劍，真是全力施爲，劍飛掌空，心中大駭，略一怔神，朱若蘭右手彈飛他金環劍後，已順勢一掌拍到，陶玉突然隨著掌勢，向旁一倒，真氣下沉，力貫足心，身子距地還有尺許左右時，忽的一個輪轉，原式轉了一百多度一個大圈，欺到了朱若蘭側背，右手手指已搭上朱若蘭肘間關節。

朱若蘭冷然一笑，右臂疾攻，反點陶玉脈門。左掌虛飄飄反臂拍出，擊在陶玉左肋。只聽陶玉悶哼一聲，摔在地上，但他搭在朱若蘭關節的右手，已變拿爲截，指力疾吐，猛向朱若蘭前胸點去。

朱若蘭疾退兩步，怒罵道：「死在眼前，你還敢作孽！」一吸真氣，施展天罡指，隔空向陶玉「天池」、「中府」兩處要穴點去，指風勁急絕倫。

兩人這交手幾招，無一不是武林中見所未見的手法，看上去眨眼而過，其實刹那間的指戳掌勢，無一不是武林奇技，生死須臾，驚險萬分。

陶玉被朱若蘭蓄勁掌心，虛飄飄拍出一掌，震斷兩根肋骨，如非他早運太陰氣功護身，憑自己功力，指風縱然擊中，但也難傷對方，但他料想到自己攻襲之處，乃是她必需守護之處，羞急之下，必然撤退。這一著果然被他料對，朱若蘭撤身退後兩步，幾乎在朱若蘭撤身後退的同時，陶玉已強忍肋骨折斷之疼，挺身躍起，朱若蘭天罡指點擊出手，陶玉已然站起，猛一咬牙，用盡生平之力，向前一躍。

朱若蘭抬頭看時，陶玉已到懸崖丈餘之處。原來兩人動手之地，相距那懸崖也不過四、五丈遠，動手時未及細看，此刻一看，不禁心頭一驚，暗道：難道他真還會撲崖尋死不成……心中在想，人已淩空，懸空挫擺細腰，直飛有五丈多遠，這等罕見輕功，只看得群豪一呆。

陶玉距崖邊還有四、五尺遠，朱若蘭已到他頭上，人還未落實地，探臂拍出一掌。

陶玉肋骨震斷兩根，雖無大礙，但他不能及時運氣療息，大感疼苦難當。朱若蘭拍出掌力，又極凌厲，心知只要硬接對方這一擊，非被當場震暈不可，當下一橫心，傾盡全身餘力，身子向前一傾，兩足用力一蹬，疾向萬丈絕壑之下竄去。

朱若蘭落掌之勢，迅快無比，陶玉躍竄之勢雖快，仍被朱若蘭下落掌勢，擊在左腿膝肘之上，震斷左腿，擊碎膝間肘骨，陶玉已然平射出去的身子，亦被掌力震摔地上。

朱若蘭腳落實地，冷笑道：「你還有什麼鬼謀本領，儘管施出來吧！」

忽聽衣袂帶風之聲，李滄瀾、馬家宏一先一後，疾躍過來，直向陶玉撲去，朱若蘭黛眉一揚，右手反臂一招「潮泛南海」，帶起一股強烈劈空勁氣，直向李滄瀾打去，左手運天罡指力，一縷指風襲向馬家宏。

李滄瀾大喝一聲，揮掌硬接一擊，馬家宏卻陡然一提真氣，飛行身子忽地上升兩尺，讓避天罡指風。

朱若蘭玄門一元罡氣尚未達爐火純青之境，一記劈空掌風，雖然把李滄瀾疾來之勢擋住，但她亦被這一招硬打，震得退了兩步，不禁心頭一驚，暗道：此人功力果然深厚。正待先把陶玉手中《歸元秘笈》搶到手中，免得顧此失彼，忽見陶玉猛然一個翻滾，直向萬丈絕壑之外落去。

群豪似是都未料到陶玉在連受重創之後，仍能這等快捷地滾下斷崖，不覺看得一呆。

馬家宏一揮長劍化起一道銀虹，連道：「可惜呀！可惜。」

李滄瀾怒視了朱若蘭一眼，探頭向下望去，但見立壁千尋，絕壑萬丈，數百丈後成了一片濛濛黝暗之色，深不見底，陶玉只成一點拳頭大小的黑影，眨眼間沉入濛濛黝暗之中不見，不覺搖頭一聲嘆息。

朱若蘭看陶玉自滾下萬丈絕壑，勢非摔個粉身碎骨不可，這等生性險惡之人，死不足惜，只是未能收回《歸元秘笈》，難以對趙小蝶交代，心中亦甚感悵然，靜站一側，一語不發。

這時，天龍幫五旗壇主和崑崙三子、峨嵋三老等人，盡都趕到，三手羅剎彭秀葦，懷抱著滿身鮮血，斷去一臂的李瑤紅，跟在趙小蝶和沈霞琳身後，緩步而來，四個白衣小婢兩側相護，這幾個天真嬌稚的少女，哪見過這等慘事，一個個滿含淚珠，濡濡欲滴，楊夢寰手中捧著李瑤紅斷臂，滿臉傷痛之色，跟在彭秀葦的身後。

趙小蝶走到朱若蘭身側，長長嘆息一聲說道：「蘭姊姊，李姑娘身受重創之後，又被斬斷一臂，只怕難再救得活了？」

朱若蘭轉臉望了李瑤紅一眼，道：「她雖然是傷在她自己的師兄手中，但咱們也不能坐視不救……」說著話，緩步走向三手羅剎身側，只見她抱著雙目緊閉的李瑤紅，那醜怪的臉上一片惶愧之色，說道：「婢子該死，李姑娘轉醒之後，突然掙出婢子懷抱，婢子本想阻止，但見她逕自奔向父親身側，又未得姑娘允許，不敢擅自出手，致害她損去一臂。」

楊夢寰忽然急走兩步，搶在朱若蘭身側，低聲問道：「朱姑娘看看她還有救嗎？」

朱若蘭回過頭淒涼一笑，道：「她身受重傷之後，又遭受了斷臂之苦，雖然及時制住了血道，但這等痛苦，亦非人所能受。她傷勢能否好轉，保得性命，眼下還很難說，必要經過一番診斷之後，才能決定……」她側目望了趙小蝶一眼接道：「趙姑娘身懷靈丹，功能起死回生，如她肯伸援手，不難使她立時清醒。」

這兩人幾句答問之言，聽來雖無異樣，但彼此心中，都覺得兩人之間，已有了一段遙長的距離，楊夢寰黯然一嘆，道：「多謝姑娘指示了。」

朱若蘭星目中突然射出兩道異光，但一閃即逝，剎那間又恢復鎮靜神色。

群豪志在《歸元秘笈》，雖然眼看陶玉懷抱奇書，葬入那萬丈懸崖，但幾人都還不死心，各自暗忖道：這懸崖雖然深不見底，但那奇書乃柔軟之物，除了陶玉在下跌之時，可能稍有損傷外，跌下去，也難把那三本柔軟的奇書摔毀……各人心中都在盤算著如何想辦法，下到那萬丈絕壑之中，重新找回《歸元秘笈》。誰也不願多惹麻煩，何況經過了一番搏鬥之後，大家心中都明白，眼下之人，各有獨到的武功，如要打傷對方，只怕很不容易。

楊夢寰緩步向趙小蝶走去，他本想乞求靈丹療治李瑤紅的傷勢，但走近趙小蝶後，卻無法開口相求，望了人家一眼，默默站在一側。

沈霞琳看到他憂慮之色，急奔了過來，她本想說幾句勸慰之言，但只叫了一聲：「寰哥哥」，就想不起如何勸慰，幽幽一嘆，並肩和夢寰站在一起。

李滄瀾目光凝注女兒臉上，呆呆地望著，兩種大不相同的情緒，困擾著這一代梟雄，他氣忿女兒的背叛，又傷痛獨生愛女的殘廢，愛恨交織，一時竟失去主見，不知如何處理這淒涼局面。五旗壇主雖都是智謀過人之人，但因受到傷害的兩人，一是幫主唯一愛女，一是幫主親傳弟子，這兩人都和他有著不同尋常的關係，幾人中都有滿腹的主意，但卻不便插言，一時之間，群雄默然，鴉雀無聲。

朱若蘭察看了李瑤紅傷勢情形，回頭對趙小蝶道：「蝶妹妹，你那《歸元秘笈》已被陶玉帶下萬丈絕壑，姊姊未能替你追取回來，心中甚感惶愧。」

趙小蝶淡淡一笑，道：「姊姊不要爲此煩惱，娘在未死之前，也曾對我說過了《歸元秘笈》留在世上，有害無益，要我把它讀熟之後，用火饒去，丟入那絕壑之中，又有什麼要緊……」口中在答應著朱若蘭的問話，人卻對著朱若蘭走了過來。

聞公泰突然一揮手中青竹杖，對李滄瀾大聲喝道：「李兄的『乾元指』神功果不虛傳，在下師弟送命在李兄手中的一筆血債，暫記帳上，一年之內，兄弟當盡率華山派中精銳，赴拜貴幫黔北總壇討償。」

馬家宏朗笑接道：「貧道這次離開點蒼山，原本也打算和李兄清結一筆舊帳，哪知竟在括蒼山無意而遇……」

李滄瀾突然放聲一陣大笑，截住了馬家宏的話，道：「自我天龍幫成立之後，你們號稱江湖九大門派中人，早已視我們如眼中釘，急欲拔去而後快，少林、武當，已爲我們天龍幫準備了三年時間，想來定然是一份重禮收……」他微微一頓，環掃全場一眼後，又道：「各位在場之人，有五位掌門身分，請恕老朽說一句狂妄之言，天龍幫早已爲武林九大門派高人準備了好酒賓舍，最好你們九大門派一齊駕臨……」

玉靈子冷哼一聲，接道：「好大的口氣，我們崑崙派定當叨擾李幫主一杯好酒。」

李滄瀾笑道：「好極，凡是九大門派中人，我們一律歡迎，就訂明年中秋之夜，老朽在黔北敝幫總壇恭侯如何？」

聞公泰、滕雷、馬家宏、玉靈子四人一齊應道：「一言爲定，我們定於明年八月十五日以前趕到貴幫總壇。」

李滄瀾拂鬚大笑道：「屆時不但敝幫和你們九大門派中問題可予解決，就是你們九大門派數十年來未能解決的排名之爭，也可借機解決了。」

聞公泰冷笑一聲，道：「我們九大門派的排名之爭，不敢勞貴幫費心。」

朱若蘭陡然一揚黛眉，道：「你們既訂下明年之約，彼此之間恩怨，盡可在那約會上解決，恕我這聳雲岩不留客人，今日午夜之前，都請撤離出聳雲岩百里以外，哪一個妄圖尋書絕壑，留戀不去，一經發現，就別想活著離此。」

群雄都有覓路絕壑，尋求奇書之心，但卻都不願和朱若蘭動手，是以，無人接言。

趙小蝶目睹朱若蘭威鎮群雄，氣概萬千，心中甚是高興，瞥眼向夢寰望去，只見他皺著兩條眉頭，一臉愁苦之色，手中仍然拿著李瑤紅那條被斬斷手臂，心中忽然一動，探手摸出懷中僅存的一顆靈丹，輕舉左手捏開李瑤紅牙關，把一粒紅色丹丸，緩緩投入李瑤紅櫻口之中。

李滄瀾瞪著眼，站在一側，他已看出女兒傷勢慘重，已非一般的藥物能夠療治，妙手漁隱蕭天儀，留在黔北總壇未來，如把女兒送返黔北療治，又怕耽擱時間，誤了這唯一愛女的性命，李瑤紅生死之事，竟困惑住了一代梟雄的李滄瀾。

趙小蝶把一顆僅存靈丹，投放入李瑤紅口中之後，目光又向楊夢寰望過去，只見他滿臉感激之色，遙遙頷首致謝，不禁嫣然一笑。

一陽子一直冷眼觀察著楊夢寰的一舉一動，他對這位衣缽弟子冒死救李瑤紅的舉動，已感困惑。再看到和朱若蘭生分之情，趙小蝶對他的關注之意，心中愈覺混亂，不禁暗嘆一聲，忖道：這些小女兒心事變化，當真是難測難解，看來他們這一代，比起自己一代，更是錯綜複雜，難測高深了。

忽聽李瑤紅長長吁一口氣，霍然睜開了雙目，趙小蝶靈丹的藥力，當真有不可思議的神奇，竟能使連受重創的李瑤紅，片刻間復甦清醒過來。

李滄瀾驟見女兒清醒，說不出心中是喜是怒，只覺心情一陣激動，湧出來兩滴老淚，長鬚顫抖，緩步走近愛女身側，道：「孩子，你不妨事嗎？」

李瑤紅微微一笑，雙目熱淚如泉，滾下兩腮，說道：「爹爹，我……有兩件事求你，好嗎？」

李滄瀾目睹女兒滿身鮮血，大生憐惜，哪裡還忍拂她的心意，點點頭說道：「只要爹爹能夠辦到，都答應你就是。」

李瑤紅突然一咬牙，掙脫三手羅剎懷抱，跪在地上說道：「第一件事，請爹爹把《歸元秘笈》還給……」

李滄瀾黯然接道：「《歸元秘笈》已被那劈斷你左臂的師兄，帶著躍入萬丈深壑去了……」

李瑤紅微微一怔，轉臉望了夢寰一眼。

朱若蘭幽幽一嘆接道：「你已把奇書交還給我們，再次被奪不能怪你，你已實現諾言了。」

李瑤紅黯然一笑，接道：「第二件事，求爹爹親手剪去我頭上髮絲……」

李滄瀾只聽得呆了一呆，道：「什麼?你要出家……」但見女兒滿臉摯誠堅決之色，心中忽然一凜，知她生性剛烈，又在大傷之下，一句責備之言，就可能促起她自絕之心。連忙改口道：「好，好。」左手抓起李瑤紅滿頭秀髮，暗運功力，右手食中二指代剪，在李瑤紅頭上一陣游走，依言剪下她滿頭長髮。

李瑤紅掙扎著站起身子，目光由朱若蘭身上慢慢地巡視趙小蝶、沈霞琳等人，最後投注在夢寰臉上，笑道：「妹妹，楊相公，請過來我有話說。」

楊夢寰回顧了師父一眼，緩步向李瑤紅走去，沈霞琳跟在夢寰身後，走近李瑤紅身側嘆道：「姊姊有話對我們說嗎？」

李瑤紅微微點頭，目光中流露出一種極爲奇異的神色，笑道：「姊姊就要去了，我要求你答應我一件事情。」

沈霞琳幽幽道：「別說一件事情，就是一千件一萬件我也會答應姊姊，可是姊姊要到哪裡去呢？」

楊夢寰臉色十分緊張，目光中滿是惶愧憐惜之色，似有千言萬語要說，但卻說不出一句。

李瑤紅瞄了夢寰兩眼，嘴角浮現一絲安慰的笑意，望著沈霞琳說道：「你放心好了，姊姊不會死的，我要和娘守在一起，常伴著青燈古佛，懺悔我半生罪惡……」

沈霞琳輕輕嘆息一聲，接道：「我知道啦，姊姊剪掉頭髮，要出家做尼姑去是嗎？」

李瑤紅淒涼一笑道：「不錯，我已成殘廢之人了，在世界上也沒有什麼作爲，本來我應該一死以求解脫，可是我知道，我死了要留給別人很大的痛苦，所以我不能就這樣死去。」

沈霞琳道：「唉！我也經歷了很多事情，原來一個人活在世界上，有很多煩惱，痛苦……」她回頭望了夢寰一眼接道：「要不是我想和寰哥哥守在一起，真想和姊姊一起出家去。」眾目睽睽之下，她說來毫無半點忸怩羞怯感覺，而且是那樣自然誠摯。

李瑤紅黯然一笑，目光緩緩掃掠群豪而過，眼光盯在海天一叟臉上，說道：「爹爹，今天女兒有兩句不當之言，想說出口，此或有損爹爹威名，不知是該不該說。」

李滄瀾打了個寒噤，沉吟半晌，嘆道：「你說罷，當今之世，誰不知你是我的女兒，你如有什麼傷損我臉面之事，那也是命中注定，哈哈，大丈夫難保妻賢子孝，我李滄瀾總不能一手遮天，掩盡天下英雄耳目，武林中有目共睹，我能統率天龍幫千百豪傑之士，卻無法管得自己刁鑽冥頑的女兒，說吧！說吧！爹爹這一張老臉……」

王寒湘目睹幫主激動之情，心中大感不安，心知只要李瑤紅一語錯出，立時將授人口柄，眼下群豪濟濟，無一不是武林極具聲望之人，如果李瑤紅說出什麼極不體面之事，那可是一件恨事。當下搶前一步接道：「幫主請息怒，李香主幼承教養，極明事理，決不會有什麼背違咱們天龍幫戒規之事，且聽她當眾說出，讓眼下群豪耳聞目睹，也好做個見證。」

他這幾句話說來振振有詞，光明堂皇，其實無異暗示李瑤紅要替李滄瀾保存顏面，別說出什麼難以入耳之事。

聞公泰冷笑一聲，道：「人家父女私事，王兄最好是別多插嘴。」

莫倫突然運功揚手一記劈空掌風，直對聞公泰打去，口中冷冷喝道：「聞兄最好多聽少說，令師弟屍骨未寒，你竟然還敢信口雌黃。」

聞公泰知他五毒掌風陰辣無比，不敢硬接，縱身一躍，讓開一擊。

李瑤紅緩緩站起身子，提高聲音說道：「爹爹，女兒不孝，連番闖出大禍，連累爹爹和各位叔父前輩，但我卻背逆幫規，暗助崑崙門下……」

王寒湘淡淡一笑接道：「崑崙派對你有恩，你應當還報人家，武林中講究的是恩怨分明，那也算不得有違幫規。」

李瑤紅嘆息一聲：「咱們天龍幫戒規森嚴，我爹爹雖是龍頭幫主，但我也不能自持身分特殊，逃避幫規制裁。」

李滄瀾鬆了一口氣，笑道：「很好，你這丫頭在重傷後，倒像懂事多了。」

莫倫冷冷地接道：「李香主已剪髮代首，縱然有背叛幫規之事，也算已受到制裁，大可不必再引咎自責了。」

李瑤紅望了李滄瀾一眼，接道：「爹爹，女兒還有件事想求父親應允？」

海天一叟笑道：「好，好，你說罷。」

李瑤紅道：「女兒既承幾位叔父愛護，免除責罰，但我自思連番違犯幫規戒律，無顏再任總壇執法香主，請爹爹免去女兒香主之職，允許我常伴媽媽……」

李滄瀾笑道：「好，你要出家做尼姑，那就算我沒有你這個女兒也是一樣！」

李瑤紅強忍斷臂傷痛，一拜起身，道：「女兒拜謝爹爹恩准。」

王寒湘笑道：「李香主既然不願再以清白女兒之身，在江湖上闖蕩，也是一樁好事，幫主一向言出法隨，既然答應了李香主，自然不會再有更改。但眼下你傷勢甚重，不宜再延誤時間，暫請返回總壇，請你義父替你療好傷勢，再伴你娘常住洗心庵不遲……」他微微一頓之後，回頭望著川中四醜，笑道：「本壇擅自作主，代傳幫主令諭，請川中四醜設法護送李香主返回總壇。」

川中四醜中的老二白無常陳應，雖被玉靈子一劍傷了左臂，但他功力深厚，這點皮肉之傷，自是不放在心上，四人一齊躬身應道：「敬領令諭。」翻身疾奔到斷崖旁邊，掌劈腳踢，震斷幾株茶杯粗細的松樹，採集了幾根山藤，片刻之間，編製了一個兩人抬用的藤兜，奔到李瑤紅左側放下，四人不敢伸手攙扶，回頭望著李滄瀾請示。

朱若蘭一挫柳腰，抱起李瑤紅，低聲笑道：「你剛才服用的一顆靈丹，功效神奇無比，足可保你傷勢不再惡化，但請放心回你們天龍幫總壇去安心養息。過些時日，我和琳妹妹一起去看你。」

李瑤紅真情激蕩，滿眶熱淚，嘆道：「姊姊盛情，妹子心領了，不敢再勞玉趾，但望姊姊能善為照顧沈家妹子，李瑤紅就感同身受……」

朱若蘭附在她耳際低聲接道：「你要好好保重身體，凡事都由我替你安排，須知楊夢寰乃至情至性之人，你如果出個三長二短，只怕他也難獨活下去，果真如此，不但害了他，而且也害了琳妹妹，你要三思而行，千萬不要作踐自己性命……」她說這幾句說時，已施展「傳音入密」之功，李瑤紅雖聽得字字入耳，守在附近的一流武林高手，卻是一個字也未聽到……

朱若蘭掃掠閻公泰、馬家宏、滕雷一眼，對李滄瀾道：「李幫主既和九大門派訂下了來年中秋之約，眼下似無再留括蒼山的必要，請護送令嬡返回貴幫總壇去吧。」

李滄瀾知她用心至善，怕閻公泰、馬家宏等暗中攔劫女兒，當下朗朗一笑，道：「來年中秋之約，乃天下武林精英大會，朱姑娘如有興致，不妨請到黔北敝幫總壇觀賞一番，屆時老朽當恭迎芳駕。」

朱若蘭道：「屆時如能抽暇，定當赴會一開眼界。」

李滄瀾一頓龍頭拐，道：「咱們走！」當即開路，向前奔去。

五旗壇主護著李瑤紅藤兜，緊隨李滄瀾身後向前闖去。

四二 翻雲覆雨

這時，五派聯陣之勢，已自行瓦解，因爲《歸元秘笈》已被陶玉帶著躍下萬丈絕壁。五派聯手目的，志在奪書，奇書既失，彼此自難再行合作，何況經過一番激烈的苦戰之後，五派中人，心中都很明白，就是聯合眼下五派之力，也難把天龍幫的人圍殲絕谷。聯陣既然瓦解，自是更難擋人銳鋒，當下紛紛退讓一側，王寒湘走在最後，超過群豪之後，突轉身笑道：「聞兄、馬道兄，最好別妄想尋路絕壑，找那《歸元秘笈》，需知深壑萬丈，下去容易，上來就難了。」

馬家宏微微一笑，道：「王兄不覺著這句話說得太客氣嗎？如貧道真要下那萬丈絕壑尋書，只怕不待來年中秋，就先和王兄碰頭了。」

王寒湘搖著摺扇笑道：「果真如此，兄弟當再領教道兄劍法。」說完，不待馬家宏答話，轉身疾奔而去。

聞公泰目睹天龍幫中人背影消失不見，拱手對眼前群豪說道：「天龍幫五旗壇主之名，果不虛傳，如果咱們九大門派中人，不能同心協力，除此強敵，十年內整個江湖，恐盡是天龍幫的天下……」

馬家宏道：「貧道二十年未離點蒼山中一步，想不到江湖之上，竟有這等大變，聞兄之言，說得一點不錯，如咱們九大門派不能同心合力，一鼓把天龍幫首要殲滅，不但九大門派的聲望，將在江湖上日漸消滅，最後恐怕還要被天龍幫逐個消滅。」

峨嵋派的超元大師，合掌低宣了一聲佛號，道：「馬道兄和聞檀樾之言，老僧亦有同感，明年中秋之會，事關九大門派生死榮辱，老僧深望各位道兄、檀樾，能捐棄門戶之見，聯合九大門派力量，借機把天龍幫首腦人物一網打盡。至於我們九大門派的排名之爭，已是三百年前的往事，那一場慘烈絕倫的拚搏，各派精英大都濺血在少室峰頂，使我們九大門派多少絕學失傳，往事創痛猶存，何苦使慘劇重演！老僧願以佛門弟子身分，親赴少林寺，求見少林掌門方丈，勸解少林派放棄排名之爭，以後咱們九大門派，互不侵犯，相安共存……」

他微微一頓，又道：「如有哪位道兄，願以三清弟子身分，上武當山一行，勸解武當派掌門人，消去爭取排名之念，事情就算將近圓滿解決。至於青城一派，和我們峨嵋派淵源甚深，老僧亦願負責勸說。單餘崆峒一派，當不致挑起爭端，如再有人去勸說崆峒派，自是更好，老僧愚見，不知各位道兄、檀樾，是否肯於贊助？」

馬家宏微微一笑，道：「老禪師慈悲爲懷，見識高遠，貧道和武當派掌門人，有過數面之緣，願赴武當山一行，只是我們已二十年未曾晤面，能否勸說得人，事情還難預料，但貧道當盡其力，成敗則聽由天命了。」

滕雷一咧大嘴巴，乾咳了一聲，道：「崆峒派掌門人陰手一判申元通，和在下相交有年，兄弟當赴崆峒山一行，勸說申兄。」

聞公泰拂髯嘆道：「天龍幫崛起江湖，不過是二十幾年時間，想不到短短的二十幾年，他們竟然成爲眼下江湖上實力最大的一幫惡魔，咱們九大門派，再不早日設法阻止他們，後果實是不堪設想。幾位大師、道兄，既肯放棄門戶之見，以一派掌門、長老之尊，親赴各派勸說，兄弟極感佩服。來年中秋，黔北之會，聞公泰當盡率華山門下精銳，首挫天龍幫的銳鋒，以表謝意。現下兄弟要先走一步了。」說完，拱手作禮，轉身奔去。

滕雷一抱拳笑道：「兄弟也先告辭了。」緊隨著聞公泰身後離去，而馬家宏、峨嵋三老相繼拱手告別。

絕谷只餘下崑崙三子、朱若蘭、趙小蝶、沈霞琳、楊夢寰、彭秀葦和四個白衣小婢。幾人相對沉默良久，朱若蘭微微一笑，道：「三位老前輩如無要事，請到晚輩蝸居，盤恆數日再走如何？」

玉靈子嘆息一聲，說道：「朱姑娘對我們崑崙派施恩甚多，貧道等感懷良深，我們無能報答，已感惶愧萬分，怎敢再行打擾清居……」

朱若蘭緩舉右手，理理鬢邊散髮，接道：「晚輩行事，素無拘束，難免有傷損三位之處，說到施恩二字，晚輩更是愧不敢當。三位既不願移駕蝸居，晚輩也不敢強顏挽留，但卻有一事奉懇三位前輩，盼能賞我朱若蘭一個面子。」

玉靈子微一沉忖，道：「朱姑娘可是要為敝派門下楊夢寰說情嗎？」

朱若蘭早已運慧劍斬斷對夢寰萬縷私情，心中坦然，是以大變往常情態，毫無嬌羞之狀，點點頭笑道：「依晚輩和貴派中楊相公相處數月觀察所得，他確是一位至情至性的誠實君子，心地忠厚，豪氣干雲，也正因如此，他才處處陷入被人謀算之中，今日發生之事，三位老前輩，都已看到眼中，心中恐疑竇叢生，他傷過峨嵋門下弟子，又傷了雪山派中的人，兩樁事情，又都是由李瑤紅身上引起，別說聞公泰、馬家宏、滕雷等一般人心生誤會，就是一陽子老前輩，恐怕也對自己教出的弟子，心生懷疑。」

一陽子嘆道：「此中恩怨牽纏，實使人眼花撩亂，唉！貧道雖然教養他一十二年，自信對他爲人處事，知之甚深，但也無法解得這事中隱秘。」

楊夢寰陡然一揚雙眉，正待接言，朱若蘭已搶先接道：「追溯前因，應該在一年之前，慧真子老前輩身受蛇毒，道長求醫饒州，欲尋妙手漁隱蕭天儀，爲慧真子老前輩療傷，李瑤紅不惜洩露義父秘居翠石塢，用意無非是討好貴派門下弟子楊夢寰，如果武林中要講究恩怨分明，不知李瑤紅這舉動算不算施恩貴派？」

玉靈子道：「這自然算得施恩。」

朱若蘭微微一笑道：「李瑤紅施恩討好本是情難自禁，她也未必會想到還報，哪知事有湊巧，她竟會在川西和峨嵋門下弟子起了衝突，而且又偏偏被貴派門下趕上，晚輩年幼無知，不懂武林規矩，如是三位老前輩中一人遇上，不知是否要伸手管這筆閒帳？」

玉靈子嘆道：「李瑤紅既然有恩於我們崑崙，依武林規矩來說，只要我們崑崙派中人，都不能坐視不管。」

朱若蘭道：「這就是了，那貴派弟子爲救李瑤紅而和峨嵋派衝突，是理所當然的了？」

玉靈子道：「事情本身應該沒錯。」

朱若蘭道：「錯在李瑤紅對楊相公一往情深，她爲楊夢寰不惜背叛幫中戒規，數度救他危難，又相贈靈丹，解了他身受『化骨消元散』絕世奇毒，這施恩對楊相公個人說來，算不算大？」

玉靈子望了夢寰一眼，道：「救命大恩，自非小可。」

朱若蘭道：「晚輩言盡於此，三位老前輩該明白他爲什麼目睹李瑤紅受傷之後，那般激動得難以自制了吧？」

玉靈子長長嘆息一聲，道：「多謝朱姑娘一番解說，貧道查究此事之時，定當兼顧情理，從寬發落。」

三手羅剎彭秀葦忽然插嘴接道：「楊相公雖然傷了峨嵋派的一個和尚，但他自己亦受了極重的內傷，除那位趙姑娘和我主人之外，當今之世再也沒有第三人能療治好他的傷勢……」

朱若蘭嘆息一聲接道：「我也一樣束手無策，那全是趙家妹子的『大般若玄功』救了他的生命。」

彭秀葦微微一怔，繼續說道：「如果楊相公送命在峨嵋派門下的手中，不知三位身爲師長之人，要不要替他報仇？」

一陽子道：「寰兒受傷之重，我已親目所睹，竟然未死，實是奇蹟，朱姑娘加恩我們崑崙派兩代弟子，貧道等決不敢忘……」

朱若蘭搖頭微笑道：「加恩之事，休要再提，但望三位老前輩能夠稍爲晚輩留點顏面，我就感激不盡了！」

玉靈子微一沉吟，道：「朱姑娘雖然對我崑崙派有恩，但如要貧道背棄本派歷代掌門祖師手訂門規，貧道實難從命，我只能衡諸情理，從寬查辦，但他如有觸犯本門重大條律之處，仍然要依律處罪。」

朱若蘭臉色微變，一揚黛眉，道：「你們崑崙門規，只不過用來約束貴派門下弟子而已，如若放在別人眼下，也不過是幾行虛字具文，請恕晚輩說句放肆的話，戒規條律，都不過是名教罪人，道長雖是一派掌門之尊，但道長亦是大明中人，試問國律王法比你們崑崙派戒律如何？道長懲治門下，手握生殺大權，是否已經過帝王詔封？欲加之罪，何患無辭，戒律不外人情天理，絕情滅理，失之暴虐，道長言外之意，大有責備晚輩挾恩自重，橫加饒舌干涉貴派內部之事，如若道長認爲這是武林中一大忌諱，晚輩就索性施恩求報，請道長准免查究楊夢寰是否觸犯貴派戒律一事，不知三位老前輩，可否能夠答應晚輩？」

這番話，詞鋒犀利，只聽得玉靈子臉色鐵青，一陽子、慧真子面面相覷，一時間竟然想不出回答的措詞。

趙小蝶似已從朱若蘭言詞之內，聽出個中隱情，翠眉微揚，隱隱泛現怒意，這位情竇初開，恨極轉愛的少女，對夢寰關切之情，似是大大地超過了朱若蘭。

楊夢寰望望掌門師叔的臉色，心底泛起無比的痛苦，這情景使他爲難至極，他不願太傷害朱若蘭惜愛之心，又不願使師長下不了台，沉忖了良久，終於緩步走出，對著朱若蘭躬身一禮，笑道：「年來承姊姊數番援手，幾度救我於生死邊緣，此情此恩，實使人刻骨銘心，永生難忘，但我楊夢寰身受恩師一十二年教養，列身崑崙門下弟子，自當恪守門規，姊姊一番顧愛心意，我只有心領了。」

朱若蘭幽幽一嘆道：「諸般巧合，成了孽海大恨，但你要用心想想，事情確實不能怪你，也許你覺著身受師門戒規懲治，才能稍感心安。其實，事情不是想像的那樣簡單，你如真的抱恨一死，來年中秋天龍幫總壇的群英大會，必然將掀起一場血雨腥風，無邊浩劫……」她回望了趙小蝶一眼，又輕輕嘆息一聲，接道：「不但你們崑崙派的存亡絕繼，和你的生死之事，有著很大的關連，就是今後數十年整個武林形勢，也有著莫大關係，蝶妹妹曾和我談過，她說你骨格清奇，悟性很高，如有人指點你上乘武功要訣，數年內即可身集大成。我和蝶妹妹是兒女之身，都不願常在江湖混跡，也許，一、兩年後，我們將相偕歸隱，披髮深山，永不再履紅塵。這紅塵十丈中確實有很多煩惱，可惜的是蝶妹妹這一身並世無儔的武功，亦將沉淪於荒山絕壑之中，這結局還是往好處推想，怕只怕她一時氣忿，行為偏激……」

忽見趙小蝶星目一眨，突泛殺機，神采飛揚，躍躍欲動。

朱若蘭倏然住口，秀目神光暴射，掃掠了崑崙三子一眼，冷冷接道：「楊夢寰是你們崑崙門下，三位老前輩欲如何處置他，晚輩已言盡於此，不願再多饒舌，刻下時光不早了，晚輩就此告別。」輕揮玉掌，微微頷首，一拉趙小蝶轉身而去。

三手羅刹彭秀葦，和四個白衣小婢，一齊轉身，隨護身後。

忽聽沈霞琳高聲喊道：「黛姊姊。」

朱若蘭停步回頭，微微一笑，道：「你有話對我說嗎？」

沈霞琳黯然一嘆，緩步直走過去，眼中淚光盈盈，滿臉傷痛神色，抓住朱若蘭兩隻手，道：「姊姊真的要離開我們嗎？」

朱若蘭婉然一笑，道：「你好好地跟著師父回崑崙山去，好好的照顧你寰哥哥，姊姊想你的時候，就要玄玉接你來括蒼山天機石府中住幾天。」

沈霞琳道：「這幾天來，我心裡想到了很多很多的事，都還沒對姊姊說，唉！可是姊姊卻要離開我們了！」

朱若蘭見她依依難捨之情，亦不禁黯然神傷，輕輕拍著她秀肩慰道：「姊姊不過和你暫時分開，以後還有很多見面機會……」她微微一頓之後，又道：「三個月後，姊姊當派那位彭姑娘乘玄玉去你們崑崙山，讓她常日追隨你的身側，以供妹妹使喚。」

沈霞琳回頭望了師父一眼，緩緩鬆開朱若蘭的雙手，櫻唇啓動，卻是不知說什麼好，兩行輕淚，緩緩由雙腮滾下，慢慢轉過身子，緩緩向前走去。

這位整日間掛著笑容的少女，此時眉宇間突然泛出從所未有的憂鬱，這片刻之間，她似乎度過了極悠久的一段歲月，由嬌稚無邪，蛻變成沉重成熟，白衣長髮，在山風中不停地飄動，舉步落足之間，都似是拖帶極爲沉重之物，背影中流現出無限的淒涼……

這情景給了朱若蘭極大的感觸，只覺鼻孔一酸，湧上來兩眶晶瑩的淚水，幾乎奪眶而出。她似是不願讓人看到她感傷的情懷，陡然轉過身子，低聲說道：「蝶妹妹，我們走吧！」施展開超絕的輕功，當先向前奔去。

趙小蝶依戀地回顧了夢寰兩眼，帶著四婢，緊隨朱若蘭身後而去。

彭秀葦突然對崑崙三子欠身一禮，說道：「三位都是武林中尊仰之人，深望行事能顧大體，我家主人之言，句句出自衷誠，目下武林中紛爭正烈，明年中秋大會，事關整個武林形勢變化，三百年前九大門派的比劍慘劇，猶自深烙人心，但來年的大會，只怕要較三百年前的比劍之爭，更爲激烈緊張，楊相公舉足輕重，非同小可……」她微微嘆息一聲，又道：「女孩子縱然有通天徹地之能，但胸襟總不像男子漢那般寬大，好惡之心，常常決定在一念之間，敬請三位道長，三思是言……」話至此處，倏然住口，轉身疾奔而去。

玉靈子臉色嚴肅的如罩著一層寒霜，望著幾人背影消失之後，回頭冷冷地看了夢寰一眼，對一陽子道：「大師兄這位門下，似非我們崑崙派所能容納，以小弟之見，不如還他自由之身，讓他海闊天空地自己飛吧？」

楊夢寰只聽得打了一個冷噤，撲地一聲，跪在玉靈子面前，急道：「弟子身犯本門戒律，應受門規制裁，萬望掌門師叔開恩，賜予弟子一個改過之機。」

沈霞琳一見寰哥哥跪拜地上，立時緊隨拜倒，她本想替夢寰說幾句求情之言，但覺千言萬語，不知從何說起，只說了一聲：「寰哥哥是個很好的人。」就無法再接下去。

一陽子忽然想到了自己的入門弟子墨手金剛蔡邦雄，被逐出門牆的一段往事。蔡邦雄事後雖曾三度苦求，千方百計想重返師門，但均為自己拒絕，因自己一句氣忿戲言，害得他耗費了數年時間，去尋那「藏真圖」的下落，圖雖被他尋到，但卻被天南雙煞追蹤到玄都觀外擊斃……如今曾幾何時，又要重演逐出門下弟子的慘劇，不禁一陣黯然，以他那等修為深厚之人，雙目中亦泛現隱隱淚光，但他仍然強行壓制住胸中傷痛之苦，合掌答道：「但憑掌門師弟作主。」

玉靈子何嘗未看出大師兄傷痛之色，但他顧及一派掌門之尊身分，話既然說出了口，自然不好收回，而且朱若蘭犀利的言詞，確實大傷他的心，當下臉色一變，道：「既然如此，小弟就擅作主意了。」

一陽子笑道：「掌門師弟明察秋毫，小兄素來佩服。」

慧真子站在玉靈子身後，似欲出言勸解，但卻被一陽子示意阻止。

楊夢寰見掌門師叔臉色冷漠，似乎毫無轉圜之地，驚駭的冷汗直冒，不住叩頭拜求。

忽見玉靈子拔出背上寶劍，隨手一揮，冷冷說道：「從現在起，你已經不再是崑崙門下弟子，依據門規，本當廢了你的武功，但念你尚無大惡，破例從寬，你去吧。」

楊夢寰心頭大急，高聲喊道：「師父，師父……」他在驚急之下，反而說不出一句辯駁之言。

只見一陽子臉色凝重，仰首望天，對夢寰大聲呼喊之言，似是毫無所覺。

楊夢寰突然一挺而起，縱身躍落到師父身側，哭喊道：「師父，你老人家當真不要弟子？……」

一陽子回頭冷漠一笑道：「你已被掌門人逐出門牆，咱們師徒情份已經斷絕……」

楊夢寰只覺胸中熱血上衝，大叫一聲，暈倒地下。

沈霞琳急奔過來，蹲在夢寰身側，屈下雙膝，把夢寰攬入懷中，輕輕在他胸前推掌。

一陽子目睹眼下情景，腦際突然泛起玄都觀前一段舊事：那時楊夢寰為救他逐出門牆的師兄墨手金剛蔡邦雄，曾獨力接了天南雙煞兩人合力一擊，人被震起半空，也是被沈霞琳接住，替他推拿，只覺心中一酸，別過頭去，強笑道：「咱們走吧？」

玉靈子還劍入鞘，道：「好，琳兒回來，咱們走吧！」

沈霞琳慢慢抬起頭來，眼中淚水如泉，搖搖頭，哭道：「師伯和師父先走吧，我要等寰哥哥醒過來，再和他一起回去。」

玉靈子雙眉一皺，臉泛怒意，冷冷地哼了一聲。

慧真子一皺頭頭，說道：「你楊師兄已被掌門師伯逐出了崑崙門牆，醒過來，也不能回崑崙山了，快些過來走吧。」

沈霞琳緩緩放下夢寰，端端正正地對慧真子拜了一拜，道：「師父，我不回崑崙山可以嗎？」

慧真子知她心地純潔，懂事不多，很耐心地說道：「你乃是崑崙派門下的弟子，什麼事都要遵從掌門師尊和師父的令諭，自然要回崑崙山去。」

沈霞琳慢慢地抬起頭，望著天上悠悠的白雲，淚水如珠，由粉頰上滾落胸前，把白衣沾濕了一大片，翠眉緊顰，似是在思索著一件很大的難題。

突然，她面泛從未有過的堅決之色，緊顰的眉頭也陡然開朗，微微一嘆道：「那就請掌門師伯，也把我逐出門牆吧！留寰哥哥一個人在這大山裡，我怎麼能放心呢？」

慧真子微微一怔道：「琳兒，你真的不回去了？」

沈霞琳點點頭，道：「本來我是捨不得離開師父的，可是，寰哥哥不回去了，我回去也是要生病的。」

慧真子心頭一凜，想起她那場思念夢寰的大病，心知勉強逼她回去，反而會害了她。想到童淑貞叛師離山，至今下落不明，沈霞琳如今又要和她分離，看樣子楊夢寰一日不重返崑崙門下，她也一日不會再投師門，她已對這位嬌稚無邪，人見人愛的少女，產生了超越師徒情份的母愛，一旦分離，不覺間流露出真情至愛，長長嘆息一聲，道：「你以後想念師父時，就到崑崙三清宮去找我吧！」

沈霞琳嫣然一笑，道：「我是一定會常常想念師父的。」夕陽照射下，但見她勻紅的嫩臉上，縱橫交錯的淚痕，閃閃生光，神情奇異，若悲若喜，但目光中卻流出一片堅決之色。

慧真子黯然一嘆，合掌對玉靈子道：「小妹敬請掌門師兄破例恩准琳兒留伴她被逐出門牆的師兄一段時日，琳兒胸無城府，決無背叛本門之意……」

玉靈子微微一皺眉頭，接道：「琳兒雖已得你收歸門下，但她尚未朝拜祖師神像，不能正式算崑崙門下，一切都由師妹作主就是，咱們走啦！」說完當先緩步而去。

一陽子、慧真子魚貫隨在玉靈子身後，向前走去，三個人似是都有著很沉重的心事，雖沒有回頭探看，但卻走得很慢。

沈霞琳呆呆地望著三人的背影，緩緩地消失在林木之中。

太陽逐漸的沉入西山，一抹回光，反照出絢爛的晚霞，這正是夕陽無限好的時光，但這美好的一剎之後，即將是黃昏帶來的夜幕，似是皇天故意在美好的後面，安排了暗淡和淒涼……

楊夢寰仍然靜靜地仰臥在地上，沈霞琳兩隻白玉般的手掌，不停地在他胸前推拿。過度的憂傷，已使她沒有眼淚，這數日來的經過，像一柄無形的利劍，一度又一度地殘害著這純潔少女的心靈，使她一次又一次地嘗試著悲傷、煩惱，她逐漸體會到人生過程裡，原來有著許許多多的痛苦。

突然間，一個低沉的聲音，起自她的身後，說道：「你這樣再耗上一天工夫，仍然是救不醒他，快把他扶起來推他後背的『命門穴』。」

這突如其來的聲音，絲毫沒有使沈霞琳感到驚駭，她連頭也未抬，望也不望來人一眼，就依言扶起了楊夢寰的身子，在他後背「命門穴」上推拿起來。

果然，這方法立見成效，只聽夢寰長長吁了一口氣，叫道：「師父……」

沈霞琳心中一陣喜悅，急聲接道：「師伯和師父都走啦，只有我一個人留在這裡陪你……」忽然想到，在他們兩人的身側，還站著另一個人，抬頭望去，只見一個背插長劍，身著道袍的人，站在一側，正望著她微笑，立時接道：「還有一個道長也在這裡。」

楊夢寰忽然挺身躍起，轉臉一望，原來那道人是點蒼派的掌門人，翻天雁馬家宏，立時疾退一步，問道：「你又回來幹什麼？」

馬家宏冷笑一聲，道：「貧道如若不回來這一趟，哼哼，只怕你要暴屍這荒山絕谷中了。」

楊夢寰愕然地望著霞琳一眼，問道：「怎麼，是這位馬道長救了我嗎？」

沈霞琳緩步走到夢寰身側，道：「我用推宮過穴手法，在你前胸推拿很久，卻不見你清醒，這位道長告訴我推你背後『命門穴』，我照他說的話一推你『命穴門』，你果然就清醒過來。」

楊夢寰微微一皺眉頭，抱拳對馬家宏一揖，道：「多謝道長指點我師妹，救了在下一命，異日如有機緣，定當奉還一報。」說畢也不待馬家宏答話，拉著霞琳左手，道：「咱們走吧。」

馬家宏突然向右橫跨兩步攔住去路，冷笑道：「就想走？哈哈，只怕沒有這樣輕鬆容易之事！」

楊夢寰劍眉軒動，怒道：「你要怎麼樣？」

馬家宏笑道：「你已被崑崙派逐出門牆，大可不必再遵守崑崙派中戒規。」

楊夢寰聽他答非所問，心頭怒火更熾，鬆開霞琳左手，翻腕拔出長劍，傲然辯道：「在下是否崑崙派門下弟子，似是和道長毫無牽扯，不敢勞駕費心，如再不讓路，在下可要仗劍硬闖了！」

馬家宏微微一笑，道：「看來你火氣不小，就憑你那幾招劍法，自信能闖得過嗎？」

楊夢寰突然振腕一招「杏花春雨」，滿天流動劍光，直罩過去。

這一招乃追魂十二劍招三大絕學之一，威勢非同小可，馬家宏微一笑，暗中一提真氣，腿不曲膝，肩不晃動，人卻倏然疾退五尺，脫離開那滿天流罩而下的劍光。

楊夢寰看對方讓避劍勢的身法，奇奧絕倫，見所未見，心中亦不禁暗自讚佩，微微一呆，才欺身追襲，第二招「穿雲摘月」，人劍一齊衝去。

馬家宏不再退讓，右手一探，長劍出鞘，潛運內力，貫注劍身，當胸劃出一圈銀虹。

但聽一聲金鐵大震，楊夢寰連人帶劍，被震飛出六、七尺遠，長劍雖未被震脫出手，但已覺右臂全麻，半身運轉不靈，虎口隱隱作疼。

馬家宏微微一笑，道：「小兄弟年紀不大，劍招的確不凡，留心貧道要還攻了。」口中言笑未往，人已欺到夢寰身側，右手長劍斜出，逼住楊夢寰的長劍，左手卻硬向夢寰手腕上扣去。

楊夢寰右臂麻木未消，不便運劍封擋敵人的攻勢，只得施展「五行迷蹤步」法，身軀一轉，讓避來勢。

馬家宏用劍逼住了楊夢寰右側退路，人從左側出手，在他想來，楊夢寰只有向後躍退一途。哪知只見對方身子一閃，不但一招落空，而且對方人也不見了，這等罕絕武林身法，確使馬家宏大感驚駭，趕忙一提丹田真氣，借勢向前一躍。

回頭望去，果見楊夢寰手橫長劍，閃避到他的身後。

這時，沈霞琳也拔出背上寶劍，站在丈餘處觀戰。

她原本想出手相助夢寰，但見他「五行迷蹤步」奇奧難測，足可對付敵人，心頭一寬，不再出手，站在一邊看起熱鬧來了。

馬家宏目睹沈霞琳橫劍站在一邊，臉上笑意盈盈，心中突然一動：此人身法詭異，奇奧難測，想活擒於他，實非易事，不如出其不意地把這個女娃兒擒住，以她生死作爲要挾，不難迫他就範，助我尋書絕壑，拒擋強敵。

要知馬家宏心機深沉，心思縝密，朱若蘭和趙小蝶的言行神情，早已被他看入眼內，心知二女亦必要覓路深入絕壑尋找《歸元秘笈》下落，如果自己入壑尋書，極可能和二女相遇。朱若蘭已再三提出警告，凡是入壑之人，只要被她發現，定要撲殺。馬家宏自知難抵二女絕世武功，尋書一事，危險萬分，但如能把楊夢寰生擒過來，相攜同行，雖未有助覓書，但卻可用來要挾二女。是以，他在離開這絕谷之後，又悄然折返回來，隱在暗中探看。

他也明白這想法，只是一種渺茫的希望，如果楊夢寰不離開崑崙三子，那就毫無實現可能，他自知如和崑崙三子中任何一人單打獨鬥，雖不致落敗，但如想獨拒崑崙三子，實是不可能之事。

哪知事有湊巧，玉靈子認爲朱若蘭一番話，傷了他一派掌門宗師的身分，把一腔忿怒之氣，遷怒到夢寰身上，而以崑崙派掌門的身分，把夢寰逐出崑崙門牆……馬家宏隱身暗處，把諸般經過之情，都看到了眼中，心中暗自高興，但他乃老謀深算之人，擔心崑崙三子眷顧師徒情意，去而復返，是以，不肯立時現身。直待崑崙三子走了一頓飯工夫之久，他才現身出來，指示沈霞琳，把夢寰救醒。

楊夢寰近數月來，連逢大變，已體會到江湖之上的險惡奸詐，一見馬家宏注意霞琳，立時警覺，縱身一躍，擋在霞琳前面，橫劍冷冷說道：「你乃一派宗師身分，如若沿用江湖宵小鬼謀，暗算一個少女，傳言出去，不知你是否有顏面見天下武林同道？」

馬家宏被夢寰幾句話揭破了胸中陰謀，不禁臉上一紅，一揮手中長劍，道：「我馬家宏是何等人物，豈肯暗算你們晚輩，你們兩人不妨聯劍出手，十回合之內如能保得不敗，貧道回頭就走，如若十回合內敗在貧道手中，那就得依從貧道之命，不過，你們儘管放心，我決不會有什麼加害你們的地方……」

楊夢寰冷笑一聲，截住馬家宏的話，接道：「要打我們就單打獨鬥，倒不必我們師兄妹聯劍齊上，哼哼，道長雖然不肯明說，在下也想得到你的用心何在，其實，你自認得計之處，也正是失計之處，只怕眼下已有人覓路絕壑，在尋找那《歸元秘笈》了。人跌下千丈絕谷，雖難免摔得粉身碎骨，但那《歸元秘笈》乃柔軟之物，縱使再高一倍，也難以損壞……」

馬家宏微微一笑，接道：「高論甚有見地，佩服，佩服。不過，貧道並無獨謀那奇書之心，小兄弟如肯衷誠合作，貧道願全力相助，覓尋奇書……」

楊夢寰搖頭笑道：「盛情心領，只是在下無興致尋那《歸元秘笈》，需知數百年來為那《歸元秘笈》，濺血送命之人，已不下百人之多，剛才道長也曾目睹那懷抱奇書之人，跌下千丈絕壑，現下屍骨恐還未寒，在下念在道長相救一場份上，奉勸道長，不尋那奇書也罷。」

馬家宏微微一笑道：「小兄弟良言示警，貧道甚是感激。不過凡事不能一概而論，要知那《歸元秘笈》的歸屬之事，並非二人生死之爭，實關係著今後整個武林的命運，縱使我們不入絕壑尋書，但自有入壑尋書之人，此書一旦得主非人，二十年內江湖上必將掀起一場悲慘無比的浩劫。貧道謀書，意在造福武林同道……」

他微微一頓之後又道：「貧道本已洗手封劍，不再過問江湖上紛爭之事，二十年潛隱苦修，早已消除爭名鬥氣之心，小兄弟如肯和貧道結伴同入絕壑覓書，貧道願在覓得奇書之後，再把它當著二位之面毀去，此乃大慈大悲的善舉，不知小兄弟是否覺著貧道言之有理？」

楊夢寰略一沉忖，答道：「道長之言，聽來頗具慈悲心腸，只是在下身爲崑崙門下弟子，不便相助道長，了你宏願，如果道長執意要尋奇書，那就請便……」

馬家宏臉色微微一變，接道：「貧道親目所睹，你已被崑崙派掌門人逐出門牆，崑崙門中戒規，自不再對你有約束之力，再說貧道已坦白告訴了你尋書之事，此若任你走去，豈不盡洩隱秘……」

說著已暗中提聚了功力，陡然欺身而上，長劍疾點出手，猛向楊夢寰刺去，這一招蓄勢而發，威勢非同小可，迅如電奔，劍風似輪。

楊夢寰年來迭遭暗算，閱歷見識大增，早已暗中戒備，當馬家宏突出長劍，楊夢寰立時一帶霞琳，向旁側閃開五步，手中長劍忽的一招「雲霧金光」，舞起一片劍幕，護住霞琳。

馬家宏冷哼一聲，內力貫注劍身，威勢又增強了一半，振腕直刺，猛力向夢寰劍上彈去。追魂十二劍雖然精奧，但楊夢寰功力卻和馬家宏相差很遠，如何能擋得馬家宏蓄勢全力一擊，但聞一聲金鐵大震，楊夢寰手中長劍，被震飛脫手。

馬家宏一劍得手，立時一抖右腕，施出天干風雷劍法一招絕學「三星逐月」，長劍搖動之間，幻化出三點寒芒，分襲楊夢寰前胸三處大穴。

楊夢寰身軀疾翻，施出「五行迷蹤步」法，一個大轉身讓開了馬家宏攻襲的劍勢，閃到了馬家宏的背後，舉手一掌劈下。

哪知馬家宏早已有了戒備，知夢寰身法奇奧，決難傷得到他，右手長劍擊出的同時，左手疾向霞琳抓去。

沈霞琳未想到對方出手一劍，竟能把楊夢寰手中長劍震飛，不禁微微一怔。

馬家宏是何等人物，出手快比電閃，沈霞琳略一失神，已被對方左手搭在手腕之上，用力一帶，兩人一齊向旁側閃去。

他雖然早有預謀，虛攻夢寰，實襲霞琳，但楊夢寰「五行迷蹤步」法，乃奇奧妙絕之學，轉身移步之間，無不含蘊玄機，他雖能一伸手間，抓住了沈霞琳的右腕，卻無法閃避楊夢寰步移星斗的奇襲，就在抓住霞琳右腕的同時，楊夢寰左掌已按在他左肩之上，怒聲喝道：「快些放開我師妹。」

馬家宏見自已閃讓之勢，竟難避開楊夢寰的附身追襲，心頭暗暗吃驚，忖道：他這奇詭的身法，真是罕聞罕見之學，如若在動手之初，他就用來和我游鬥，勝負之數，實難預料……心中在轉著念頭，手上卻加了一成真力，一面又潛運功力，準備硬受楊夢寰一擊，他自恃有罡氣護身，不致受到損傷。

只見沈霞琳兩條秀眉一顰，口中哎喲一聲，粉臉汗水滾滾而下。

楊夢寰見對方絲毫不把自已警告之言，放在心上，心頭大怒，掌勢一壓，蓄蘊在掌心勁力，陡然發出。

馬家宏冷哼一聲，身軀吃那彈擊出手的內勁，震得向前移動了三步，雖仗有二十年精修的內功罡氣護身，內腑未受損傷，但整個的肩頭，卻感到隱隱作疼。

楊夢寰「五行迷蹤步」法，雖然玄奇難測，但他功力和人家卻相差極遠，一掌內力震擊，雖把馬家宏身軀推動了三步，但自己亦被人家反彈之力，震得向後退了六、七步遠，全身血氣翻動。

馬家宏回頭望了夢寰一眼，冷冷說道：「你如敢再對貧道施襲，哼哼，可不要怪我對令師妹失禮了。」

楊夢寰道：「道長以一派掌門宗師之尊，竟然出手對付一個年幼力弱的女子，一旦傳揚出去，不知道長還有什麼顏面在江湖之上走動。」

馬家宏微微一笑，道：「覓求《歸元秘笈》，事關近代武林劫運，大異於一般恩怨紛爭，貧道不得不暫時從權。即使真的傳言出去，武林同道，亦必能見諒，小兄弟大可不必以此要挾。」說話之間，手上又加了一成勁力。

但見沈霞琳雙目一閉，美若朝霞的粉臉，剎那間變成了青白之色，但她卻能咬牙苦忍，一語不發。

楊夢寰目睹她痛苦之狀，心中大感痛惜，暗中調息真氣，準備全力出手相拚。

在馬家宏想像之中，沈霞琳在難耐痛苦之時，定然會出言求夢寰助他找尋奇書，哪知這位看上去嬌稚無邪的小姑娘，一旦面臨威迫，竟然是有堅強無比的耐力，寧願忍受碎骨折腕之疼，不肯出一句呻吟之聲，這情景，大大地出乎馬家宏意料之外，他已感到沈霞琳抗拒內力無法再抵受自己指力，只要自己再加一成勁道，沈霞琳腕骨立時就要碎裂，不禁心中暗暗佩服這嬌稚少女耐受痛苦的耐性。

忽見沈霞琳睜開雙眼，兩行淚水緩緩由粉腮滾下，微笑說道：「寰哥哥，你一個人走吧！這個老道士本領很大，你一定打他不過，《歸元秘笈》是那位趙家妹妹之物，咱們自然不能幫他去深壑之中尋找，這兩個月來的時日之中，我想到了很多的事，比我十幾年來想到的事情都多，但卻沒有機會對你說啦……」

楊夢寰大喝一聲，截住霞琳的話，縱身撿起地上長劍，接道：「要死咱們就死在一起。」忽的一振腕，連人帶劍一齊向翻天雁猛衝過去。

馬家宏揮劍一擋，人卻疾退三步，回劍指在霞琳胸前，冷冷喝道：「住手，你如再敢攻我一劍，我就先讓她濺血荒谷。」

楊夢寰心頭一寒，鬥志頓消，正待拋去手中長劍，忽聽沈霞琳大聲喊道：「寰哥哥，不要聽這老道士的話，我一點也不怕死……」

忽然舉起左手，拭去臉上淚痕，接道：「這老道士壞死了，要是他得到了《歸元秘笈》，練成更大的本領，那就不知道要做多少壞事出來。」沈霞琳微微笑了笑，又道：「他知道你心裡喜歡我，捨不得讓他把我殺死，就故意騙你說要殺死我，好要你答應他，幫他找尋那《歸元秘笈》。」

馬家宏怒道：「哪個說我是騙他的？」長劍向前一送，寒森森的劍鋒，刺破了霞琳的白衣，刺傷肌膚，鮮血汩汩而出。

楊夢寰急道：「道長快請住手。」

沈霞琳忽地柔聲求道：「寰哥哥，往常我都是聽你的話，今天我求求你聽我一句話好嗎？」

楊夢寰看她說話之時，臉上神情大異往昔，不禁心中一跳，答道：「你說吧。」

沈霞琳道：「這老道士為了想尋那《歸元秘笈》，但他又怕在那深谷之中遇上了黛姊姊和那位趙家妹妹，所以，要你去幫他尋找奇書，你不答應他，他就用殺死我的辦法，逼你答應。如果遇上黛姊姊時，他又拿殺死你的辦法，去逼黛姊姊，黛姊姊心裡喜歡你，決不會看著他把你殺死，一定會照他的話做，那他不是可以把《歸元秘笈》得到手中了嗎？黛姊姊待我們好，就是我們死了，也不能再使她心中為難，所以我要求你聽我一次話，早些離開這裡，不要再管我啦！」說完又微微一笑，臉上閃耀著歡愉之色，似乎做了一件極為稱心如意之事。

楊夢寰雖聽得肝膽碎裂，但見她歡悅之容，絲毫未把生死之事放在心上，竟不忍拗違她的心願，一時間，呆在當地，不知如何是好。

馬家宏看夢寰無言，心頭怒火暴起，冷笑一聲，道：「貧道久已未開殺戒，今日要開給你瞧瞧，我就不信令師妹是鐵打銅鑄之人？」

暗運功力，霍然回頭，正待施展慘酷絕倫的分筋錯骨手法，卸掉沈霞琳幾處骨骼關節，讓她呼號求饒，但見她臉上笑容如花，眼神中閃動著聖潔無比的光輝，大有從容就義之慨，不禁心頭一凜，忽地鬆了霞琳玉腕，疾退三步，一揮手中長劍道：「你們走吧，我馬家宏乃頂天立地之人，豈能當真欺凌一個女孩子家？」

楊夢寰縱身躍落霞琳身側，拱手作禮，道：「道長今日相救之恩，楊夢寰永銘心底，他日有緣，定當還報。」

沈霞琳困惑地望了馬家宏一眼，緩緩說道：「怎麼，你不殺死我啦……」忽然若有所悟地啊了一聲，接道：「原來你也是一個好人！」

馬家宏只覺沈霞琳最後一句話中，字字如刀如劍，直刺內腑，心中大感羞愧，頭也不回地轉身疾奔而去。

沈霞琳望著馬家宏的背影，高聲叫道：「道長就要走了嗎？我還沒有拜謝你，告訴我救活寰哥的大恩呢。」

但見馬家宏去勢如電，轉瞬消失不見，也不知是否聽到了霞琳呼叫之聲。

楊夢寰嘆息一聲，說道：「縱然是機詐千變，但對你卻毫無用處。」夜色中只見她白衣飄飄，怔怔地望著馬家宏去向出神，星目中淚光濡濡。

楊夢寰忽覺眼前少女，聖潔如仙，自己實不配和她長相廝守一起，心中陡生自卑之感。

只聽沈霞琳幽幽一嘆，說道：「師伯和師父們走的時候很慢很慢，這位道長走時，卻是這等迅快。」

顯然一句簡簡單單的話，但卻似含蘊著極深奧的哲理，頓使楊夢寰思潮洶湧，想到了那位被遺留山腹石洞的同門師姊童淑貞來，不覺失聲叫道：「啊呀！」

突感幽香撲鼻，軟玉滿懷，原來沈霞琳緩緩把嬌軀偎入了他的懷中，仰著臉微笑道：「寰哥哥，你想到了什麼事嗎？」

楊夢寰微嘆息一聲，道：「我想起童師姊了，走，咱們去瞧瞧她。」

沈霞琳瞪大一雙星目，啊了一聲，道：「她在哪裡？咱們快些看她去。」

楊夢寰對著眼下這位天人般的師妹，心中愧咎萬分，只覺她聖潔如仙，高不可攀，自己實不配和她相依相偎，緩緩用手推開霞琳偎入懷中的嬌軀，轉身向前奔去。

只聽沈霞琳嬌甜的聲音，在身後響起道：「寰哥哥。」楊夢寰停步轉身，沈霞琳迅速奔到他身側，伸出雪白的玉腕，道：「你拉著我走，好嗎？」

楊夢寰既生自卑，不敢和她肌膚相親，暗暗嘆息一聲，伸手抓住她一角衣袖。

沈霞琳嫣然一笑，反手握住了夢寰右腕，道：「咱們走吧？」

兩人雖然攜手奔走，心情卻南轅北轍，大不相同，沈霞琳眉宇開朗，嘴角間笑意盈盈，似是甚感歡愉，楊夢寰卻心事重重，滿臉惶惶神色，不知如何自處。

夜色漸濃，山風拂面生寒，群星閃璨中，拱托出一彎新月。沈霞琳不時轉臉相顧寰哥哥，但見他臉色木然凝重，幾度欲言又止，漸漸地，這位嬌稚無邪的少女，臉上笑意盡失，代之而起的是一臉憂鬱困惑……

兩人奔走了一個更次之久，到了那山腹密穴之處，楊夢寰掙脫霞琳緊握的右腕，道：「師妹請隨我身後。」一路行來，他一直未轉望過霞琳一眼，說完話，也不待霞琳回答，當先入洞。

洞中黑暗如漆，伸手不見五指，但楊夢寰已連走兩次，知道甬道之中除了曲折迴轉之處，別無岔道，是以行時仍然極快。

沈霞琳緊追在夢寰身後，她心中有著千言萬語，想問夢寰，但卻想不出從哪說起才好，何況，楊夢寰一路急奔，一直沒有使她有說話的機會。

走完甬道，沈霞琳緊搶了兩步，和夢寰並肩而行，一線月光，由山頂上洞口透照下來，沈霞琳借這微弱之光，側臉向夢寰一望，登是芳心大感震駭，呆在當地。

只見他神情木呆，星目圓睜，似是中了什麼風邪一般，熱淚滾滾奪眶而出。

沈霞琳怔了一怔之後，忽然向夢寰撲去，口中同時驚叫道：「寰哥哥，你又瘋了嗎？」

她突然想起他在峨嵋山大病之前的神情，和現下情景頗有相似之處，那時，還有朱若蘭一起同行，隨相救護，眼下只有她一個人相伴身側，更感六神無主，芳心碎裂。

楊夢寰雙手平伸，接住沈霞琳疾撲而來的嬌軀，淒然一笑，道：「琳師妹，我有一件難以出口之事，要告訴你，等你聽完之後，你就知道，你心目中的寰哥哥，並非是你想像中那樣完好之人，也許你將拂袖而去，永遠不再想見我之面了！」

沈霞琳聽他說話神情，毫無瘋癲之態，芳心大感寬慰，嫣然一笑，道：「你這話不是說得很奇怪嗎？難道你還不知道我的心，只要你很好，什麼事我都會聽你的話……」

她微微一頓之後，突然顰起了兩條秀眉，又道：「可是你卻不能不理我！」她想起昨天和夢寰在這山腹石洞外相遇經過，不禁心生寒意。

楊夢寰長長嘆息一聲，揚手指著前面石室道：「你看到那間石室嗎？」

沈霞琳借微弱的月光望去，果然見兩扇敞開的石門，盈盈笑道：「這地方當真是好。」

楊夢寰臉色凝重，拉著霞琳緩步對那石室走去，全身不住抖顫著，似是大病初癒，雙腿極難支持著身軀的重量一般，步履間搖搖欲倒。

沈霞琳雖然極想說幾句慰藉之言，但卻想不出如何開口，只有默默地隨在楊夢寰身側。

楊夢寰似是突然轉變了自己的決定，側臉對霞琳道：「走！咱們先找到童師姊再說。」

沈霞琳看他倏然間神情活潑起來，立時展顏一笑，道：「我總是要依著你的。」當下加快腳步，衝入石室。

楊夢寰伸手入懷，摸出火摺一晃，石室中驟然間亮起一道微弱的火焰。

但見石室一角，仍然堆積著那柔細茅草，和碎裂的衣物，那如夢如幻的經過，突然間展現腦際。

他回顧了霞琳一眼，欲言又止，迅快奔到室角，用手在地上摸索一陣，果然找到了一個石環，潛運真氣，用力一提，但聞嗤然一響，一聲巨石應手而起，壁角現出二尺見方的一個地洞，沈霞琳急奔兩步，探頭向內一看，笑道：「寰哥哥，你怎麼會知道這裡有石門呢？」

楊夢寰黯然笑道：「等咱們見著童師姊後，我會詳盡的說給你聽的。」說完縱身躍入石洞。

沈霞琳眼睛一閉，緊隨跳下。

這石道本來就狹窄，沈霞琳躍落之前，又未曾仔細度量，閉目一跳，直向夢寰身上撞去。楊夢寰看她仍然和往昔一般地信任自己，似乎和自己走在一起，就是龍潭虎穴，她也能處之泰然，不禁在慚愧之外，又增了一份歉疚之心，左手一伸，移開火摺子，右手接抱住霞琳嬌軀。

他因左手執著火摺子，單用一條右臂接人，一下子把霞琳全身盡抱懷中。

沈霞琳睜開眼睛，甜甜地道：「寰哥哥，我很重嗎？」

楊夢寰只覺她全身柔綿異常，哪敢多抱，趕忙放下，轉身向前走去。

走完甬道，推轉開石門，到了與童淑貞相遇之處，但見徒空四壁，哪裡還有童淑貞的影子。

他拿起手中火摺子，點燃起壁角松油之燭，一面仔細在室中查看，他想從一些遺留的痕跡之中，尋找出童淑貞失蹤原因。

但這四壁光滑如鏡的石室，很難留下什麼痕跡。楊夢寰手舉松油火燭，仔細查看一遍，卻無法找出任何可疑線索。

沈霞琳一直靜靜地站在石室一角，看夢寰舉著松油火燭呆呆地思索，不禁插口說道：「寰哥哥，你在想什麼？」

楊夢寰忽地一跺腳，道：「定然是他把童師姊殺害之後，移屍別處去了！」

沈霞琳道：「你說的是誰？」

楊夢寰道：「陶玉，他點了童師姊的穴道，把她藏在石室之中。又迫我服下『化骨消元故』……」話至此處，淒然一笑，拉著霞琳，道：「走！咱們先離開這裡。」

沈霞琳道：「我過去一直認爲陶玉是你的朋友，那自然是個很好很好的人，唉！想不到他竟是個很壞的人！」

楊夢寰嘆道：「等一下，你就知道我也是個很壞很壞的人了。」

說罷牽著霞琳左手，依來路返回那山腹石室。

楊夢寰拉著霞琳，席地而坐，長嘆一聲，說道：「琳師妹，今宵我把隱藏胸中的一件痛苦之事，告訴你後，希望你能最後聽寰哥哥一次話，去找你黛姊姊，讓她遣派玄玉，送你回崑崙山去。」

沈霞琳笑道：「師父對我說過，我要想回崑崙山時，隨時都可以回去，我雖然也很想念師父，可是我是不願離開你的……」

楊夢寰苦笑一下，道：「我雖被掌門師叔逐出門牆，但在我心裡、仍然覺著自己是崑崙門下……」他微一沉忖之後，又道：「師妹是清白女兒之身，我本不應把這些污穢之事相告於你，但又怕你心中仍然懷念著我這個不成材的師兄，形勢所迫，我不得不甘冒大不諱，具實告訴你了。」

沈霞琳笑道：「你說的話，我最愛聽，你想說，就說個三天三夜吧！」說話之間，人卻向楊夢寰懷中偎去。

楊夢寰雙手一伸，推開霞琳嬌軀，身體向後移開了兩步左右，道：「昨天我們見面之時，我失手把你推摔在地上，現下想來你定然十分傷心？」

沈霞琳道：「唉！當時我只道你不理我了，心裡是很難過，可是現在我一點也不難過了。」說完，微微一笑，拉起夢寰，走出室外，抬頭望著由山頂圓洞中透照下來的月光，滿臉歡愉之色。

淡淡的兩句話，說盡了她心中的誠摯情意，無限的柔情，無限的溫婉。

楊夢寰暗裡嘆息一聲，忖道：像她這般純潔之人，我如把這些難見天日之事，告訴了她，實在有瀆她的聖潔，如若不講，又如骨鯁在喉，不吐不快……一時之間，猶豫難決，不知是否該講出口，幾經沉思，他才決定把自己一番鑄恨經過，坦白地告訴霞琳，這樣做雖然有瀆她的聖潔，但卻摧毀了自己留在她心目中的美好印象，使她由崇敬轉而輕賤自己……轉臉望去，只見沈霞琳微笑盈盈，仰臉望著洞口露現的一彎新月出神，月光照著她白衣白裙和那長長披肩秀髮上。

忽聽她輕輕地嗯了一聲，道：「是啦，月亮都有殘缺的時候，人生在世自然也要有很多的煩惱了。」

楊夢寰忽然發現她長披肩上的秀髮，黏帶了兩根野草，不自覺地伸出手來，替她取下。

沈霞琳回過頭來，婉然一笑，道：「寰哥哥，天上的月亮也不能長圓，我卻常常和你守在一起，看起來，我比月亮好多啦！」

楊夢寰只覺胸中一股熱血，衝了上來，全身一顫，不自禁地向後退了兩步。

沈霞琳啊了一聲，縱身過去，抱著夢寰，無限憐惜地望著夢寰，嘆道：「我要能有黛姊姊那樣大的本領該有多好，你常常要生病，我也可以替你醫治啦！」

楊夢寰突然大喝一聲，推開霞琳，道：「你心裡喜歡我嗎？」

沈霞琳一臉驚愕之色，道：「難道你現在還不知道嗎？」

楊夢寰仰臉一聲狂笑道：「可是我心裡卻一點也不喜歡你，哈哈，我要你馬上給我走開，以後永遠不再相見。」

沈霞琳呆了一呆，兩行熱淚順腮而下，幽幽說道：「不管你說什麼，我總是依著你的！」慢慢地轉過身子，步履安詳，似是毫無激動模樣。

楊夢寰望著她逐漸遠去的背影，心如劍穿，霞琳每向前移動一步，都似千斤巨石擊中他的前胸一般，他雖然極力在忍受著，但卻無法壓制住胸中沸騰的熱血，終於，輕輕咳了一聲，吐出一口鮮血。

沈霞琳回頭望了他一眼，又轉身向前奔去。

楊夢寰幾度想叫她回來，但每當出口之時，卻變得無聲無息。

他不願使自己鑄錯之身，和這純潔的少女常相廝守在一起，那將瀆污了她的聖潔，但又怕她一個人在這深山之中迷失路途，遇上什麼危險……但見沈霞琳的背影逐漸遠去，消失在山腹甬道的黑暗之中。

楊夢寰究竟是極爲聰明之人，他經過一番沉思之後，心中突作一個決定，暗道：我何不暗中保護著她，待她找到朱若蘭，或是安全無慮之時，我再悄然離開她不遲。

心念及此，激動的心情，暫時平復下來，閉目運氣調息了一陣，霍然站起身子，向外追去。

他怕霞琳去遠，追趕不及，是以，奔走極爲迅快，哪知穿出山腹甬道，已望見霞琳的背影，緩步向前走著，山風吹飄著她的白衣，背影中流露出無限的淒涼。

楊夢寰看她信步而行的去向，正和朱若蘭住的「天機石府」相反，心中甚感愁慮，暗道：這孩子怎的這般糊塗，她一個人要往哪裡去呢？當下不動聲色，暗暗尾隨她身後保護。

四三　武道情劫

沈霞琳仍然是緩步而行，暗淡的月光下更顯出她是那樣的孤獨。

兩個人都有著很沉重的心事，惘惘茫茫地向前走著，沈霞琳信步而行，根本就沒有想到要去何處？楊夢寰雖然腦際中也是一片混亂，但他卻還有一個暗中保護霞琳的意念，遠遠地望著那白色的背影緩步相隨。

不知道走了多少時間，到了一處山壁下面，幾株高大的松樹下，生著滿地青草，沈霞琳突然停下了腳步，慢慢地坐下身子，靠在松根上面，閉著眼睛睡去。

楊夢寰隱身在兩丈外的陰暗之中，注意她一舉一動，瞧她竟在這等荒涼的地方倚松而臥，楊夢寰心裡大覺不安，忖道：這等深山之中到處都有猛獸，而且寒風凜冽，別說猛獸侵襲啦，單是著了涼，也得大病一場。

心中想著，不自禁一提真氣，輕步向那巨松下走去。

只見她閉目倚松，鼻息微風，竟然是沉睡過去。

忽見她身子動了一下，叫道：「寰哥哥，你真的不要再見我嗎？」

淚水由她微閉的雙目中，湧了出來，披垂粉腮。

楊夢寰只道她突然醒來發現了自己，慌得一閃身，躲到那松樹身後。

哪知霞琳動了一下之後，就未再動，原來她是在作夢。

楊夢寰的臉向樹上望去，一丈多高處，生著一個叉枝。心中一動，提氣向上一躍，雙手抓住叉枝，身子一翻，坐在樹叉上面，心中卻在暗暗想著，如何能使霞琳在不知不覺之間，向天機石府走去，只要她和朱若蘭見了面，自己就算完了一件心事，可以放心離開了。

正在忖思之間，忽然聞得衣袂飄風之聲傳來，楊夢寰心頭一驚，轉臉望去，只見一條人影在繁星微光之下，急奔而來。

這時，那一彎新月，已然沉入西山，星光微弱，極不易分辨來人面貌，直待那人到了跟前，楊夢寰才看出正是自己覓尋無著的童淑貞。

她緩步走到霞琳身側，低頭望了一陣，突然輕輕嘆息一聲，推著霞琳肩頭叫道：「琳師妹，琳師妹。」

沈霞琳慢慢地睜開眼睛，呆望了童淑貞一陣，笑道：「貞姊姊，你換了衣服，我差點就不認識你了。」

童淑貞拉著霞琳左手，和她並肩坐下，嘆道：「我就要還我本來面目，改穿道袍了，你怎麼一個人在這等荒蕪的地方睡覺呢？楊師弟哪裡去了？」

沈霞琳道：「你是說寰哥哥嗎？唉！他不要再見我了，我怕惹他生氣，只得依著他，離開他了。」

童淑貞道：「楊師弟心地忠厚，不像負心無義之人，他為什麼不願見你？」

沈霞琳幽幽一笑，道：「這我就不知道啦，他要我離開他，以後永不再見，我怎麼能不聽呢？我要不聽他的話，他一定會生氣的。」

童淑貞冷笑了一聲，道：「哼！原來男人都是靠不住的，定是他愛上了那個姓朱的丫頭，所以才不要你了。」

楊夢寰坐在樹枝之上，只聽得心頭如巨槌一擊，幾乎摔了下來。

沈霞琳搖搖頭道：「你是說黛姊姊嗎？她是個很好的人，姊姊不能在背後說她。」

童淑貞呆了一呆，道：「唉！你果然是臨凡天使，連橫刀奪去你情愛之人，仍能原諒她……」

沈霞琳忽然伏在童淑貞懷中哭了起來，道：「寰哥哥雖然不要再見我了，可是我卻仍然會想念著他……」

童淑貞道：「他現在什麼地方，你帶我去找他，哼，我非得好好教訓他一頓不可。」忽然想到昨夜所見楊夢寰的奇異神情，似是吃酒大醉一般，又接著問了一句道：「楊師弟可有什麼異樣之處嗎？」

沈霞琳用衣袖拂拭一下臉上淚痕，道：「他很好……」略一沉吟，又道：「是啦，他被掌門師伯逐出了門牆……」

童淑貞驚道：「爲什麼？」

沈霞琳道：「因爲黛姊姊和掌門師伯吵了一架，掌門師伯生了氣，就把寰哥哥逐出門牆了。」

童淑貞嘆道：「你現在還要不要去找楊師弟？」

沈霞琳默然一笑，道：「他不願再見我，我要去找他，他一定會責怪我不肯聽他的話，那不是又要惹他生氣了嗎？」

童淑貞道：「那你就跟我走吧！咱們找一處山明水秀的地方住下，我得了天機真人遺留下的拳經，咱們一起研究上面記載的武學，等你本領學好了，再去找楊師弟算帳，好好地打他一頓，出出胸中之氣。」

沈霞琳只聽得瞪大一雙星目，道：「什麼？你要我學好了本領，去打寰哥哥，那我就不要學啦。」

童淑貞望著她驚愕的神情，輕輕嘆息道：「好吧！你學好了本領之後，就去幫他的忙吧。」

沈霞琳搖搖頭，笑道：「他不要再見我啦，我如何還能幫他的忙？姊姊一個人去吧，我心裡不想再學武功了。」

童淑貞看她言談之間，倦容隱隱，不禁問道：「琳師妹，你和人打架了？」

沈霞琳道：「沒有啊。」

童淑貞道：「那你爲什麼總是想睡覺呢？」

沈霞琳淡淡一笑，道：「我要睡著了，就要和寰哥哥在一起啦。」說完，閉上了眼睛。

要知她乃心地純潔之人，自被楊夢寰決絕地迫出山腹之後，腦際一直想著這件事情，想來想去，始終想不出原因何在，雖然只有大半夜時間，但她卻如過了幾年一般，消耗的神智極大。

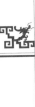

忽然，她似想起一件大事，睜開眼睛，笑道：「貞姊姊，寰哥哥在那邊山沿之中找你，你快些去看看他吧。」

童淑貞看看天色，道：「現在天色已是四更多啦，他恐怕早走了，哼！那等無情無義之人，我也不願再見他了。」

楊夢寰隱身在大樹之上，這兩人對答之言，聽得字字入耳，幾乎控制不住自己激動心情，恨不得跳下樹來，抱住沈霞琳大哭一場。

忽聞輕微的鼻息之聲，沈霞琳又沉沉地睡熟過去，童淑貞仰臉望著天上閃爍的星辰，思索了一陣，突然自言自語地說道：「此事既然被我遇上，我豈能撒手不管。」突然轉臉望著霞琳，道：「琳師妹，請恕姊姊無禮了。」

忽聽沈霞琳叫道：「寰哥哥，你捉的白鶴真好，和黛姊姊的一樣大……」

童淑貞突然一咬牙，伸手點了霞琳穴道，抱起她的嬌身，急奔而去，片刻之間，消失在夜色之中。

楊夢寰只待兩人背影不見，才由樹上跳了下來，仰觀星辰，逐漸稀少，心中悃然若失，不知是愛是恨，信步向前走去。

迎面山風，吹飄起他的衣袂，過度的睏倦，使他生出很濃的睡意，茫茫然走著，不知不覺間，又回到那山腹甬道口邊。

此時，他的腦際之中，是一片混亂，莫名其妙地又進了那甬道之中，沈霞琳楚楚可憐的倩影，不時浮動在他的眼前，饑餓、睏倦和錐心刺骨的痛苦，使他的神智，亦逐漸迷亂起來，世界上的一切，對他是那樣陌生。

走完甬道，又進了石室，倒臥在那一片柔細茅草上面，呆呆地出神了一陣，便沉睡過去。

不知過去多少時間，忽然一股熱流，在全身經道穴脈之中穿行，倦意頓消，舒暢無比，鼻息間幽香淡淡，醉人如酒。
睜眼望去，只見四個白衣裸腿的小婢，環坐身側，自己已被人扶著坐了起來，一雙柔軟的手掌，抵住在自己的後心。
單看那四個白衣小婢，已知是趙小蝶趕來。
果然，他略一轉頭，耳際已響起了趙小蝶的嬌笑之聲，道：「你醒了嗎？快些自行運氣，我助你一臂之力，使你全身真氣，走完全身經脈，幾處平日運氣難以達到之處，借機把它打通。」
楊夢寰自和霞琳決絕分手之後，他的心一直陷入極矛盾的痛苦之中，既覺自己不配和她常處一起，心裡又深深地想念著她，她的一顰一笑，溫柔婉和，無一不留下深刻難忘的印象。
他腦際一直盤旋著沈霞琳嬌稚無邪的倩影，就忽略了趙小蝶所講的話。
忽聽耳際又響起嬌脆的笑聲，道：「你聽不懂我的話嗎？爲什麼不運氣呢？如果這次能把你全身穴脈打通，對你幫助很大。」
餘音未絕，楊夢寰已覺著抵在背心的手掌，突然加了力量，熱流滾滾，直傳過來，分向四肢百脈。
這情景，逼得楊夢寰不自覺一提丹田真氣，暗中運氣相應。
但覺那熱流愈來愈強，翻翻滾滾，在全身經脈之中流展，由無比舒暢，漸覺全身發熱，神智由清入渾。
不知過了多少時間，忽覺「天靈穴」上被人一擊，人重又清醒過來。
睜眼望去，只見趙小蝶暈紅粉臉上，微現粉白之色，眉宇間透出睏倦之容，但卻笑意盈盈地和他對面而坐，緩緩說道：「我覺著很累了，讓我閉上眼休息一陣，再和你談話，好嗎？」

楊夢寰聽得微微一怔，忖道：這些事難道還要問我不成？但見對方微笑如花，滿臉誠摯之色，只好點點頭道：「為我楊夢寰，累你如此，在下心中實是難安。」

趙小蝶嫣然一笑，道：「我過去對你不好，一想起這些事心裡就很難過，現在我心裡很快樂。」說完，緩緩閉上雙目。

她任、督二脈已通，調息奇快，不過片刻工夫，那微現蒼白之色的臉色，已泛現艷紅，嬌如春花，眉宇之間，似是罩了層茫茫的煙霧，風韻綺麗，宛似晨霧裡一朵浮動在無際湖波中的白蓮，飄飄忽忽，看上去若有若無，是那樣難以捉摸，撩人綺念，楊夢寰望了一陣，不敢再看，趕忙閉上雙目。

只聽趙小蝶嬌如銀鈴的笑聲，響蕩在石室之中，說道：「我已好了，你快些睜開眼睛來，咱們談話吧？」

楊夢寰雖然依言睜開了眼睛，但他卻不敢再看對面而坐的嬌艷玉人，微微仰首望著石室，說道：「多謝趙姑娘數番相救，在下這就告辭了。」說完，起身向外走去。

趙小蝶想不到把他救醒之後，他竟然會起身欲去，不禁呆了一呆，道：「你現在要到哪裡去？」

楊夢寰已走出了石室，停步回頭答道：「我要回家去看父母，然後……」話到此處，倏然住口，神色黯然地長長嘆一聲，又緩步向前走去。

忽聽趙小蝶嬌脆的聲音，又在身後響起，叫道：「楊相公，暫請留步片刻，我有話要對你說。」

楊夢寰回頭望去，只見趙小蝶緩步追了出來，眉目間籠罩著一層淡淡的憂鬱，慢慢地走到他身邊，問道：「你心裡還在記恨我嗎？」

忽聽嬌笑劃空傳來，一個明朗清脆的聲音，接道：「不會的，他因爲心裡有事，所以無精打彩。」只聽那嬌婉中帶著堅毅的口氣，楊夢寰已知來人是誰，轉臉望去，朱若蘭已落在兩人身側。

她眉宇開朗，英風、艷光交織成高貴無比的風華，嘴角間雖然帶著笑意，但卻無法掩蓋住她那奪人氣魄的尊貴氣質，朱若蘭微微一笑，道：「什麼事使你如此煩心，懶得連姊姊都不願叫啦？是不是被你那掌門師叔逐出了門牆？」

楊夢寰聽得怔了一怔，道：「怎麼？難道你都看到了。」

朱若蘭微微一笑，道：「沒有，不過我看得出玉靈子老前輩是位剛愎自用之人，我對你們崑崙派有幾度援手之情，他自然不會對我發作，難免要把一股怨忿之氣，盡發作在你的身上，但你並沒有什麼大過，還不致置你於死地，想來想去，只有把你逐出門牆了。」

楊夢寰聽她言來輕輕鬆鬆，不禁反問道：「這麼說來，朱姑娘是有意和我掌門師叔吵上一架，好讓他遷怒於我了？」

朱若蘭臉色微變，但一轉瞬間，又恢復歡愉神色，淡淡一笑，道：「那也不是，我和令師叔爭吵之時，本是無心，事過之後，才想到你可能被他逐出門牆，想不到竟被我不幸而猜中了。」

楊夢寰道：「被逐師門，乃武林中奇恥大辱之事，姊姊還有心取笑於我！」

朱若蘭看他神色黯然，芳心微生憐惜，微微一嘆，道：「我哪裡是取笑於你，實是爲你們崑崙派中慶幸，明年中秋的英雄大會，決非以武會友的場面，天龍幫處心積慮，準備了二十年，邀請九大門派比劍，必然已想好對付九大門派人物的辦法，老實講，那應該是一場悲慘無比的浩劫，不論九大門派中人勝負如何，只怕都難活著離開黔北，李滄瀾一代梟雄，才智武功均非常人所及，天龍幫能有今日成就，豈是偶然……」

楊夢寰聽她以一個女流之身，分析武林形勢，言來條條有理，心中又增加幾分敬佩之心。

朱若蘭看他聽得十分神往，微微一笑，接道：「天龍幫五旗壇主，固然個個身負絕學，足可以和九大門派中高人相搏，李滄瀾身懷武功，尤為驚人，乾元指絕世奇技，九大門派中便無人能破……」

楊夢寰忍不住插嘴問道：「這麼說，明年的中秋大會，九大門派中人是輸定了？」

朱若蘭道：「未來之事，誰也難以預料，不過就我眼下所知所見而論，如講單打獨鬥，九大門派中人，怕難望有人能勝過海天一叟，此人天生奇稟，神力驚人，實是千百年中難遇人才，不過據說少林、武當兩派，為對付天龍幫，也作了十幾年的準備，尤其是少林一派武學，異常精深博奧，其寺中有一部『達摩易筋經』，所載武學，精博不下《歸元秘笈》，不過，據聞上面所記載是用天竺文字寫成，非有絕世文才，難以看通，可惜數百年來少林寺僧侶未能有人解得此書文字，致使曠絕千古的一部奇書，長存在經樓之中，如果在二十年中，少林寺出了能人，能解得天竺文字，練成『達摩易筋經』上功夫，那自是又當別論了。」

楊夢寰聽她侃侃而談，博及各門各派，心中更為驚奇，暗道：看她年齡，未必就比我大，怎生知道這樣多的事情。

只聽朱若蘭輕輕嘆息一聲，又道：「天龍幫弟子遍布大江南北，龍蛇混雜，各色各樣的人物都有，九大門派中一舉一動，都難瞞過他們的耳目，明年比劍一事，恐不只是單純的以武功判分勝負，如果天龍幫能勝九大門派中人，也還罷了，如果敗於九大門派手下，只怕另有陰謀，我雖是推想而知，但決不會不著邊際。」說至此倏然住口，仰臉沉思了一陣，問道：「你是否尚願重返崑崙門下？」

楊夢寰長長嘆息一聲，道：「現在，我已是萬念俱灰之人，只願回歸故里一行，探望爹娘一番，然後尋一處人跡罕到之地，自廢去全身武功，懺悔滿身罪孽。」

朱若蘭微微一笑道：「你覺得這想法很對嗎？其實，你早已被捲入漩渦之中，再想擺脫，談何容易，你想披髮深山，遁跡世外，忘去年來經歷之事，是嗎？」

楊夢寰道：「如果他們不肯放過我，那就任憑他們殺剮就是，唉！生死之事，早已不放在我的心上了。」

朱若蘭道：「十二年師恩浩蕩，你就不想報答了嗎？還有琳妹妹對你的一番情意，你就忍心拋下她，不管了嗎？李瑤紅雖然刁蠻，但對你卻是一片真情，別說捨身相救，解了你服用『化骨消元散』的奇毒，單是那捨身還書，不惜自己名節，成全你聲譽兩件事情，你就一輩子報答不完……她現已成殘廢之人，歲月悠悠，來日漫長，你要她如何排遣那痛苦的歲月？別看她當眾求告父親，替她剪下滿頭秀髮，以示決心，但那只不過是一時間真情激蕩，難自遏止。我料她雖有斷肢之勇，但卻無斬斷情絲的慧劍，一旦她自悲薄命，熬受不了漫漫的孤寂歲月，必然自絕一死，那時李滄瀾無所顧慮，必然會遷怒於你，報復手段，定然是慘酷無比，說不定會株連到令尊令堂，你再想想看你是不是就能一死了之。」

楊夢寰聽得呆了半晌，才說道：「事已如此，我也難想出適當之策了。」

朱若蘭笑道：「我已替你想好，就是怕你不聽我的話！」

楊夢寰道：「如果真有兩全其美之策，我自當遵從姊姊之言。」

朱若蘭望了趙小蝶一眼，道：「我這位蝶妹妹已和我談了幾次，她說你天生奇骨，稟賦極高，願把她一身本領傾囊傳授，現下相距明年的中秋大會，還有近一年的時間，如果你肯聽我的話，屆時成就，足可和與會高手一較高低，蝶妹妹任、督二脈已通，內力無窮無盡，由她經常助你打通經脈，無疑助你洗髓易筋，其成就當能超越正常習武之人的數倍以上。你已經身負情債，豈可再誤人誤己，只有埋頭習成武功，揚眉吐氣於英雄大會之上。那時，天下英雄都對你刮目相看，報效師門，論功抵罪，亦可重返崑崙門下，或是獨創一派，列身武林中一派宗師。琳妹妹心地純潔，心神最易集中，她能得人指點，未來成就說不定比你還高，眼下局勢十分明顯，你一身可以說繫著天下武林同道的安危劫運，如不肯勵志上進，實非你一人的生死之事……」話至此處，倏然住口，目光中無限深情地望著夢寰，輕輕地嘆息了一聲，道：「你仔細想想我的話，是不是有些道理？」

楊夢寰沉思良久，嘆道：「姊姊對我這等愛護厚望，只怕我無能擔負，有負兩位一片苦心。」

趙小蝶笑道：「那不要緊，我可以幫你打通維陰三脈和十二重樓，足抵你十年面壁苦修，蘭姊姊聰慧無比，由她授你劍術、拳掌。我已把《歸元秘笈》字字深記胸中，咱們三個人相互研究，自可貫通全書……」她忽然想到母親臨死遺言，不禁雙目一閉，合掌前胸，暗自祈禱，道：「娘啊！楊相公爲人很好，女兒授他武功，只是想由他挽救一場悲慘的浩劫，他已有沈家妹子相愛，女兒決不會愛他。」

朱若蘭看她閉目啓唇，喃喃自語，雖然聽不出她說些什麼，但已猜想到她定然想到翠姨遺言，趕忙接口笑道：「蝶妹妹，楊相公已答應挺身而出，挽救這次武林劫運，但成敗卻和你的關係很大，現下算來，時日已經無多，事不宜遲，咱們今天就開始如何？」

趙小蝶笑道：「那是最好不過。」

朱若蘭忽然想起一件事來，問道：「有一件緊要之事，我倒忘記問你了，你掌門師叔把你逐出門牆之時，琳妹妹的態度如何？」

楊夢寰嘆息道：「她陪我留了下來。」

朱若蘭道：「既然陪你留在這括蒼山中，那她現在哪裡去了？」

楊夢寰驟覺如一把利劍刺入了胸中，不禁熱淚盈眶，黯然一嘆，道：「像她那般嬌稚無邪，天使般的人兒，我實感不配和她常相廝守在一起……」

朱若蘭臉色一變，道：「怎麼，你把她攆走了，你可曾想到她離開你之後的悲慘後果嗎？」

楊夢寰沉思一陣，把詳細經過之情，對朱若蘭說了一遍。

朱若蘭道：「唉！琳妹人間天使，自有靈佑，既是如此，你就不必再爲此事愁慮，安心的留居我天機石府，先讓蝶妹妹傳你初步吐納打坐功夫，借機讓她打通你平日運氣難及的幾處經脈穴道、維陰三脈和十二重樓。我也借這幾天工夫，去找琳妹妹，如果能邀天佑，早日把她尋著，那就多讓蝶妹妹辛苦一下，助她修練上乘內功，來年中秋英雄大會之時，你也可以多上一個幫手。」

楊夢寰只覺她每一句話中，都蘊藏崇高無比的深摯情意，但卻又無半點私欲之念，不禁微微一嘆，道：「姊姊用心良苦，真使人一輩子報答不盡，我楊夢寰不知哪世修來，有幸得識姊姊……」

朱若蘭一笑，道：「好啦！好啦！你只要肯聽我的話，我心裡就很高興了。」

楊夢寰道：「姊姊見解卓絕，料事如神，我以後……」忽見趙小蝶笑臉相顧，不禁玉頰飛紅，訕訕一笑而住。

朱若蘭看他羞紅滿臉，神態間微現出忸怩不安，不禁櫻唇微綻，道：「你以後要怎麼樣，說呀？」

趙小蝶笑道：「姊姊別逼他啦，讓我替他說吧，他以後定會聽從姊姊指示，再也不和你拌嘴了。」

朱若蘭道：「那怕未必吧。」

趙小蝶心中一急，望著楊夢寰道：「你說說看，我猜得對是不對？」

楊夢寰被迫無奈，只好點點頭道：「趙姑娘猜得不錯。」

趙小蝶嫣然一笑，側臉對朱若蘭道：「我猜對了吧。」

朱若蘭笑道：「形勢迫他如此，只怕不是由衷之言。」

楊夢寰道：「姊姊，小弟已知錯了，姊姊就留我一步餘地吧！」

言來神態歉然，目光中真情橫溢。

朱若蘭和他目光相觸，忽覺心頭一跳，側臉他顧，微笑說道：「你恐已很久沒有吃東西了，走！咱們快回天機石府，讓蝶妹妹親手替你做幾樣可口的菜肴吃吃。」

趙小蝶笑道：「只怕我做得不好，楊相公不肯食用。」

朱若蘭笑道：「妹妹不要謙辭了，姊姊已有幸嘗過。」說完，拉著趙小蝶一隻玉腕，轉身向前走去。

秋天的陽光，照著兩個絕世無倫的美麗背影，四個半裸玉腿小婢，臉上也綻開歡快的笑意，像含苞在深谷中的四株幽蘭，雖未盛放，但卻有一種天真純樸的風韻。

楊夢寰跟在兩人身後，四婢卻跳跳蹦蹦地和他走在一起，不時望著他指指點點，問東問西，但卻都是些無關緊要之事，不是問他這是什麼花，就是問他那是什麼樹，深山大澤之中，很多花樹，本就無名，楊夢寰雖然讀了一肚子書，也常常答不出來。但四婢自幼在百花谷中長大，見過無數奇花怪樹，她們辨識不出，就胡亂替它取個名字，每逢楊夢寰答不出時，她們隨口說出，非驢非馬，逗得楊夢寰常常失聲大笑。

幾人緩步而出，心情似是都很輕鬆，一路上笑語如珠，楊夢寰被四個天真無邪的小婢，問東問西的笑語，逗得暫時拋去了滿腔愁懷，開朗大笑，鳴響山谷，表面望去，這是他年來最爲歡暢的一刻。

朱若蘭和趙小蝶攜手走在前面，不時回頭望著五人微笑，趙小蝶更是歡愉洋溢在眉宇之間，綻開著她生平從未有過的微笑。朱若蘭看在眼中，心中卻暗暗嘆息，一個李瑤紅，一個沈霞琳，已給她無比煩惱，不知如何安排，才能使這兩個癡心常繫情郎的少女，能效娥皇女英，共事一夫，而又不起勃谿，閨閣之間，充滿著畫眉之樂。如今再加個趙小蝶，事情不但更加棘手，只怕要白費自己一番苦心，落下極爲悲慘的結局……想到了愁慮之處，不禁顰起兩條翠眉，浮現出一臉淡淡幽怨之色。

趙小蝶忽然轉過身子，目光凝注在朱若蘭的臉上，微微一笑。似想問話，但見朱若蘭臉上的幽怨神情，不覺微微一怔，道：「蘭姊姊，你有心事嗎？」

朱若蘭淡淡一笑，道：「沒有。」

趙小蝶幽幽說道：「姊姊，我知道你心裡想的什麼。」

朱若蘭微微一驚，故作鎮靜，笑道：「是嗎？你說來我聽聽，看看你猜得對不對？」

趙小蝶嘆道：「姊姊的心事，全是爲我……」

朱若蘭急道：「你別瞎猜了，你有什麼值得我煩惱之處？」

趙小蝶婉然一笑，道：「姊姊不要騙我了，但你儘管請放心好啦，我決不會使姊姊爲難……」

話至此處，楊夢寰和四個白衣小婢，一齊追了上來，趙小蝶只得一笑住口。

言笑之間，已到了天機石府，三手羅剎彭秀葦，含笑迎了出來，望著朱若蘭笑道：「姑娘當真是料事如神，楊相公果然又回來了。」

忽聞長空鶴唳，一點白影，流星般由空中直墜下來，瞬息間已落到朱若蘭身側，仰首垂鳴不絕。

朱若蘭凝神靜聽了一陣，突然一揚雙眉，面泛殺機，說道：「蝶妹妹跟我走！」

楊夢寰道：「姊姊，我是否可以和你們一起走上一趟？」

朱若蘭還未答話，趙小蝶搶先說道：「很好，很好，咱們一起去吧。」

楊夢寰望著朱若蘭，笑道：「姊姊，可是要對付那些覓書絕壑的人嗎？」

朱若蘭道：「不錯，玄玉剛才告訴我，我已經再三告誡過他們，明知故違，殺之不虐，我要借仗蝶妹妹之力，把尋書絕壑的人，一併誅戮劍下。」

楊夢寰嘆道：「我知武功不濟，相隨二位同去，也難能相助……」

趙小蝶道：「那不要緊，我和你站在一起，保護你好了。」

朱若蘭微微一笑，道：「好吧，咱們一起去，你們兩個乘玄玉，直落絕壑，只要遇上尋書之人，不管是天龍幫，或是九大門派中人，一律格殺，我由路上趕去，攔截逃走之人。」

趙小蝶微微一笑，一邁步，嬌軀突然凌空而起，飛落在鶴背之上，側身向夢寰招手。

朱若蘭一揮手，又對彭秀葦道：「我們去後，或會有人來擾天機石府，我們返回之前，不可開門迎戰，只要守住要道，不讓人衝入就行了。」

彭秀葦道：「婢子遵命。」

朱若蘭霍然轉過身子，玉腕微揚，高聲對趙小蝶道：「咱們走吧！」話出口，人已凌空向前飛去。

但聞那巨鶴仰首長唳，雙翼疾展，快如離弦弩箭，破空向上升去。

趙小蝶初次乘鶴飛行，心中十分高興，探頭下望，只見四個裸腿白衣小婢，個個翹首上望，神情之間，極是羨慕。

忽覺身側的楊夢寰，身子一搖，不覺間疾伸玉手，一把抓住了楊夢寰右腕，轉臉笑道：「你怕嗎？」楊夢寰只覺她抓在右腕上的玉掌滑膩如玉，不禁心波微動，緩緩掙脫被握手腕，淡淡一笑，道：「不怕。」

趙小蝶道：「既然不怕，你動什麼？」

楊夢寰微微一笑，卻答不上話。

原來趙小蝶伸頭向下探看四周之時，不覺之間，把嬌軀向夢寰懷裡擠去，秀髮飄動之間，拂在楊夢寰的臉上，一陣襲人香澤，逼得楊夢寰身子向旁側移動。

趙小蝶望了夢寰一陣，忽有所悟地嫣然一笑，道：「是啦，是我擠著你了對嗎？」

楊夢寰微微一笑，似要答話，但一時卻又似想不到適當措詞，嘴唇啓動，卻聽不到一點聲息。

忽覺眼角一暗，一股冷氣，吹在臉上，趙小蝶首當其衝，不自覺口中嚶了一聲，人向楊夢寰懷中偎去。

這巨鶴雖大，但牠背上也不過三尺長短，尺許寬闊，楊夢寰剛才向旁移動一點，心中已感到身臨邊緣，覺著趙小蝶嬌軀偎來，本能地一挺前胸，阻止她向後移動之勢。

但覺濛濛細霧，拂面生寒，眼前一片黝暗，景物難辨，原來，巨鶴飛入了一片濃雲層中。

趙小蝶有生以來，從未和男人單獨相處一起，但覺一陣陣男人氣息，直襲過來，心中一迷惑，雙臂一展，抱住了夢寰，閉上雙目把粉腮貼在夢寰前胸。

忽的眼睛一亮，巨鶴已穿出陰暗的雲層，楊夢寰輕輕一推趙小蝶貼在胸前的粉臉，低聲說道：「趙姑娘，出了雲層啦。」

趙小蝶慢慢地睜開眼睛，嬌羞中微現驚怯，仰起泛現著紅暈的雙頰，臉上是一股自憐自惜的神色，圓圓的大眼睛中，蓄含著盈盈欲滴的淚光，不知她是羞是怕。

楊夢寰抬頭眺望天際飄浮的雲層，心中想著天真無邪的沈霞琳，暗自嘆息：琳師妹常想騎鶴暢遊，如若是琳師妹和我並肩乘鶴，眺望雲彩，俯瞰山水，想她心中定然是十分快樂。想到感傷之處，不禁黯然一嘆。

趙小蝶忽然伸手拂拭一下臉上的水霧，婉然一笑，道：「你嘆什麼氣？」

楊夢寰轉臉望去，只見趙小蝶目光中情愛橫溢，不禁心頭一凜，暗道：年來連番留下孽海情債，大概都是因爲我這到處留情性格有關。一念及此，也不知是錯是對，當下臉色一沉，冷冷說道：「我想到琳師妹了，如若眼下是她和我乘鶴飛行，想她定然是萬分快樂。」

趙小蝶微微一怔後，笑道：「沈家姊姊嬌艷如花，人人見她，都不禁心生憐愛，蘭姊姊喜歡她，我也很喜歡她。」

楊夢寰口中嗯了一聲，目光卻望著天際間飄飛的雲層。

趙小蝶突然變得十分嬌弱，低聲問道：「你很愛沈家姊姊嗎？」

楊夢寰道：「我們師兄妹情同骨肉，我自然要盡心力去愛護她。」

趙小蝶又低聲問道：「你可愛蘭姊姊嗎？」

楊夢寰朗朗一笑，道：「朱姑娘武學精闢，才博古今，風標高華，當今之世，人人都應當敬愛於她。」

趙小蝶微微一笑，道：「你心裡恨我嗎？」

楊夢寰笑道：「過去對你雖存敵意，但那是出於誤會，連日來承你贈藥援手，數番相救，我感激還來不及，哪裡能談到恨字！」

他答覆趙小蝶問話之間，始終轉顧他處，沒有望過趙小蝶一眼。

忽聞巨鶴長鳴，雙翼搧動幾下後，突然一斂，疾如流星般向下墜去，下落之勢雖然快速驚人，但坐在鶴上，卻很平靜。

楊夢寰游目打量四周山勢，正是陶玉摔下絕壑的谷口。

巨鶴墜落迅快，一瞥山間景物盡失，但見兩面削壁聳立，原來玄玉已墜落絕壑之中。

趙小蝶身著白衣，肩披藍紗，被玄玉墜落之勢帶起的疾風，吹得向上飄飛起來，蒙住了她的頭臉，楊夢寰借機瞧了兩眼，只見她卓立鶴背之上，柳腰纖細，嫩指如玉，衣髮飄飄，恍如乘鶴而降的散花仙子，面對玉人，不禁微生歉疚之感。

忽見趙小蝶雙手一拉，扯下蒙在臉上的衣服，輕啓櫻唇，嫣然一笑，道：「如果咱們在絕壑之中，遇上了你師父、師叔，那要不要聽蘭姊姊的話，把他們一齊殺死。」

楊夢寰聽得一怔，道：「我那師父、師叔都是心胸磊落之人，決不會深入絕壑之中覓書。」

趙小蝶道：「不來最好，但他們萬一來了呢？」

楊夢寰道：「這個……」

忽覺玄玉雙翼一展，落入一塊突立在谷底的大青石上，趙小蝶左腳一邁，下了鶴背，嬌軀如飄蕩在風中的一片雲，悠悠蕩蕩地向下落去。

楊夢寰打量鶴背相距谷底，大約一丈六、七尺高，估計自己輕功，足可安然躍下，立時一提真氣，縱身而下。

他隨後躍下，但卻先落實地。抬頭望去卻見趙小蝶面露微笑，仍然在空中飄飄蕩蕩，下墜之勢，緩慢至極。

忽見她笑容一斂，輕輕一顰黛眉，嬌軀如沉江鐵鎖，由慢忽快，一眨眼，落到夢寰身側，雙目一閉，道：「快些閉上眼睛，就算咱們沒有看到他們好了。」

楊夢寰聽得微微一怔：道：「什麼？」

趙小蝶道：「你師父、你師叔三個人都來啦！」

楊夢寰轉臉望去，果見絕壑一端，三個人影，魚貫而來，只是相距過遠，看不出來人面貌，隱隱可辨的三個人都似穿著寬大的道袍，不禁心頭一陣劇跳，全身微微顫動，不知是緊張還是害怕。

趙小蝶微微一啓星目，溜了夢寰兩眼，低聲笑道：「咱們躲到大石後面，好嗎？」

楊夢寰亦覺此時此地，不宜和師父、師叔見面，當下點頭答道：「好吧。」當先向大石後面奔去。

趙小蝶奔到大石旁邊，左腳微微一抬，身軀突然凌空而起，飛上大石，輕輕一拍靈鶴，低聲說道：「我要和楊相公藏在這裡，你快些飛去玩吧。」言來聲音極細，楊夢寰近在咫尺，也只是隱約可聞，只覺此女嬌柔可愛，和沈霞琳、朱若蘭均不相同，別具一種柔美嬌婉的醉人風韻。

靈鶴似通人言，雙翼微展，騰空而起，長頸一伸，巨嘴啓動，趙小蝶急聲喊道：「不要叫」，右手一揮，抓往靈鶴左腿，微一用力，身子向上疾升數尺，左手一把抓住靈鶴的長嘴。

這一著雖然制住了靈鶴的長喙，但她卻被靈鶴玄玉帶起了六、七丈高。

楊夢寰仰首上望，心中暗暗著急，忖道：她輕功就是再好一點，這樣高的距離摔下來，也難免要受到損傷。

忽見趙小蝶雙手一鬆，人鶴霍然分開，靈鶴振翼直上，趙小蝶卻疾向谷底摔下。

楊夢寰心中大急，不自禁移動身子，準備接她嬌軀。

趙小蝶墜落之勢，迅速異常，眨眼間已到距谷底四、五尺處，楊夢寰雙臂一伸，把一個玲瓏嬌小的身軀抱入懷中。

低頭看時，只見她嫩臉勻紅，氣定神閒，毫無驚怕之情，微閉雙目，嘴角間笑意盈盈，忽然想到她剛才由巨鶴上降落之勢，身輕如絮、如葉，在空中飄飄蕩蕩，這等奇絕的輕身功夫，世所罕見，距離縱然再高一些，只怕也摔她不著。

心念一動，暗自忖道：分明這小妮子在給我放刁，雙臂一振，突然把懷中的嬌軀，又抛起一丈多高，暗道：我看你要不要自己落腳站在地上。

但見趙小蝶升空嬌軀，破空直墜下來，眨眼又到了相距谷底四、五尺處，仍然是平臥而下，既不見她翻轉身軀，亦不見墜落速度減低。

楊夢寰心地忠厚，雖明知對方放刁，但又怕她真的摔著，不自覺地又伸出雙臂，接住她向下直墜的身子。

趙小蝶忽然睜開眼睛，羞怯一笑，道：「這一次，我真的沒有運氣護身，你要不接住我，我非得摔死不可……」嬌軀一挺，掙脫了夢寰懷抱，緩伸玉腕，理著鬢邊散髮，又道：「不過，我知道，你一定會接住我的，所以我就不必運氣護身了。」

楊夢寰第二次接住她身子之時，亦覺到比第一次重了很多，知她所言不虛，不禁暗暗嘆息一聲，皺起劍眉說道：「這等生死之事，豈是兒戲得嗎？如果我……」

他本想說，如果我不接你，讓你摔一下，受次教訓也好。但在出口之時，忽然覺著不對，話未完，便倏然住口。

趙小蝶微微一笑，接道：「如果我真的摔死了，也可以減少蘭姊姊很多煩惱了！」說完話，又是嫣然一笑，轉身向大石後面走去。

她雖然極力使自己平靜，但卻無法掩飾住心中情愁，從那嫣然一笑中，流露出無限的淒涼。

楊夢寰年來閱歷大增，已看出趙小蝶那微笑在隱藏著無比的幽怨，不禁心頭一跳。轉臉望去，已可看出三個緩步而來之人的面貌，確是崑崙三子。

三人似是正在商量或是在爭執著什麼事情，是以尚未發現夢寰。

楊夢寰無暇再想，縱身一躍，隱入那大石後面。

這塊突立在萬丈絕壑之底的大石，緊靠著山壁而立，兩面出處長滿亂草，倒不失爲一個極好的隱身所在，缺憾的是那巨石和石壁之間的距離過近，隱藏一個人，雖然綽有餘裕，但如藏上兩個人，就稍嫌狹小一點，必須擠偎在一起，才不致被人發現。

處此情景，楊夢寰也不便過於拘泥，只得一側身偎著趙小蝶坐了下來。

趙小蝶突然轉過臉來，對著他望了眼，輕輕嘆息一聲，緩緩地閉上眼睛。

楊夢寰抬起頭來，望著天空，兩人雖然擠偎而坐，但卻一句也未交談，彼此的心中，都在默想著心事。

忽聽一個低沉的聲音，起自那巨石一側，道：「這塊大石之後，或可隱身……」他不需抬頭去看，從那熟悉的聲音中，已聽出來人是教育了自己十二年的恩師一陽子，不禁心頭大吃一驚，暗道：如果師父探首一望，看到我眼下情景，縱有百口，也難辯出是非，倒不如挺身而出。

心念一轉，正待站起身子，突聞一陣哈哈大笑聲，道：「想不到三位道兄竟然搶先了一步，現在看來兄弟是棋差一著，滿盤皆輸了。」

楊夢寰聽聲辨音，已知來人是八臂神翁聞公泰。

只聽玉靈子答道：「我們雖然早到了一步，因聞兄也來得夠快了，竟使我們連一點勘查的時間也沒有。」

聞公泰笑道：「華山和崑崙兩派，交誼素篤，如果三位道兄肯把尋得奇書借給兄弟瞻仰一下，兄弟願代三位道兄嚴守秘密……」

但聞一聲劃空長嘯，急奔而來，瞬息已到大石旁側，接道：「見者有份，兄弟既然趕上，幾位總不好把兄弟摒棄局外吧？」

楊夢寰一聽說話之聲，立時辨出來人是翻天雁馬家宏，心中暗自忖道：糟糕，聞公泰和馬家宏，都誤認我師父、師叔已尋得《歸元秘笈》，看來難免一場搏鬥了。

突覺自己肩頭，被人輕輕拉了一下，轉臉看去，只見趙小蝶目光中滿是困惑迷惘之色，伸手在地上劃道：「咱們怎麼辦呢？」

楊夢寰皺皺眉頭，也在地上寫道：「暫不露面，坐以待變，然後再作決定。」

趙小蝶微微一笑，又緩緩閉上眼睛。

只聽聞公泰哈哈大笑一陣，道：「以兄弟看這山勢位置，正是那姓陶的少年摔落之處，三位道兄想必已見到那人的屍體了？」

慧真子說道：「我們剛到此處，你就隨後到來，彼此不過是一步之差……」

忽聞馬家宏啊了一聲，道：「看！」但聞一陣急亂的步履之聲，想是幾人都已奔跑過去。

楊夢寰輕撥亂草，探頭向外一看，只見幾人團團圍在一起，向地下查看。

忽見聞公泰伏下身子，在地上嗅了一嗅，道：「不錯，是人血。」

霍然站起，疾退了兩步，望著崑崙三子，笑道：「真憑實據，血的鐵證，三位道兄如再不肯承認，那就未免有失身分了！」

玉靈子冷笑一聲，道：「聞兄把我們崑崙三子，看成何等人物？說沒有見就是沒見，大可不必耗費口舌，欺瞞聞兄。」

聞公泰轉臉望了馬家宏一眼，拂髯笑道：「馬道兄高見如何？」

馬家宏流目四顧，打量了一下山勢，冷笑道：「貧道之見，想請崑崙派三位道兄，把那三冊《歸元秘笈》分成三份，華山、崑崙、點蒼各得一冊，不過書是崑崙派三位道兄尋到，就情理上言，應由崑崙三位道兄，優先選取一冊，然後貧道和聞兄抽籤分配，三年之後，貧道和聞兄各攜分得奇書，同赴崑崙三金頂峰三清宮中，彼此交換，待三冊奇書交傳完畢，再一齊交還崑崙三位道兄保管。」

聞公泰道：「馬兄卓見，的確高明，兄弟佩服至極，只不知崑崙三位道兄意下如何？」

玉靈子望著師兄、師妹一眼，翻腕抽出長劍，冷冷說道：「兩位認定了我們崑崙三子已尋得奇書，貧道百口難辯，別說我們沒有尋得，就是尋得，也不會分送兩位。」

馬家宏微微一笑，道：「很好，道兄既是想在武功上，判定那《歸元秘笈》歸屬，倒也不失是個好辦法，只不知三位道兄是一齊上，或是單打獨鬥，輪流出戰，或是貧道和聞兄聯手，大家作一場生死之拚？」

玉靈子道：「馬道兄不必口舌輕薄，貧道願先領教馬道兄幾路劍法。」

馬家宏翻腕拔出背上寶劍，笑道：「兵刃無眼，既然動上手，只怕難免要有傷亡，道兄儘管全力施爲。」

一陽子一聽馬家宏的話，立時洞悉對方存心不善，這場拚搏，只恐凶險異常，他已親眼見到過馬家宏的劍術，確實有超人之處，玉靈子仍是崑崙派掌門身分，如有失閃損傷，即將大損崑崙派的威名。

當下拔劍搶前一步，攔住玉靈子笑道：「師弟乃本派掌門之尊，第一陣似不宜親身臨敵，這一仗讓給小兄打吧。」長劍一揮，化起一道銀虹，不待玉靈子答話，立時又接道：「馬道兄請。」刷的一劍，直刺過去。

馬家宏出言相激玉靈子，已存了速戰速決的念頭，他心中很明白，眼下並非善地，天龍幫五旗壇主極可能很快趕到，朱若蘭、趙小蝶亦隨時可能出現，只要有一方趕到，事情就棘手難辦，暗中早已運集了功力，蓄勢相待，一陽子長劍出手，立時大喝一聲，揮劍猛向一陽子劍上掃去。

玉靈子、慧真子一見馬家宏這等打法，都不禁微微一呆。

要知兩人用的都是輕兵刃，應以靈巧變化求勝，馬家宏卻以劍擊劍，出手就想以內力硬拚，實是江湖上罕聞少見之事。

但聞鏘然一聲大震，兩支精鋼長劍，硬拚了一招，一陽子雖是有備出戰，但也沒想到，對方在第一招上，就出全力硬拚，當場被震退三步，長劍一折兩斷。

馬家宏哈哈一笑，驀然欺身而進，一招「長虹經天」，若刺若劈，當胸擊去。

忽見寒光耀目，冷氣逼人，一陽子翻臂之間，手中又握著一支古形長劍，揮腕一封，反向馬家宏劍上削去。

翻天雁目光何等銳利，一望之下，立時驚覺對方手中是柄寶刃，當下一挫右腕，硬把擊出的劍勢收回。

一陽子心忿斷劍之辱，哪還讓他避開，右腕疾變追魂十二劍中一招「劃分輕緯」，寶刃疾進斜落，但聞嗆的一聲，馬家宏手中長劍，登時變成兩截。

忽聽聞公泰大喝一聲：「住手。」

馬家宏手執半截斷劍，疾退五尺，一陽子也橫劍轉臉相顧。

聞公泰呵呵一笑，道：「明年中秋，咱們九大門派還要同赴黔北和天龍幫作一場絕續存亡的拚搏，眼下這般自相殘殺，別說二虎相鬥，難免一傷，就算大家秋色平分，半斤八兩，不分勝敗，一旦傳言江湖之上，也難獲其他六大門派的諒解，剛才咱們還在計議九大門派攜手對付天龍幫的策略，言猶在耳，眼下竟然要翻臉成仇，以命相搏……」

馬家宏原想聞公泰定然相助自己，和崑崙三子為敵，奪取《歸元秘笈》，哪知他竟中途變卦，如果單以自己一人之力，決難抵得崑崙三子，不禁心頭大忿聞公泰的狡詐，當下冷笑一聲道：「聞兄是什麼意思？如果覺著兄弟不順眼，不妨連你也算上。」

聞公泰微微一笑道：「馬道兄誤會了兄弟的意思，我是想先把事情弄清楚，大家再想一個面面兼顧的法子解決這場紛爭，能不動手，最好不要傷了和氣。」說話之時，兩道眼神卻一直盯在突立在崖壁旁邊的大石。

馬家宏望了那大石一眼，心中不自覺暗道了一聲慚愧。

一陽子哈哈一陣大笑道：「馬道兄和聞兄，定然懷疑我們崑崙三子尋得了那姓陶的少年屍體和《歸元秘笈》，待看到聞兄來時，就把屍體藏入了那大石後面，是嗎？兩位既然動了懷疑，不妨到那大石後面查看一下。」

聞公泰被一陽子幾句話，揭穿了心中所思，不禁微感臉上一熱，拂髯一陣大笑，道：「兄弟哪有這等高見，既然道兄吩咐，兄弟倒是得查看一下，免得造成誤會。」說完，縱身躍落那大石旁側。

只見右側出口之處，亂草一陣晃動，一個身披藍紗，身穿白衣的少女，緩步走了出來。

聞公泰看那現身少女，竟是武功難測高深的趙小蝶，不禁吃了一驚，霍然向後退了五步。

趙小蝶突然由大石後面現身出來，不但使聞公泰吃了一驚，就是馬家宏和崑崙三子，也是大感意外，同感心頭一震，愕然相顧。

忽見趙小蝶微微一笑，道：「你聽著，我要打他了。」陡然一移左腿，直向聞公泰身側欺去。

八臂神翁早已蓄勢戒備，一見趙小蝶凌空直欺過來，右手青竹杖突施一招「陰雲蔽月」，舞起一片碧綠光影，護住身子。

趙小蝶一見對方舞起一片杖影護身，不禁心頭大急，一提真氣，硬往前面衝去。

她這一衝之勢，全身真力驟發，周圍三尺左右，如結了一道銅牆鐵壁，聞公泰青竹杖，登時被她發出的無形罡力逼住，施展不開，不禁驚得一呆。

趙小蝶看他舉杖不下，心中亦感奇怪，玉臂疾伸，左右開弓，但聞乒乒乓乓兩聲脆響，聞公泰雙頰立時各現出五個鮮紅的指痕。

這兩記耳括子，打得詭異絕倫，聞公泰眼看對方玉掌劈臉打來，但卻感到無法可躲。

雖打的是聞公泰，但旁側站的崑崙三子和翻天雁馬家宏，卻一個個看得心頭凜然，都不自禁向後退了兩步。

要知眼下幾人都是名重武林的一時俊彥，如若被一個十六、七歲的小女孩子，打上幾記耳光，那可是終身難洗的奇恥大辱，但眼看聞公泰挨打的模樣，閃避似都不能躲過，叫他們如何不驚。

忽聽聞公泰仰臉一聲長笑，其聲淒厲，如同鬼嘯，揚手飛出一串金丸，疾向趙小蝶打去，人卻借勢轉身，狂奔而去。

絕壑中，聽那淒厲長笑迴盪在山谷之間，歷久不絕。

趙小蝶玉腕一舉，一引一轉，纖掌翻動之間，那一串金丸突然改變了方向，疾向翻天雁馬家宏飛去。

這正是朱若蘭「導陰接陽」，借力的打入，曠絕千古的奇奧手法，不過趙小蝶任、督二脈已通，內引外擊之力，要比朱若蘭強勁得多，不但可借人之力打人，且可以深厚內引之力，帶動敵人暗器，反擊另一敵人。

馬家宏武功深湛，見聞廣博，目光銳利無比，看那飛來金丸，經過趙小蝶玉腕轉動一撥，來勢似是更加迅猛，知那串飛來之物，不但聞公泰原力未減，反而又加上趙小蝶的暗勁，哪裡還敢硬擋，當下一跨步，橫向左側躍開五尺。

但聞一陣乒乓之聲，一串金丸，盡數嵌入那突立巨石之上，十餘粒金丸，一線而入，沒有一粒偏差，外面望去，只可看到一粒金丸。

趙小蝶微微一笑，道：「那個聞公泰已經跑啦，你聽著，我再打這個牛鼻子兩個耳光。」

話出口，忽然想到崑崙三子也是道家裝束，不禁轉臉望了崑崙三子一笑。

她笑得雖如百花競放，醉人似酒，但看在崑崙三子眼中，卻是個個心頭一跳，微生凜駭，只道她對自己出手。

但見趙小蝶玉腿移動，大邁一步，人已欺進一丈多遠，到了馬家宏的身側。

翻天雁瞪著眼睛，眨也未眨動一下，但卻看不出趙小蝶用的什麼身法，邁步間，竟然到身側數尺之處，匆急之下，用手中半截斷劍劃出一道銀虹護住身子。

趙小蝶左手一撥，立時有股強烈的潛力，逼住劍勢，右手一揚，劈臉打去。

馬家宏心頭大驚，身軀向後一仰，倒退出一丈遠。

哪知趙小蝶的嬌軀，有如附身魔影一般，輕如飄絮，隨著他向後倒退的身子而進，待他挺身站起之時，趙小蝶的玉掌，剛好遞到，砰的一聲脆響，正中右頰。

只聽她嬌笑一聲，道：「還有左面沒打。」反手倒抽過來。

馬家宏只覺她反手一抽之勢，打得怪異無比，心想躲，卻又覺無法躲開，只聽砰地一聲，左臉上又中了一掌。

這一掌打得奇重，馬家宏雖有罡氣護身，也被打得頭暈眼花，滿口噴血。

崑崙三子看她先說後打，每擊必中，實是武林中未聞未見之事，只嚇得心頭亂跳。眼下五人，已被打了兩個，下次自是輪到自己三個人中之一，不禁相互望了一眼，只感走也不是，不走也不是，進退兩難，甚是尷尬。

但聞馬家宏長嘆一聲，丟了手中半截斷劍道：「罷了，罷了。」轉身疾奔而去。

玉靈子苦笑一下，對一陽子和慧真子道：「與其個別受辱，倒不如咱們聯劍齊上，如若咱們三人聯手，仍難自保，也無顏見天下英雄了。」

一陽子一挺手中寶刀道：「掌門人請和師妹先退，愚兄仗這手中寶刀擋她一陣。」

趙小蝶看著三人緊張之態，不禁嫣然一笑，道：「你們走吧，我不打你們就是。」

三人同時聽得一怔，不知如何回答，過了半晌，玉靈子才一揮長劍，道：「與其這般向你求饒，倒不如挨上兩記耳光好些，姑娘儘管請出手就是。」颼的一劍，直刺過去。

趙小蝶嬌軀微側，讓過一劍，愕然問道：「你們幾時向我求饒了，是我自己不願意打你們呀！」

玉靈子回手一劍「橫斷巫山」，攔腰平掃過去，口中卻厲聲答道：「哪個要你不打。」

趙小蝶突然一提真氣，身子忽的凌空而起，雙臂展動，在二丈左右的高空飄飄蕩蕩地游來游去。

崑崙三子仰首上望，足有一盞熱茶工夫，仍不見她落地。

一陽子嘆息一聲，道：「這等絕世輕功，罕聞罕見，咱們開了這次眼界，也算不虛這次東行，咱們走吧！」

趙小蝶身懸半空，不能開口說話，一見三人轉身而去，立時一沉真氣，腳落實地，高聲說道：「三位慢走，如遇上我蘭姊姊時，就說楊相公請你們來這絕壑之中尋求奇書，就可平安無事了。」

楊夢寰隱身在大石之後，聽得心裡有如鹿撞，暗道：糟糕，怎麼能這樣說呢！果然，崑崙三子聽了她的話，一齊停步轉身，一陽子鐵青著臉問道：「楊夢寰現在何處？」

趙小蝶本是一番好意，怕三人在未出絕壑之前，遇上朱若蘭，故而替人策謀，哪知弄巧成拙，竟又招惹出了麻煩，目睹一陽子聲色俱厲，也不覺動了氣，怒道：「你們不聽我說算了，幹嘛這麼兇啊，哼！不是看在楊相公份上，今天你們就別想離此寸步。」

一陽子側目看了玉靈子一眼，只見他滿臉怒容，橫劍怒目而立，心中暗自忖道：此女武功，高不可測，縱然我們三人聯劍出手，只怕也難於抗衡，小不忍則亂大謀。當下忍住胸中一股忿怒之氣，故作笑容，說：「楊夢寰現在何處？不知是否要他出來和我見上一面？」

趙小蝶輕輕嘆息一聲，道：「他是個很好很好的人，你們卻忍心把他逐出門牆，幾乎害他送命在荒山之中……」

一陽子因不願有傷玉靈子掌門之尊，故而隨聲附和，把夢寰逐出崑崙門下，其實他深知這位追隨自己一十二年的弟子，是個心地極其忠厚之人，縱然有什麼錯誤，亦必有其隱情，是以，他心中仍然極惦念著夢寰，聽得趙小蝶說他幾乎送命荒山，不禁心頭一跳，急道：「他人現在何處？」

趙小蝶道：「被我蘭姊姊救到了天機石府去啦。」

一陽子微一沉忖，又問道：「有一位身著白衣的少女，和他走在一起，姑娘可曾看到過她？」

趙小蝶笑道：「你說的是那位沈姊姊嗎？」

一陽子道：「不錯。」

趙小蝶微微一笑，道：「我雖然沒有見到沈家姊姊，可是我知道她決不會遇上什麼危險之事，像她那樣美麗可愛的下凡天使，自會有百靈相護於她。」

一陽子聽她說了半天，卻是一句也未透露出沈霞琳下落，甚感愧對老友澄因大師，如一旦和他相遇，他必然要查問沈姑娘的下落，那時自己如答不出來，說不定會使多年相交摯友，反目成仇，想到了爲難之處，不禁長長嘆息一聲，回頭對慧真子道：「師妹，是否帶著琳兒的父母遺物？」

慧真子愕然問道：「怎麼？難道你要把琳兒也逐出崑崙門牆嗎？」

一陽子黯然笑道：「未來九大門派和天龍幫比劍之爭，勝負極難預料，澄因把霞琳托付在咱們崑崙派中，無非是借崑崙三子之力，替她洗雪一筆債，眼下情勢變化，恐怕咱們已無能爲力，不如把她父母遺留的原物，托這位姑娘轉交於她，也免得咱們落什麼遺憾之處。」

這一席話，聽來平平淡淡，其實含意極深，慧真子素知大師兄的見解高出自己很多，尤其在眼下這等複雜的環境之下，極難暢所欲言，是以聽得十分用心，果然被她聽出了大師兄弦外之音，當即由懷中摸出沈霞琳投入師門時交她保管的包，送到一陽子手中，說道：「原物在此，一件不少。」

一陽子微笑接過，緩步走近趙小蝶道：「貧道有一件事，想懇托姑娘幫忙一下，不知姑娘肯否答應？」

趙小蝶道：「你先說說什麼事，我再想想看該不該幫你？」

一陽子道：「此物雖然重要，但並不很急，如果趙姑娘找不到她，就請轉交給朱姑娘吧。」

趙小蝶道：「如果我把它交給她楊師兄，不知可不可以？」

一陽子微一沉忖道：「那也好。」

趙小蝶微微一笑，收入懷中。

慧真子已了然一陽子的用心，是想借朱若蘭和趙小蝶之力，助霞琳手刃親仇，靜站一側，黯然無言。

玉靈子看師兄和師妹都對人消了敵意，雖然餘忿未消，但卻不便發作出來。

趙小蝶忽然間變得十分禮貌，對崑崙三子福了一福道：「三位要走啦，恕我不送了。」

她講得雖然客氣，卻無疑下令逐客，崑崙三子只好揮手作別，轉身而去。

直待三人背影消失不見，趙小蝶才款步走到大石旁側，叫道：「楊相公請出來吧！他們三個人已走得看不見啦。」

她一連呼喚數聲，卻不聞楊夢寰一句答覆之言，心中甚感奇怪，伸手撥開草叢向裡一看，不禁驚得她呆在當地。

只見一個長衫老者右手執著摺扇，架在夢寰頸上，左手卻扣著楊夢寰脈門要穴，面色一片冷峻，眉宇間殺氣騰騰，正是天龍幫五旗壇主王寒湘。

趙小蝶驚魂略定，心中立時盤算如何出手，一擊成功，救下夢寰。

她胸博武功，浩瀚如海，這一用心去想，只覺各種手法，一一閃過腦際，招招都可克敵制勝，但卻又感招招都有危險，只怕一擊不中，對方下手傷了夢寰。一時間，猶豫難決，眼球亂轉，焦急之色，洋溢眉宇。

細看楊夢寰時，只見他微閉雙目，動也不動一下，似是早已被人點了穴道。

忽聽王寒湘陰森森地一聲冷笑，道：「快些退後五步，如果妄圖冒險施救，可別怪我要他立時濺血扇下。」

他老謀深算，初睹趙小蝶時，不知她是否和朱若蘭一般的關心夢寰，擔心弄巧成拙，激起對方殺機，是以，一語不發，靜觀對方神色。

待他確定以楊夢寰的生死，足以威脅趙小蝶時，才冷冷喝問了一聲。

他這一喝，果然把趙小蝶嚇得向後退了三步。

她沉忖了一陣，終於決定放棄冒險搶救之心，輕輕嘆息一聲，道：「你不要傷害他，有事咱們可以商量。」

四四　正邪天下

其實王寒湘也在大感擔心，他怕趙小蝶突然出手，自己無能擋受住她忿怒之下的全力一擊，出言威嚇之時，暗中已運了功力戒備，如果對方一發動，立時先將楊夢寰斬斃鐵骨扇下，撈回本錢，然後再見機而作，能戰則戰，不能戰再自作了斷。

因他自知武功不是趙小蝶的敵手，如被她點中穴道，求死不得，定將受盡凌辱……及見趙小蝶完全屈服威嚇之下，心頭大感歡愉，暗道了聲好險。

但他乃城府深沉之人，雖然高興得心花怒放，但外表卻絲毫不露聲色，臉上仍然是一片冷峻，嘿嘿兩聲冷笑，道：「要想不傷害他，哼哼……」說了兩句，突然住口不言。

此人爲天龍幫五旗壇主中最工於心計之人，做事老辣無比，只怕提出條件太過苛刻，趙小蝶拒不接受，鬧成僵局，故而說了兩句突然住口，以便觀察趙小蝶的反應。

趙小蝶雖是聰慧絕倫之人，但她究竟是個涉世未深的少女，如何能鬥得過王寒湘的心機，果然心中大急起來，翠眉一顰，滿臉惶急之色，接道：「你有什麼事，但請說出就是，只要我能夠辦到，決不推諉，只要你不傷害他，不管什麼重大爲難之事，咱們都可以談。」

王寒湘察顏觀色，知她所言非虛，心中不住暗笑，臉上卻仍然是一片冷漠，緩緩地說道：「要我放他不難，但必需以你《歸元秘笈》交換他的性命。」

趙小蝶急道：「那《歸元秘笈》已被你們天龍幫中那個姓陶的少年，帶著躍入這萬丈絕壑之中，你也是親眼所見，現下我哪裡還有《歸元秘笈》？」

王寒湘冷冷地說道：「沒有《歸元秘笈》，你就別想我放他。」

趙小蝶道：「我說的字字真實，你如不信，我又有什麼法子？我們到這絕壑之時，已不見那姓陶的屍體了。」

王寒湘故作沉忖地停了一陣，道：「那你就以《歸元秘笈》記載的武功，換他的性命吧。」

趙小蝶聽得怔了一怔，道：「如何個換法呢？」

王寒湘輕輕咳了兩聲，道：「眼下武林之世，有幾人會那《歸元秘笈》上記載的武功？」

趙小蝶想了一想正待開口，突見王寒湘手中摺扇一晃，接道：「你如說上一句謊言，我也能聽得出來，那時候可別怪我心狠手辣了。」

趙小蝶見他手中摺扇在夢寰臉上晃了一下，嚇得心頭一跳，急道：「只要我知道的都告訴你，你快把手中摺扇拿開，別在他臉晃來晃去的，叫人看了害怕。」

王寒湘依言拿開架在夢寰頸上的摺扇，笑道：「你說吧！不許隱瞞一句一字。」

小蝶仰臉思索了一陣，道：「據我所知當今之世，只有三個人學過《歸元秘笈》上記載的武學。」

王寒湘冷哼一聲問道：「只怕不止三人吧？」

趙小蝶急道：「本來有四個人，但我娘已不幸去世，現在只餘下三個人。」

王寒湘每一剎間，都在留心趙小蝶的神色，他乃久走江湖之人，閱歷豐富，一看趙小蝶神情，立時知她所言非虛，當下微微一笑，又問道：「是哪三個，仔細地說給我聽。」

趙小蝶道：「一個是我父親，一個是我，還有一個就是我蘭姊姊了。」

王寒湘微一沉忖，道：「你父親現在何處，怎麼我沒有見過？」

趙小蝶道：「他到什麼地方去了，連我都不知道，你自然見不到他。」

王寒湘突然一揮手中鐵骨摺扇，削去楊夢寰頭上一塊包髮青絹，笑道：「我要你以《歸元秘笈》上武功，換他性命，你可知道怎麼個換法嗎？」

趙小蝶看他削去楊夢寰包髮青絹之時，驚得打了一個冷顫，聽完話，搖搖頭道：「恕我不解你話中含意，但咱們可以慢慢地談，你這樣對待他，我……」

王寒湘冷笑一聲截住了趙小蝶的話，道：「我看你還是別管他生死的好，因我要你以《歸元秘笈》上武功，換他性命之事，只怕你難以接受。」

趙小蝶道：「你且說來聽聽，只要我能夠辦到，一定照你吩咐的辦。」

王寒湘道：「你也許能夠辦到，只怕你不肯照辦，第一件，要你把學過《歸元秘笈》武功之人一齊給我殺掉。」

趙小蝶驚叫一聲，道：「什麼，你要我去殺自己的父親和我蘭姊姊嗎？」

王寒湘看她驚愕之色，暗生驚懼，只怕激起她怒火，突然出手，不自覺又揚了揚手中的鐵骨扇。

只聽趙小蝶輕輕嘆息一聲，道：「你不必再往下說啦，我閉上眼睛，你先把我殺了，再把他殺死吧！」說完，果然緩緩閉上雙目。

王寒湘縱聲大笑，道：「好個狡猾的丫頭，我王某是何等人物，豈肯上你的當。」

趙小蝶略一思索，已知他話中含意，是怕自己騙他，在他向自己下手之時，藉機還擊，霍然睜開眼睛，笑道：「你怕我藉你動手的機會還擊是嗎？哼！我要是想打你耳括子，你怎麼躲也躲不開，不過我不願看到你殺死他的慘狀罷了。」

王寒湘目睹她打馬家宏耳光的情景，知她所言非虛，不禁心頭一跳。

但見趙小蝶微微一笑，接道：「所以，我要你先把我殺掉，我既不能答應你提的條件，又不願意看到他濺血你鐵骨扇下的悲慘景象，我要先死了，不是就看不到了嗎？」

王寒湘看她說來不徐不疾，毫無做作牽強，不禁心中冒上來一股寒意，暗自忖道：難道這情愛二字，真有如許的魔力不成，可惜我王寒湘沉迷於武功之中，把人生最寶貴的青春，盡耗在練習武功、精研五行奇術上面，生平未能嘗到一次情愛滋味。

心念及此，也不知是妒是恨，突然一揚手中摺扇怒道：「你想先死掉，看不到他受苦刑嗎？只怕事情沒有那樣容易，我偏要慢慢懲治他，而且還要拍活他被點穴道，讓他嘗嘗零剮碎割的痛苦，也要你看在眼中，疼在心裡，答不答應一句話，快說。」

趙小蝶突然圓睜星目，兩道眼神直似兩把疾飛而出的利劍，刺得王寒湘心頭一震，嬌聲叱道：「要我默寫《歸元秘笈》原文給你，我可以答應，但要我去殺我父親和蘭姊姊，決辦不到，你不要得理不讓人，拿話嚇唬我，哼！老實說，你已沒有機會和時間拍活他穴道後，再零剮碎割他，我現在想通了，不願再先他而死，你只要一傷害他，我就點了你五陰絕穴，錯斷你全身三百六十五處關節，要你也嘗嘗零剮碎割是什麼味道……」

王寒湘似是未想到，這位已屈服在自己威脅之下的小姑娘，陡然間由嬌柔怯弱，變得聲色俱厲，反唇相激，不由暗暗大吃一驚，忖道：我如不能早把她氣焰壓制下去，只怕反將受她控制。當下冷笑一聲，接住了趙小蝶的話道：「好，那咱們就不妨試試看。」一舉手中摺扇，正待向夢寰頭上削去，忽覺右手關節，被人托住，一縷指風，疾奔向胸前「玄機」要穴。

只覺右手一麻，一條右臂軟軟垂了下去，同時亦感到指風迫身，逼得不得不向後躍退。

但他究竟是武功奇高，智計百出之人，他心中很明白，只要一放楊夢寰，自己就威脅不了趙小蝶，是以在右手關節被人托拿之後，仍然不忘楊夢寰，左手用力向後一帶。

只聽一個嬌脆但又冷傲的聲音喝道：「你要學《歸元秘笈》上的本領嗎?先接我一招『移星轉斗』試試。」

王寒湘只感扣制夢寰脈門的左腕一麻，人已被奪了過去，同時感到握扇右臂的關節一痛，五指一鬆，摺扇落地。

要知王寒湘亦非等閒人物，楊夢寰被人奪走，反而使他鬆活了手腳，大喝一聲，左膝抬動，直撞過去，左手一招「迅雷下擊」，斜拍而下，手腳並用，兩招齊出。

對方似是旨在救人，是以在指尖將要點中他「玄機」要穴之後，突然易點為拿，擒住他左腕脈門，把人奪了過去，要不然王寒湘勢非重傷在當場不可。

待玉寒湘兩招攻出之時，來人已自行鬆了他右肘關節，飄身疾退。

抬頭望去，只見朱若蘭雙手抱著夢寰身軀，站在丈餘外處，她來得無聲無息，退得又迅快無比，王寒湘左膝右掌一齊落空，身子不自主向前一傾。

忽見趙小蝶嬌軀晃動，凌空直欺過來，王寒湘哪裡還敢大意，左掌環劃半個圓周，帶起強烈的潛力護住身子，右手平胸推出一招「移山填海」，運發全身勁道，直向趙小蝶逼去。

這一擊是他數十年功力之聚，威勢非同小可，激蕩的排空勁氣，排山倒海般直撞過來。

趙小蝶目睹對方雄渾的掌勢，心中微生寒意，只怕難擋這巨浪般的排空一擊，不禁一沉丹田真氣，把凌空前飛的嬌軀疾沉落地。

只覺一股強猛掌力，直撞過來，正中前胸，驚駭之間，不自覺一閉雙目。

但聞王寒湘大喝一聲，身軀忽然倒向後面飛去，直跌出一丈開外，坐在地上，臉上慘白，頭上汗落如雨。

原來他這奮起全力一擊，被趙小蝶內家反彈震得倒震出去，這回震之力和他擊出的功力，恰成正比，他一招「移山塡海」用足了八成以上真力，勁道在千斤以上，擊中趙小蝶後的反彈之力，亦近千斤，只震得王寒湘五腑氣血翻動，雙腕骨疼痛如折，饒是他功力深厚，也自承受不起，口中微出呻吟之聲。

趙小蝶睜眼回頭向朱若蘭微微一笑，道：「姊姊，要不要把他殺掉？」

朱若蘭正在替夢寰推解被點穴道，隨口應道：「用他自己的鐵骨摺扇，殺了他吧。」

趙小蝶伏身撿起地上的鐵骨扇，緩步走到王寒湘身側，笑道：「你剛才以手揮扇，嚇得我心頭亂跳，現在我要用這摺扇殺你了。」

王寒湘早爲趙小蝶上乘內功的反彈之力，震散了提聚的真氣，非經三個時辰以上的靜養，無法再運氣對敵，既毫無拒敵之能，只有坐以待斃，但他乃生性冷傲之人，聽得趙小蝶激動之言，立時冷笑一聲，道：「世界學問之道，博大無比，星卜易理、詩詞歌賦、神算奇術，以及儒門六藝等，那一門都足以耗消去一個人有限的生命歲月，武功一道，只不過是其中之一而已，縱然你比我高明，那又何足爲奇！」

趙小蝶道：「哼！難道除了武功之外，你自信都比我們強了不成？」

王寒湘冷峻的臉上，微微泛起一絲得意的笑容，道：「這個嗎？不是我王某人誇口，武功一道，只不過耗去我生平精力十之一、二，五行奇術、八卦河洛等神算之學，才是我王某人生平精務所聚，哈哈！你如不信，不妨在來年中秋英雄大會之時，去看看在下一手布成的五行奇門陣圖，別看幾千株區區翠竹花樹，幾堆頑石黃土，但卻是九大門派高人埋骨之地，我王寒湘雖不能生見奇陣困死九大門派高人的盛事，但在黃泉之下，當亦可聞被困奇陣中的哀嚎呼救之聲。」

說完，仰天大笑不止，神態之間，得意非凡，大有天下雖大，但五行神算之學，唯我獨尊之慨。

這時，朱若蘭已推活了楊夢寰的穴道，冷笑一聲，接道：「五行河洛之學，算不得什麼曠古絕今之藝，眼下武林之中，精通此道之人，何止千百，有什麼值得驕狂之處，哼！你也不覺著笑得汗顏嗎？」

王寒湘霍然挺身而起，怒道：「什麼人精通此道，你且說來聽聽……」他身受趙小蝶內家反彈之力震傷甚重，說得兩句話後，人立時支持不住，身軀晃了兩晃，摔在地上。

趙小蝶舉著手中摺扇，久久不能落下，她生平未殺過人，想到摺扇一落後的血流五步慘景，不覺心中有些害怕，手腕發麻，舉扇難下。

遲疑很久，才突然一閉眼睛，摺扇疾向王寒湘前胸掃去。

眼看一代怪傑就要濺血喪命在自己的鐵骨摺扇之下，突聞楊夢寰大聲叫道：「不要殺他。」

趙小蝶玉腕疾挫，收回摺扇，回頭望著夢寰笑道：「你要替他求情嗎？你不知他剛才多麼兇狠，要不是蘭姊姊及時趕來救我，我就要被他逼死了。」

楊夢寰茫然望了趙小蝶一眼，道：「什麼，難道你打不過他嗎？」

趙小蝶嬌靨泛紅，微微一笑，卻答不出話。

朱若蘭嬌笑一聲，望著楊夢寰道：「我看你呀！你是越大越糊塗了，他以你生死作質，逼著蝶妹妹替他默寫《歸元秘笈》，蝶妹妹怕他真的傷害了你，不敢出手搶救……」

趙小蝶急道：「姊姊……」

朱若蘭一笑住口，反問趙小蝶道：「怎麼？姊姊講得不對嗎？其實以你武功而論，如真出手搶救，得手毫無疑問，何況，他也未必真存了傷人之心……」

王寒湘冷笑一聲，接道：「誰說我未存傷人之心，哼哼！只要她一擊不中，楊夢寰非死在摺扇之下不可。」

朱若蘭道：「殺了人你也跑不了。」

王寒湘仰臉大笑道：「敢來這絕壑覓書，就未存逃走之心。」

楊夢寰嘆道：「此人在峨嵋山萬佛頂曾經救我一命，請看在我的份上，放他去吧。」

朱若蘭微一沉思，笑道：「今日尋書之人，個個都全身而退，既不能一律搏殺，索性就網開一面，咱們走吧！」

趙小蝶道：「咱們要不要找找《歸元秘笈》？」

朱若蘭嘆息道：「我已來找過一次了，除了那一片血跡之外，毫無跡象可尋。」

趙小蝶微一沉思，笑道：「想這萬丈絕壑之底，自是潛有虎豹之類的猛獸，那姓陶的屍體大概已被老虎吃了。」

朱若蘭沉吟一陣，笑道：「但願妹妹說得不錯，最好讓老虎把那《歸元秘笈》也吃到肚子裡，再有人想找《歸元秘笈》，當心被老虎吃掉。」

王寒湘自被趙小蝶內家反彈之力震傷之後，自料必死，是以索性拿出英雄氣概，視死如歸，眼下看出朱若蘭等確有不願傷他性命之意，心中反而惜起命來。趙小蝶把摺扇摔在他面前，他竟毫無反應，轉臉旁顧，視若無睹。

朱若蘭輕蔑地冷笑一聲，仰臉一聲清嘯，嘯聲破空直上，沖上絕壑，繚繞雲際。片刻工夫，一點白影流星，由高空直墜而下，迅如電奔，帶著嘯風之聲，落入谷底。

朱若蘭微微一笑，道：「你們兩個還是乘鶴走吧，我仍原路返回，咱們天機石府相見。」說完話，轉身而去。

趙小蝶急道：「姊姊和楊相公乘鶴走吧，我要試試看能不能攀上這千尋立壁。」

朱若蘭仰臉望望削壁，搖搖頭道：「這絕壁滑如刀削，高達千丈，妹妹輕功再好，也不易攀登而上，生死大事，豈能開得玩笑，你還是乘鶴走吧。」

趙小蝶笑道：「我一提氣身子就輕得像片樹葉一般，咱們三個人一起乘鶴飛上絕壑如何？」

朱若蘭道：「不知玄玉能不能同時馱載我們三個人？試試吧！要是牠飛到半空中，後力不繼，咱們三個人都得要摔死了。」

趙小蝶回頭溜了楊夢寰一眼，盈盈笑道：「玄玉力盡向下墜落之時，你們就快點把我抱住，要不然我就摔不死啦。」

楊夢寰看兩人輕盈笑語之間，縱論生死之事，毫無半點畏懼之感，不覺激起豪氣，縱身一躍，當先站在鶴背之上，笑道：「好吧！咱們就試試看，會不會摔個粉身碎骨。」

朱若蘭黛眉一展，笑道：「你倒是有視死如歸的豪氣，只是我和蝶妹妹兩條命陪你一個，真要摔死了，我們吃虧太大啦！」說話之間，人也躍上了鶴背。

趙小蝶一邁步，落在兩人之間，左手抓住朱若蘭的皓腕，右手抓住楊夢寰一隻手，笑道：「要是玄玉駝不動咱們，向下跌落之時，我就抓住你們二人不放，那咱們三個一定會摔死在一起了。」

朱若蘭笑道：「我可不願摔死，要死你們兩個人死吧。」

楊夢寰看二女言笑款款地大談起生死之事，不覺間也勾起興致，接道：「怎麼？姊姊不願和我們死在一起嗎？」談笑之間，巨鶴已凌空而起，雙翼搧動，勁風呼呼，眨眼間，已升高到百丈以上。

趙小蝶俯首向下注視，只見王寒湘已成拳頭大小一點黑影，她看得高興，不覺大聲嬌笑起來。

這巨鶴雖是千年靈禽，但背上能有多大地方，三個人站在上面，彼此身軀都擠在一起，趙小蝶大笑不止，嬌軀不住顫動，朱若蘭內功精深，定力極強，還不感覺，楊夢寰卻被她顫動的嬌軀，直搖擺不定，只覺雙足站立不穩，一陣陣頭暈目眩，似要被擠下鶴背。

但是趙小蝶興高彩烈，又不好出言喝止，不禁一皺眉頭，心中暗暗說道：也不知你高興的什麼，再要笑下去，只怕真要把我擠下去摔死了。

朱若蘭冷眼旁觀，已看出楊夢寰尷尬之事，緩緩伸過一隻手來，攔在他的腰間，立時把他搖擺不定的身軀穩住。

楊夢寰突然覺到這位平日對人冷若冰霜，看似寡情，而風儀絕倫，氣度高華，不可仰攀，崇貴有如仙子的玉人，竟也有著春水一般的溫柔，不禁側臉望去，只見她眉梢眼角，微現羞態，雙頰酡紅，嫵媚橫生，這一瞬間，她竟似突然間換了一個人般，說不出的嬌甜，看得人如飲醇酒，神弛魂飄。不自覺間，緩緩移動左手，輕柔地按在朱若蘭攔在自己腰間的手上，只覺如觸柔荑，滑嫩無比，一時之間，情難自禁，竟用力一握。

只聽朱若蘭輕輕嚶了一聲，投過來嬌柔的一瞥，立時別過頭去。

楊夢寰心頭一凜，神志倏然清醒過來，趕忙鬆手暗自責道：該死，怎麼能這等放肆起來。一陣羞愧，燒得滿臉通紅，低頭望腳尖，不敢抬頭看人一眼。

朱若蘭攔在他腰間的手，並未因夢寰的放肆舉動移開，仍然緊緊地攔扶著他，忽聽趙小蝶嬌脆的聲音，笑道：「你幹嘛低著頭呀，快些抬頭看看，咱們就要進入雲層之中了。」

只覺雲霧拂面，眼前突然一黑，如入濃深夜色之中，伸手難見五指。

但感那拂面水霧，愈來愈濃，片刻間三人衣著盡濕。

靈鶴玄玉竟也動了興致，單找那濃層的雲層中穿飛。

足足有一盞熱茶工夫之久，三人一鶴仍然在濃暗的雲層中穿行。

趙小蝶雖然衣鬟盡濕，但興致卻越來越高，只聽她格格嬌笑之聲不絕於耳，不停地大叫好玩。

楊夢寰心懷愧疚，雖在濃雲隱掩之中，仍然不敢抬頭。

朱若蘭目光本有黑夜辨物之能，濃雲雖暗，仍可看到楊夢寰的神情，立時嬌笑一聲，說道：「是不是想你琳師妹啦，怎麼一直垂首不言呢？」

楊夢寰心知她是借霞琳之名，暗示自己不要把剛才之事，放在心上，心中甚是感激，緩緩抬眼望去，隱隱可見朱若蘭也正向自己投視，不覺感慨叢生，長長嘆息一聲，道：「如果琳妹妹也在這裡，她定會像趙姑娘一樣高興。」

趙小蝶本是大笑大叫，興致正濃，聽得楊夢寰的話後，突然停住了笑聲，道：「你不要發愁好嗎？我一定會想辦法幫你把她找回來，蘭姊姊這靈鶴，飛行這等迅速，千里路程也不過半日之間，只要她在這個世界上，不管是天涯海角，我都要替你找到她的。」

楊夢寰不過是一句感慨之言，根本就未經深思，隨口說了出來，想不到因此使趙小蝶逸興頓消，鶴背上濃雲中，沒有了銀鈴般的嬌笑之聲，一時間，三個人都沉默不言，似乎誰也想不起該說些什麼。

忽然雲開霧散，日光耀目，景物清晰可見，原來巨鶴已飛出了雲層。

趙小蝶輕顰秀眉，似有無限心事，只不過片刻之隔，她由歡樂雀躍的神情，變成沉默、憂慮。

忽聽巨鶴長唳，由高空疾沉而下，頃刻間落著實地。

楊夢寰抬頭望去，看巨鶴落著之處，正是天機石府旁的聳雲峰下。

朱若蘭當先跳下鶴背，笑道：「下來吧！該是吃飯的時候啦。」

趙小蝶幽幽一笑道：「要是剛才咱們由鶴背上摔下來，恐怕現在都已變成鬼了，那就好啦。」

朱若蘭笑道：「傻丫頭，你怎麼老是想死？」

趙小蝶一眨眼，珠淚順腮而下，道：「我想媽媽啦，要是我死了，變成鬼了，不是可以常常的守在她身邊嗎？」

朱若蘭牽住她一隻手，笑道：「別傻想啦，姊姊會像翠姨待我一般疼你，今生今世，都和你守在一起。」她本是微笑而言，但說到最後那句都和你守在一起時，突然傷起心來，話說完，眼眶中竟也湧含著瑩瑩淚水。

楊夢寰只覺心中泛起一種難言情緒，分不出是苦，是甜，剪不斷，理還亂，別有一番滋味，不自覺仰天一聲長嘆。

朱若蘭、趙小蝶已相攜向前走去，聽得他長嘆之聲，突然一齊停止腳步，轉過臉來看他。只見楊夢寰呆站不動，仰臉出神，眼眶中竟也是淚光濡濡。

趙小蝶緩緩掙脫朱若蘭握著的右手，慢步走到他身前問道：「人家和蘭姊姊談話，你嘆的什麼氣，出的什麼神？」

楊夢寰一時之間難解她問話含意，怔了一怔道：「我……我……」他本是感慨自己際遇，爲情所擾，爲情所困，以致被逐出師門，他乃不是一貫謊言之人，但又覺這些話難以出口，我我半天，還是我不出個所以然來。

趙小蝶幽幽一笑，道：「你不要說啦，我和姊姊都不會給你增加煩惱，只管放心好了，快些回去吃飯吧。」楊夢寰心想辯駁幾句，但又覺這些難分是非之事，愈說愈是糊塗，只好苦笑一下，一語不發地向前走去。

三人到達天機石府門外，彭秀葦已開門迎了出來，朱若蘭帶著夢寰，直奔自己臥室之中。

趙小蝶望了夢寰一眼，忽然嗤地一笑，道：「剛才我和你說著玩的，你怎麼能認真呢！」

楊夢寰只覺她一直很快地在變，此刻和在岷江初度和她相遇之時，已經大不相同，她似乎是已懂了很多的事，口齒也逐漸變得刻薄，人也逐漸地成熟，不覺心中有點害怕，微微一笑，道：「什麼事啊？」

趙小蝶道：「你不要騙我，我剛才和你說兩句玩笑之言，現在你還是一臉不悅之色，不要生我的氣啦，我去替你做兩樣小菜吃吧。」

說完話，轉身緩步出室。

朱若蘭望著趙小蝶的背影，消失不見，臉上笑容忽斂，輕輕顰起眉頭，道：「蝶妹妹人已開始變了，不知你看出沒有？」

楊夢寰道：「不錯，尤以今天，情態和往昔更是不同，我發覺她變得使人害怕。」

朱若蘭輕輕嘆息一聲，道：「她變得這樣迅快，實是大出我意料之外，你以後要對她溫和一點，多在她身上用點工夫……」

楊夢寰聽得大吃一驚，道：「什麼？我怎麼能這樣……」

朱若蘭忸怩一笑，道：「你別慌嘛，我的話還沒有說完，我知道，你心裡想到哪裡去了，哼！你呀，你現在盡想些不著邊際的事。」

楊夢寰垂首一嘆，道：「姊姊對我太好了，我覺著慚愧得很，今生今世，也無法報答你相愛情意，剛才我……」忽覺一陣臉熱，訥訥地接不下去。

朱若蘭笑道：「你覺著剛才在鶴背之上很失禮，所以心中慚愧不安，是嗎？」

楊夢寰點點頭，道：「放肆之處，萬望不要放在心上，我不知當時怎麼糊糊塗塗做了出來。」

朱若蘭搖搖頭道：「這件事你千萬不要放在心上，其實，我已早和你肌膚相親，如依女德而論，今生已非你莫嫁，不過，我沒有這種想法，我不信男女之間，除了結成夫婦之外，就沒有別的情愛存在！我要試試看我能不能做到，也許我要失敗，不過，我會盡心盡力去做。」

楊夢寰只聽得心情激亂，長嘆一聲道：「姊姊處處為人設想，所作所為，無一不使人敬佩難忘……」

朱若蘭微微一笑，道：「好啦，好啦，別盡給我高帽子戴，我心裡雖然想得不錯，但能不能做得到，還很難說，不過話我已講出口，總會盡力去做，我的事不必講啦，但蝶妹妹卻是很難處置，她自幼在深山之中長大，除了翠姨和四個婢女之外，很少和人接觸，初見之時，她和琳妹妹頗多相似之處，天真嬌稚，純潔無邪。其實她的生性，卻和琳妹妹大不相同，琳妹妹天性善良，胸無城府，對你用情深厚無比，但她很容易得到滿足，只要你能常常和她廝守一起，她就能很快樂地過一輩子……」

楊夢寰黯然一嘆，道：「像她那樣天使一般的人，我實覺不配和她終身廝守一起。」

朱若蘭道：「你雖然身鑄大恨，但其錯並不在你，我已經三番兩次地警告過你，陶玉生性狡猾，心地險詐，和他交往，難免要吃大虧，可惜你執迷不悟，有一件事，我一直未對人談過，今天不妨告訴你，琳妹妹幾乎把一生清白，斷送在他的手中……」

楊夢寰驚叫一聲：「什麼？」

朱若蘭笑道：「你不要慌，現在琳妹妹仍然是清白女兒之身，她那般善良之人，如若遭逢什麼終身難洗難刷的大憾之事，那真是皇天無眼了。就在陶玉心生邪念之時，我卻不早不晚地趕到，施展『透骨打脈』的手法，傷了他體內經脈，這種手法，異常陰毒，原想他必死無疑，哪知他竟然會養息復元，而且武功也精進了很多，手法怪異，頗似阿爾泰山三音神尼一脈武功。我想他在受傷之後，定然有著什麼奇遇，此人心機深沉，手辣心狠，如果他還活在世上，將來必將造成一次空前絕後的武林浩劫……」話到此處，突然中止，低頭沉思不言。

楊夢寰若有所悟，問道：「怎麼？難道他被姊姊打下萬丈絕壑，還會活在世上不成嗎？」

朱若蘭道：「我雖一掌打斷他膝蓋關節，但掉下絕壑，卻是他自行躍落，一個武功高強之人，極可能運氣控制他墜落的速度。那時，他已看出我動了非殺他不可之心，只有自行躍下絕壑，才有萬死一生的希望，如果那峭壁若有什麼突出松石之類的借力之物，他很可能還沒有死，令人不解的，那絕壑谷地，何以會有一片人血？」

她略一沉吟，又道：「這些事暫時不必管它，我還有足夠的時間，查出他生死之謎。眼下最爲要緊的，還是蝶妹妹的事，你如一個疏忽，造成的悲慘後果，只怕非你所能想像。」

楊夢寰道：「那我只有一死……」

朱若蘭嗤地一笑，道：「好啊！你想了半天，想出來這麼一個好辦法，奇謀高論，當真前無古人，後絕來者，好兄弟，姊姊今天算認識你了，也佩服你了！」

楊夢寰抓著頭說道：「我心中慌急難安，姊姊還有心取笑於我？」

朱若蘭面色突然一冷，道：「男子漢，大丈夫，這等輕賤自己，開口一死，閉口一死，你也不覺著羞見你們楊家九泉下的列祖先宗嗎？」

這兩句話可是說得奇重無比，只罵得楊夢寰心如火燒，滿臉通紅，呆在當地，不知如何接口。

朱若蘭似是自知說得太重，輕伸皓腕拉住他在自己身側坐下，笑道：「你覺著一死百了，事情就算完了嗎？其實你死了，只不過眼不見心不煩而已，把那些切膚碎心的痛苦，留給天真無邪的琳妹妹，和斷臂殘軀的李瑤紅去忍受，是嗎？你要明白，你已傷害了兩顆女孩子的心，今後，必須以你有生之年的情愛去補償對她們的傷害，那才是人應做的事。唉！動不動要死，哪裡還有絲毫丈夫氣概。我當盡我之能，幫助你完成此事！」

楊夢寰目光呆呆地凝注在朱若蘭臉上，道：「姊姊，你……」

朱若蘭笑道：「我怎麼？我也是人，人非草木，孰能無情，我要幫助你，使你揚眉吐氣，成爲一代武學宗師，身受千萬後代武林中人物的敬仰，懷念。使你歡歡樂樂度過一生歲月，但有一個條件，就是一定要聽我的話！」

楊夢寰道：「姊姊這般愛護於我，我如再不聽姊姊的話，那真是……」

朱若蘭嫣然一笑，道：「不要發誓啦，說了就行。現下最爲要緊之事，是先把蝶妹妹穩住，她情竇初開，正是一個人生命旅程最易變化的時候，再加上十幾年長居深山之中，很少和生人接觸，對一切事物，都有一種好奇的衝動，任性、奔放，不易自制，你給她任何些微的刺激，都會使她生出強烈的反應，只有因勢利導，培養她一種女性天賦的嫻靜溫柔。你們兩個人，一定要有一段極長相處時間，在此期間，她還要傳你武功，日日廝守，難免要生情愫，你如一個處置不對，立時便將預伏下慘禍的種子……」

楊夢寰聽得皺起兩條眉頭，道：「那姊姊要我怎麼辦呢？當今之世，她武功無人能及，只有姊姊講的話，她還肯聽，看起來，只有姊姊勸說她了。」

朱若蘭輕輕嘆息一聲，道：「不錯，她是肯聽我的話，但你不知女孩子的心，什麼事都可以勸說得通，只有對情愛二字，無法使她讓步。愈是聰慧不凡之人，愈是難以勸說，她不輕易動情，一旦動情，那就如春蠶作繭自縛。她和琳妹妹是兩個極端不同類型，琳妹妹情博天人，愛著眾生，她一生一世大概不會做出一件傷人之事，你如不肯和她終生廝守，最多不過使她相思成疾，憂鬱而終，苦己一生，於人無害。但蝶妹妹不行，她可以為善，也可以為惡，如果她對你動了真情，縱讓我師父出面，翠姨重生，只怕也難以說得動她。」

「我如正面勸她，不但於事無補，恐怕還會引起她對我的猜忌，一旦造成誤會，勢非形同水火不可。要知她是聰慧絕倫之人，聰明人常被聰明誤。如果一步走錯，必為大惡。陶玉為人雖然狡詐險惡，但他乃天性稟賦，江湖上的經驗閱歷，濟助了他作惡方法、手段，如論才智機變，只怕尚比蝶妹妹遜上幾分，這短短數日以來，她變得異常迅快……」

楊夢寰接道：「那我趕快離開天機石府，不再和她相見，也許會少去一場麻煩？」

朱若蘭笑道：「天涯海角，都無你容身之處，只要你在這個世界上，她都能找得到你。我告訴你一個對付蝶妹妹的辦法，只要肯依照做去，二分天下，決不會分裂成三足鼎立之局。」

楊夢寰笑道：「李瑤紅、琳師妹，我都自覺有辦法對付，可是對趙姑娘實在有點害怕，姊姊能面授安邦妙計，在下這廂先行拜謝了。」說完，站起身子，真的深深一揖。

朱若蘭輕咬櫻唇，微微一笑，道：「嗯！拘謹中偶帶頑皮，瀟灑倜儻，風流不羈，醉人如酒，無怪她們都一個個對你傾心，你要不改這個大毛病，當心以後麻煩永無休止。」

楊夢寰忽然想起，為自己冒險偷盜雪參果的玉簫仙子，不禁呆了一呆。

朱若蘭看著他愣怔神情，如醉如癡，不覺心波微蕩，盈盈一笑，又道：「別發愣了，聽我說吧。」

楊夢寰慌忙收斂心神，凝神靜聽。

朱若蘭突然變換一臉莊肅之色，道：「你和蝶妹妹相處之時，首要對她關顧呵護，無微不至，使她覺著你是當今之世上，最可信托之人。」

楊夢寰急道：「那不是越來越糟嗎？」

朱若蘭道：「我經一日夜的思慮，她的身世際遇，都和平常之人不同，聰明才智，更是超凡絕倫，世上只有她不忍做出之事，沒有她不敢或不能做出之事，你對她呵護愛惜，她反而會爲你設想，情愛昇華，就成了最爲聖潔的友情之愛，不過這界線微妙得很，失之毫厘，錯之千里，你需在呵護之中，表現長兄之風，愛不涉私挑情。我先問問你，你自己面對著一個嬌艷如花，秀色撩人，而又對你纏綿溫存，極盡嬌柔的女孩子，日夕相處一起，有信心能把持得住嗎？」

楊夢寰道：「這個，我如能早有預想，自信尚可持心不亂。」

朱若蘭點點頭道：「一句早有預想，還算有自知之明，就聽你這一句，我也就放心不少，只要你能依我的話做，我再從旁借機相勸，事情就有一大半成功的希望……」

話至此處，倏然而住，輕輕一推夢寰，又道：「蝶妹妹就要來了，咱們廚下看她做菜去吧。」說完，當先起身，向外走去。

楊夢寰隨在朱若蘭身後，一起走入廚下。

趙小蝶已把披肩藍紗取下，束在腰間，手執鍋鏟，正在忙著炒菜，四個白衣小婢，靜靜地站在一側看著，三手羅刹彭秀葦，替她掌爐生火。

朱若蘭蓮步款移，走近爐側笑道：「你忙了半天啦，該休息了，讓我來吧。」

趙小蝶道：「姊姊如有興致，不妨也做兩個拿手菜吧！咱們今天好好地喝點酒。」

朱若蘭道：「你在百花谷中，喝過酒嗎？」

趙小蝶搖頭笑道：「我長了這麼大，就沒有嘗過酒味，今天想試試看，酒味是甜是苦？」

楊夢寰已得朱若蘭面授機宜，微微一笑，道：「酒味不甜不苦，但卻辣得使人入口動心，我看不喝也罷。」

趙小蝶笑道：「常人之言，酒入愁腸易化相思淚，我今天要多喝一點，痛痛快快哭它一場。」

楊夢寰道：「你有什麼愁慮要借酒澆愁？需知以酒澆愁愁更愁，我看還是不喝的好。」

趙小蝶聽他言詞神態，均和往常不同，不禁微微一怔，想不起適當措詞接言，呆在當地。

楊夢寰忽然微微一笑，道：「你說要傳我《歸元秘笈》上面武功，不知此話，現下還算不算數？」

趙小蝶道：「我說過的話，自然要算數，但卻怕你不肯用心去學？」

楊夢寰道：「這等曠世奇緣，我求還求它不到，怎麼會不肯用心學呢？」

趙小蝶望了朱若蘭一眼，盈盈笑道：「上乘內功，最忌分心，如果你心神不專，不但難以練成，且極易走火入魔，萬一你在學習時，想起了沈家妹妹，分散心神，氣遁旁經，凝結成傷，那不是害了你嗎？」

楊夢寰微覺臉上一熱，笑道：「有你在身側守關護法，縱然冒走火入魔之危，我也不怕。」

趙小蝶被他反唇一頂，頓覺羞霞泛臉，只覺楊夢寰陡然之間，變得和過去大不相同，過去對自己冷漠無比，現下卻情意款款，也不知心頭是喜，是怒，是苦，是甜，笑道：「你這人變壞，我不跟你說啦，要學武功那就規規矩矩聽我的話才行。」

楊夢寰笑道：「那是自然，你在授我武功之時，我自然奉之若師，有命必從……」但見四婢和三手羅剎，盡把眼光投注在自己身上，心中大感尷尬，未完之言，再也說不出口，只好一笑而住。

朱若蘭知他一生拘謹慣了，一旦故作輕薄，難免有尷尬之感，趕忙接口笑道：「菜已做好，咱們該吃飯去啦。」丟下鍋鏟拉著趙小蝶當先離去。

楊夢寰不敢再望四婢和三手羅剎，緊隨兩人身後而出。

第二天，楊夢寰果然開始從趙小蝶學習武功，而且處處流露對她關注愛護之情，絕口不提霞琳之事。

轉眼之間，楊夢寰在趙小蝶細心解說之下，已把《歸元秘笈》之上記載的各種口訣，熟記胸中，兩人整日廝守一起，教的心細如髮，學的全神貫注，三個月時間之中，楊夢寰已可背誦《歸元秘笈》錄載的全文。

朱若蘭偶爾也參與兩人之中，聆聽趙小蝶誦解原文，她內功精博，悟性奇高，雖然不常參與學習，但收益並不低於夢寰。

這日，楊夢寰剛剛修畢內功，睜開眼時，已見趙小蝶站在面前，只見她微顰著秀眉，滿臉憂鬱之色，似有著很沉重的心事一般，不禁微微一怔，問道：「你有什麼心事嗎？」

趙小蝶幽幽一嘆，道：「今日開始，你就要正式開始試演各種手法，有很多精奧之學，必須要精深內功來相互配合應用，我算來算去，你只有六、七個月的時間，在這短促數月之中，你縱已學得各種手法要訣，但卻無法使內功的進境能和各種手法配合。縱然身懷奇技，也難發揮作用，如是遇上功力深厚之人，不但難以克敵制勝，反易為對方強勁的內家反震之力所傷，每念及此，我就不禁發愁。我傳你武功，如不能幫助於你，反而害了你，那我不是變成了罪大惡極之人了嗎？」

楊夢寰笑道：「內功一道，必須要循序漸進，豈能一蹴而成，你不是白發愁嗎？愁又有什麼用處？」

趙小蝶緩緩把嬌軀偎入他懷中坐下，道：「你知道我為什麼有在空中飄飄蕩蕩的本事，不借實物就可以停留很久嗎？」

楊夢寰道：「因你已練成世無其匹的『大般若玄功』，能把真氣運轉體內各處經脈，閉不呼吸，故而體重消減，再稍一借用外力，就可游蕩空中，不落實地了，你可是要來考我嗎？」

趙小蝶口中嗯了一聲，慢慢地把粉頰貼偎在他前胸之上，仰臉笑道：「你只猜對了一半，『大般若玄功』練到精純之處，固可達到我現下這種境界，但那非要三十年以上的時間不可，可是我還不到二十歲呀！」

楊夢寰輕輕拂著她秀髮，笑道：「十六、七歲的小女孩子，就有這般成就，等你過了二十歲，那還得了……」

趙小蝶道：「人家跟你談正經事，誰和你說笑話。」

楊夢寰微微一笑，道：「說吧！我洗耳恭聽就是。」

這數月來兩人常常廝守一起，趙小蝶早已情若潰堤江河，難遏難止，但夢寰卻始終對她保持著一個界線，呵護惜愛之中，流露著長兄的風度，愛不及亂，情不越線。

趙小蝶緩緩閉上眼睛，把一個纖巧玲瓏的嬌軀盡皆偎入夢寰懷中，聲音中微帶著顫抖說道：「我雖然想到了一個幫助你內功速成猛進的方法，但我卻害怕得很！」

楊夢寰聽得微微一怔，道：「如果真有危險，那就不如還是讓我緩緩進修的好，內功一道，不是急得來的事情，縱有良師益友，盡心盡力相助，也難飛越猛進。」

趙小蝶緊閉雙目之中緩緩流出淚水，道：「我想一個女孩子，本領再大也沒有什麼用，要是我能把一身本領，盡傳給你，自己變得和毫無本領的平常女人一般，那就好啦。」

楊夢寰奇道：「你怎麼老說些不著邊際的事呢，要你真的變成了毫無武功的人，只怕又急著要恢復武功，大感後悔了……」

趙小蝶突然睜開眼睛，臉色十分堅決地搖著頭道：「不！我決不會後悔，我要守在閨房之中和一般女人一樣，繡花、做飯、洗衣服，那才是我們女人應做之事。」

楊夢寰笑道：「不要亂想啦……快……」

趙小蝶急道：「我決不是亂想，不知爲什麼，我已經沒有了雄心大志，和人爭霸武林，逐鹿江湖，只想能安安靜靜地住在家中，做起針線女紅之事，最好連幫我的門下婢女，一個不要，什麼事，都由我親手去做！」

楊夢寰笑道：「像你這般嬌弱之人，如非身負上乘內功，要做那麼多事，累也要累壞了。」

趙小蝶道：「我不怕累，越累我心裡越快樂！唉！但我今生怕沒有福氣累啦！」

楊夢寰聽她說來甚是認真，心中覺著好笑，但卻又不便笑出聲來，趕忙扭轉話題，說道：

「你說有辦法使我內功速成猛進，不知道是什麼辦法？」

趙小蝶道：「你的任、督二脈尚未打通，如想達到我現下的境界，還有一段甚爲遙長距離，這並非我功力精進到能在空中游走的程度，而是父親替我安排服下那萬年火龜的內丹，也許你能在今年中秋英雄大會上，和李滄瀾一較神力，現在只有一個法子，能使你在短時間內功猛進速成了。」楊夢寰聽她言詞懇切，滿臉誠摯之色，不忍拂她心意，只好追問道：「什麼法子，能使我內功有超越時限的成就？」

趙小蝶偎在楊夢寰的嬌軀，忽然顫動了一下，似是陡然間想到了一件什麼驚悸可怖之事，一抹恐懼之色，掠過她嬌艷的雙頰，但只一瞬間，立刻消失，重現出柔甜神態，笑道：「我想到這件事，心裡非常害怕，不過，再想到這件事對你的幫助，心裡就又高興起來。」

楊夢寰道：「究竟是什麼事？怎麼想起來就害怕？」

趙小蝶盈盈一笑，道：「這件事啊，就是蘭姊姊想起來，也難免要心中害怕。」

楊夢寰恍有所悟，道：「是啦！你要耗消本身真氣，幫我打通奇經八脈，助我內功早成是不是？」

趙小蝶道：「要是這麼簡單，有什麼可怕呢？」

楊夢寰一皺兩條眉頭，道：「那就叫人想不明白了。」

趙小蝶笑道：「別想啦！我告訴你吧！我服用了萬年火龜內丹，全身的血液都和別人不同，如我能把本身之血，灌輸在你的身上，再由我和蘭姊姊用本身真氣助你，六個月的時間，你的成就將超過十年以上的面壁清修，待你的內功精進到一定限度之時，我再用本身功力，助你打通任、督二脈，那你就成了當今武林中武功最高的人了。」

楊夢寰聽得怔了一怔，道：「這怎麼行，你別胡思亂想了。」

趙小蝶笑道：「我想到就非要做到不可。」

楊夢寰看她柔婉的神情之中透著十分堅決之色，知非善言能夠勸解，當下故意一沉臉色，怒道：「女孩子家這等固執，想到什麼，就要辦到什麼，那還得了！我想還是早些和你離開好……」用力一推趙小蝶偎在懷中嬌軀，大踏步向外走去。

趙小蝶呆了一呆，一縱身攔住室門道：「我是為你好啊！難道我說錯了嗎？」

楊夢寰看她神情憂傷，滿臉愁苦之容，知已得計，輕輕地哼了一聲，道：「像你這般任性之人，什麼事都不肯接受別人意思，如咱們常常相處一起，一旦有什麼爭吵之事，鬧得不歡而散，難免各走極端，與其日後鬧出事情，還不如現在離開好些。」

趙小蝶微一沉吟，緩緩閉上眼睛，兩行晶瑩淚水，順腮而下，櫻口微啓，笑容如花，慢慢地走近夢寰，把粉臉貼在他胸前，說道：「不要生氣了嘛！我再不敢啦！以後，什麼事都讓你決定還不行嗎？」

楊夢寰只聽得心頭大吃一驚，暗道：糟糕，聽她言詞含意，大有和我常相廝守之心，如果這次弄巧成拙，留給她什麼藉口，那可是得不償失之事。正在忖思之間，突聞朱若蘭嬌笑之聲傳來，聞聲動心，突然想到了十幾天已未和朱若蘭見過面，不知她這十幾天來，是否還留在天機石府。

趙小蝶抬起頭來，隨手抹去臉上淚痕，笑道：「蘭姊姊回來啦！」

餘音未絕，朱若蘭已含笑而入，笑道：「回來啦！你這幾天和他吵架沒有？」

趙小蝶毫無避忌之心，仍然偎倚在夢寰身側，答道：「架是沒有吵，但卻害他生了氣啦！」

朱若蘭望著兩人神情，忍不住微微一笑道：「別生閒氣啦，快些傳授他武功吧！現下九大門派，已經互通聲息，端陽節聚會武當山，商討對付天龍幫邀請比劍之事，這次的比劍，已失去切磋武學之意，釁端既起，勢非造成生死火拚之局不可。崑崙、峨嵋、雪山、點蒼、華山五派中主要人物，自參與了這次括蒼山《歸元秘笈》爭奪搏殺之後，大概已對天龍幫實力有了新的估計，五派聯手，仍難擋得住天龍幫的鋒銳，是促成這次武林九大門派聚會的重要原因，屈指算來，距那黔北英雄大會時間，只餘下五、六個月了，時間無多，寸陰如金，還不用心學武功，哪裡有心情生閒氣？」

楊夢寰道：「我哪裡生氣了！」

趙小蝶頻展黛眉，滿臉愁容說道：「姊姊，時間如此急迫，如何能使他功力在數月之間，大有精進呢？手法、身法，我們可以加速相授於他，由姊姊和我輪流出手和他拆招傳授，或可使他在數月中有所成就。但內功卻是無法趕急之事，必需要循序漸進，半點也取巧不得，怎麼辦呢？」

朱若蘭嗤地一笑，道：「還有什麼法子，咱們只有傳他多少是多少，不過，他如能貫注心神學習，雖只有數月時間，亦將有極大的成就，足可和九大門中高人，天龍幫的五旗壇主抗衡。」

趙小蝶沉忖一陣道：「本來有一個使他內功猛進速成的辦法，可是他卻不肯聽我的話，剛才就是因爲這件事惹他生氣呢！」朱若蘭看她偎在夢寰身側，滿臉溫柔，無限深情，心中暗感凜駭，不禁微微一皺眉頭。

趙小蝶敏感的盈盈一笑，道：「姊姊，你覺得奇怪嗎？」

朱若蘭接道：「是啊！姊姊還未聽人言過，內功一道，也可猛進速成，難道妹妹身懷有什麼靈丹妙藥不成？」

趙小蝶輕輕啊了一聲，道：「原來姊姊想的是這件事！」

朱若蘭道：「有什麼法子快些說呀！別讓我心裡著急啦。」

趙小蝶道：「姊姊看到我身子能在空中游走，想來你定然很感驚奇了？」

朱若蘭道：「你任、督二脈已通，內力無窮無盡，閉氣也較別人時間長久，在空中游走，也不算什麼難事。」

趙小蝶搖搖頭道：「『大般若玄功』如能到爐火純青之境，在空中游走，原不算什麼難事，但我眼下還沒這種火侯，所以能在空中游走，那是服用那萬年火龜內丹之功，當時我也不知道，可是近來我已感覺身體之中有了變化，只要微微一提真氣，全身血液立時向上沖集，身子便躍躍欲飛。所以我想，我身上的血液定和別人不同，如若想個辦法，把我身上血液灌輸到他身上，也許可使他內功在短期內能有大成。」

朱若蘭聽得呆了一呆，道：「這個我倒還沒有聽人說過，事情沒有把握，豈可胡亂動手，如果有了差錯，不但害了你，而且也害了他。」

趙小蝶道：「差錯決不會出，不過能不能有助於他，我就不知啦。」

朱若蘭輕輕嘆息一聲，道：「別胡思亂想啦，咱們加緊傳他武功要緊。」

四五 禍胎隱伏

匆匆歲月，流水年華，楊夢寰在二女輪替細心指導之下，武功大進，趙小蝶更是不惜耗消內力，經常以本身真氣，助他暢通運氣難達的經道脈穴，雖只數月時間，但楊夢寰的成就收獲，卻超逾了時限數倍。

這日，朱若蘭授楊夢寰武功之後道：「這幾個月來，你對各種身法、手法，都有了相當的成就，雖距爐火純青的程度尚遠，但已大都可運用剋敵，這《歸元秘笈》上記載的武功，無一不是千百年的武學精粹，博及各門各派，但卻沒有一套完整的拳法、劍法，臨敵動手，全憑機智果斷，運用剋敵。據我這幾日和你動手情形而論，你已能靈活運用，只要再有兩、三個月的時間，你就可以漸人入純熟之境，可是現下已是七月下旬，距中秋大會，只餘下二十餘天時間。你必須在大會之前，趕到黔北，本來我想在會前兩天，用靈鶴玄玉送你，但我現下，又想改變主意，讓你單人匹馬，提前趕去……」

楊夢寰道：「不知姊姊要我何時動身？」

朱若蘭微一沉思，道：「越早越好，今天能走，今天就走。」說話時，臉色莊肅，秀眉微蹙，嚴肅中微現憂慮之色。

楊夢寰略一沉吟，道：「好！我就去收拾一下，立刻下山。」

他轉身走了幾步，突然回過頭，道：「姊姊，咱們今日一別，以後不知還有沒有相見之日？」

朱若蘭道：「王寒湘自詡精通八卦九宮河洛神算之術，想那黔北天龍幫總壇之地，定有著布置，我本想把五行奇術及神算之學傳授於你，但因時間有限，我不敢再分散你學習武功的精力……」

她緩緩探手入懷，摸出一本五寸見方的小冊子，又道：「我已把五行生剋、八卦變化、九宮易位等學，盡都記在這本小冊子上面，這雖也是《歸元秘笈》上記載的學問，但我已下過了一番工夫，就是蝶妹妹，在這方面，也難超過我，只要你能用心研讀，縱然不能在這次英雄大會派上用場，日後在這方面，亦會有相當成就。這冊子最後兩頁，我畫有一個陣圖，那就是天機真人和三音神尼兩位老前輩法身停放之處，布成的反五行奇門陣式，我雖不敢說當今之世，沒有第二個人能夠知道此陣奧妙，但是知道的決不會多，你如能把它參悟透澈，日後用處極大，只要隨手插下幾根松枝竹竿，就可使江湖上第一流高人，束手無策，難越雷池一步。但如自認已把它熟記胸中之後，就把這本冊子用火燒去……」

楊夢寰伸手接過，黯然說道：「姊姊盛情，我當永銘肺腑不忘，但不知今日之別，是不是咱們最後的一面？」

朱若蘭微微一笑，道：「你心中可是當真還想見我嗎？」

楊夢寰道：「姊姊乃下謫人間的仙子，我……」

朱若蘭搖搖頭截住了楊夢寰的話題，道：「我也是人，不過，我稍微想得開點罷了。你快去收拾東西，即向蝶妹妹辭行，話如說出口，那就必需堅持，但神色言詞之間，不妨儘量婉轉、和藹。要知相距那英雄大會時間愈近，她愈難控制住奔放的熱情。你現陡然間提出離開天機石府之事，定在她意料之外……」

楊夢寰嘆口氣接道：「謝謝姊姊教言，我明白了。」

朱若蘭笑道：「明白了就好，快些去吧。」

楊夢寰轉身疾奔回天機石府，直闖趙小蝶的房中。

趙小蝶正坐在石墩上，呆呆出神，緊繃著兩道秀眉，不知在想什麼，楊夢寰還未開口，她已搶先說道：「你來得正好，快些坐過來，我正想著一件為難的事，不知該如何決定才好？」說著話，身子向旁側移動了一下，手拍著空出來的石墩，示意夢寰坐下。

趙小蝶道：「這幾個月來，咱們朝夕廝守一起，我心裡很快樂。」

楊夢寰道：「我也很高興。」

趙小蝶道：「可是有人心裡很痛苦，你知道嗎？」

楊夢寰微微一怔，道：「誰？」

趙小蝶道：「沈家姊姊，我想她日夜都在想著你，唉！我過去不知道，可是現在我已經明白啦！」

楊夢寰輕輕嘆息一聲，道：「她是個很善良的人。」

趙小蝶道：「所以，我想到我們應該去找她，把她接到天機石府中來。」

楊夢寰微一沉忖，道：「英雄大會時限即屆，我必需早日趕去，你和蘭姊姊辛辛苦苦，傳了我很多武功；如果不能在英雄大會上一顯身手，實在有負你和蘭姊姊的盛情了。」

趙小蝶目光投注在楊夢寰的臉上，緩緩問道：「那麼，你幾時走呢？」

楊夢寰道：「我想眼下立時動身。」

趙小蝶道：「爲什麼這般急呢？」

楊夢寰道：「我雖被掌門師叔逐出門牆，但我尚未報師門授藝之恩，是以，這次英雄大會，仍以崑崙派門下弟子身分參加。是故，必需早些動身，我找著師父、師叔一同前去。」

趙小蝶道：「你要離開之事，可對蘭姊姊說過嗎？」

楊夢寰猶豫了一陣，道：「我們一起去對蘭姊姊說吧。」

趙小蝶緩緩起身，牽住夢寰的手，一起向朱若蘭房中走去。

她這數月以來，對夢寰諸般親熱的舉動，早已不避忌四婢和三手羅剎等人的耳目。朱若蘭似是預知兩人要來一般，含笑等在門口。

趙小蝶道：「姊姊，他突然對我說，要去參加英雄大會，而且立刻就要啓程，我作不得主，只有來問姊姊了。」

朱若蘭微一沉吟，還未來得及開口，楊夢寰已搶先說道：「我雖已被掌門逐出門牆，但還未報謝師門之恩，故而想提早三日離此，尋得師父、師叔，求他們允准我以崑崙門下弟子身分，參加九大門派和天龍幫比劍大會，以爲師門稍效微勞。」

朱若蘭道：「武林之中，最重師道一倫，你既有這等用心，我們也不便相阻，不知你何時啓程？」

楊夢寰道：「我心惦師門安危，恨不得插翅飛往黔北，我想立刻就走。」

朱若蘭道：「我本應以靈鶴玄玉送你一程，但你們崑崙派對我和蝶妹妹懷恨甚深，你此去既是酬報師門之恩，恕我不便以玄玉相送了。」

聽她言詞之間，似對崑崙派懷有敵意，但楊夢寰心中卻很明白，這是她故找的藉口，當下對兩人深深一揖，道：「半年多來，承蒙兩位相授武功，楊夢寰感激至深，咱們青山不改，綠水長流，今日一別，只待異日有緣再會了。」霍然轉身，大踏步向外走去。

朱若蘭似是突然間想到一件事情，高聲喊道：「楊相公暫請留步片刻，你還有一件東西忘記帶了。」說完，翻身奔入臥室。

楊夢寰停下腳步，等候了片刻工夫，只見朱若蘭手中託著尺許見方的小盒子走來，交在夢寰手中笑道：「還你們的東西。」

楊夢寰接在手中掂了一掂，覺出分量甚輕，不禁問道：「這小木盒裝的什麼，怎麼會是我的東西呢？」

朱若蘭笑道：「這木盒之中，就是你的師叔慧真子得到的墨鱗鐵甲蛇皮，我已把它做成了兩件背心，你穿在身上，也許會有些幫助。」

楊夢寰道：「謝謝姊姊厚賜……」轉眼見趙小蝶滿眼淚水，一臉戀戀不捨之色，當下一挺胸，轉身向前走去。

走了幾步，忽然又覺著不對，重又回身對趙小蝶道：「蝶妹妹好自保重，我要走了。」

趙小蝶淒涼一笑，幽幽說道：「我已說過了，什麼事都由你決定，我聽你的話就是。」

楊夢寰輕輕嘆息一聲，轉過身子，向前走去。

趙小蝶緩步跟在他身後，出了天機石府，站在一座高岩之上，望著楊夢寰背影，黯然淚下，但她卻始終忍住心酸，未叫夢寰。

楊夢寰倒是頗有英雄氣概，大踏步直向前走，頭也未回過一次。

山風吹飄著趙小蝶的衣袂，和她披在肩上的藍紗，一滴滴離愁淚水，順著她粉腮淌下……

她期望楊夢寰停下身子回過頭望她一眼，哪怕是匆匆一瞥也好，但她卻失望了，那英俊的背影，逐漸遠去，直到消失，都沒有回頭張望過一次。

終於，她無法再控制那幽傷的愁懷，坐在大岩石上，嗚嗚咽咽地哭了起來，不知過去了多少時間。

突然，由她身側響起一聲輕輕的嘆息，道：「蝶妹妹！天色已經不早了，該回去吃晚飯了……」

趙小蝶轉頭望去，只見朱若蘭身著羅衣，肩披輕紗，滿臉惜憐地站在身旁。

她似陡然遇到親人一般，撲入朱若蘭懷中哭道：「他竟是那般鐵石心腸之人，連回頭望我一眼也不肯，難道他這幾個月和我相處，都是裝扮的虛情假意不成。」朱若蘭緩伸玉臂，把她緊抱懷中，說道：「快不要亂想，他決不是無情忘恩負義之人，他不肯回頭相望，無非是怕徒增離愁，也許他怕妹妹看到他傷感情……」

趙小蝶輕輕嗯了一聲，道：「也許姊姊說得對！」

朱若蘭忽然發聲一陣格格嬌笑，道：「蝶妹妹，你看姊姊是不是也很喜歡他呢？」

趙小蝶怔了一怔，道：「我想姊姊也喜歡他，可是，我卻沒有姊姊的寬大胸襟，才這般兒女情長……」

朱若蘭道：「咱們女孩子家天性、情感，總是比男人家來得纏綿，姊姊今天不妨老實對你說，我對他眷戀之情，比妹妹只深不淺，但我經過了這幾個月的深思熟慮之後，才算把這件事想明白，如若咱們真心愛他，就不該增加他的煩惱。妹妹，世俗女兒之見，都認爲和青年男子相處日久，情愫已生，非得以身相許不可，而且心堅鐵石，非郎不嫁，因此一念，不知爲人世間造成了多少悲慘下場。眼下楊郎處境，十分爲難，沈家妹子，她若不能和他終身相伴，決是難以獨活，李瑤紅已和他有了夫婦之實，如果我們再捲入漩渦，想想看，那是個什麼結局……」

她微微一頓後，又道：「妹妹聰慧絕倫，定可洞悉姊姊苦心，如果不棄嫌於我，姊姊願和你終身相守在一起……」

趙小蝶幽幽嘆息一聲，說道：「姊姊，我知道你愛護我的一番苦心，只怕我沒有姊姊那等胸懷，但我將盡心力一試。」

朱若蘭緊握著趙小蝶一隻手，笑道：「咱們牽著手跳下這大岩石，看看你能不能帶我在空中停留？」

趙小蝶淒涼一笑，道：「我心中正在傷痛之時，如若一下提不住真氣，摔了下去，姊姊要被我拖著摔死了，怎麼辦呢？」

朱若蘭用力一拉趙小蝶，從大岩石上躍下，笑道：「不要緊，當真摔死，也可免去很多煩惱！」

但見輕絹藍紗在山風中飄飄飛舞，兩個絕世玉人，牽著手由空中緩緩而降，原來朱若蘭借著身披輕紗的拂風之力，使降落之勢自然緩慢了許多。

兩人落入谷底之後，趙小蝶才輕輕嘆息一聲，道：「姊姊的輕身功夫，已達爐火純青之境，如能安下心修習『大般若玄功』，三年內當可打通任、督二脈。」

朱若蘭微微一笑，道：「咱們情如姊妹，姊姊的輕身功夫，我想妹妹也不致笑話於我。」

趙小蝶微微一怔，道：「什麼話，儘管請說，縱然傷損到我，我也是不敢忌恨姊姊的。」

朱若蘭道：「那倒不是，這幾年來，我心中一直想著一件難決之事，我想以身相試，別走旁徑，別闢一道習練武功之路，可惜沒有人和我相研相商，互為印證，致有很多疑難，無法思解透徹。妹妹已得《歸元秘笈》上全部記載之學，放眼當今江湖，再無人能與你抗衡，如肯相助於我，或能使我心願得償。」

趙小蝶道：「姊姊聰明無倫，才智卓絕，要超出常人不知多少倍，你胸襟氣度，更非常人能及萬一，如果有此宏願，定能為武林放一異彩，但有需我之處，定當全力以赴。」

朱若蘭道：「那很好，妹妹肯相助於我，使我信心增強不少，今宵我就把數年來索想記載之事，提出和妹妹研商修改，如果可行，咱們就不妨一試。」說話之間，已到天機石府，三手羅剎彭秀葦帶著神鷹陳葆、松芸，和四婢恭迎出天機石府，一一恭身參見。

趙小蝶幾個月來，一直陶醉在情愛之中，從未留心到四婢舉動，現下留神一看，不但覺到她們長大了許多，而且個個都文雅有禮，和在百花谷中之時，大不相同，不禁微生驚異。

朱若蘭笑道：「蝶妹妹，等咱們最後一件心事完了，帶著這幾個人，和靈鶴玄玉，闢一處世外桃源，乘鶴遨遊九州，傲嘯山水之間，那才是真正的賞心樂事。」

趙小蝶似被朱若蘭幾句話，觸動心志，秀眉一聳，盡掃臉上愁容，笑道：「咱們收養很多很多的無父無母的孤苦女孩子，傳授她們武功，姊姊做女皇帝，我做宰相，組織一個女兒國，那地方不准男人擅入一步，不管有心無心，只要進了咱們禁地，就把他殺了餵狼。」

朱若蘭聽她說得認真，忍不住噗地一笑，道：「如果咱們住的地方沒有狼呢？」

趙小蝶笑道：「那就把他殺了餵烏鴉好啦！男人的心又苦又黑，除了野狼之外，也只有烏鴉吃了，別的鳥兒，也決不會吃它。」

兩人言笑，大罵男人，聽得站在一側的神鷹陳葆滿臉通紅，進退不是。

松芸看到他尷尬之態，忍不住噗地笑道：「公主如要組織女兒國，咱們先拿陳葆開刀好啦。」

趙小蝶笑道：「世上只有兩個男人，可以例外，一個是我爹爹，一個是陳葆。」

陳葆雖知她說的話，未必就真要去做，但因他來自禁宮之中，養成了對主人拘謹的禮儀，當下深深一揖，道：「老奴拜謝兩位姑娘格外施恩。」

趙小蝶秀眉一揚，突然轉臉對朱若蘭道：「姊姊，咱們真的要組織女兒國，我想那定是一件很好玩的事……」

朱若蘭接道：「這件事咱們慢慢談吧，來日方長，何必急在一時呢？」拉著趙小蝶的皓腕，向天機石府中走去。

再說楊夢寰離開聳雲岩天機石府後，一口氣走出了十四、五里路才停住身子，回頭望著聳雲岩，說不出心中是什麼滋味，半年多來和趙小蝶日夕厮守相處，不知不覺間情愫已生，一旦分開，亦不覺惆悵若失。

正當他凝望沉思之際，忽聞身後響起一聲幽幽嘆息，道：「你真的竟然未死？」

楊夢寰聞聲警覺，霍然回身，定神一看，不禁心頭一跳，呆了半晌，說道：「玉簫仙子？

你怎麼變了……」忽然覺出此話問得不對，趕忙停口不言。

玉簫仙子嬌笑一聲，道：「不錯，是我，你只要還活在世上，天涯海角，我都能找到你，怎麼？你問我為什麼改了服飾是嗎？」

楊夢寰黯然嘆道：「不要說啦，峨嵋山萬佛頂承你相助，我心中非常感激，但望你能不再糾纏於我，楊夢寰願以三種奇奧的武學手法相授，報答你一番恩情。」

玉簫仙子淡淡一笑，道：「如果我幫助你算是一番恩情，那也是我願意施捨，還報倒不敢當，但卻有一件事相求，不知你能不能答應。」

楊夢寰微一沉付，道：「什麼事且請說出，讓我斟酌斟酌，只要我能力所及，決不推諉就是。」

玉簫仙子笑道：「說起來並不是什麼為難之事，我心裡很明白，今生今世，永不能和你常處一起，你已有好幾位如花似玉的少女常伴身側，哪還會想得到我這個惡名四播的老太婆呢？」

楊夢寰嘆道：「這些事咱們最好別談，你有什麼要我相助於你，快請吩咐，我還有要事得趕往黔北。」

玉簫仙子放聲一陣格格大笑，道：「兄弟，你猜錯了，我沒有事情要你相助，我是求你答應我，讓我再幫你一次。」

楊夢寰道：「盛情心領，我看不必了吧？」說完話，轉身欲去。

玉簫仙子冷笑一聲，道：「站住，你到黔北，可是參與天龍幫邀請武林九大門派的比劍大會？」

楊夢寰回頭冷冷接道：「不錯，你要怎麼樣？」

玉簫仙子笑道：「你兇什麼？天龍幫總壇遠在黔北，距此遙遙千里，你如沒有我同行帶路，只怕找上兩個月也找不到！」

楊夢寰聽得微微一怔，心中暗自忖道：這話倒是不錯，像我這般極少江湖閱歷之人，對江湖上各種鬼謀暗計，均難辨認，眼下相距比劍之期，只不過半月時間，如果一找近月，錯過會期，那可是極大的遺憾之事。想到為難之處，不覺沉吟難答。

玉簫仙子微微一笑，道：「天下武林中人，雖都知天龍幫總壇設在黔北，但在黔北什麼地方，只怕很少有人知道，我如不帶你去，想找到天龍幫的總壇，決非容易之事……」

楊夢寰冷然接道：「那你又怎麼會知道呢？」

玉簫仙子道：「我怎麼不知道，當今江湖道上人物，有誰不對姊姊存幾分敬畏之心，但我在你的眼下，卻竟是一文不值，不過，這都是自取之辱，不說也罷。」

楊夢寰皺皺眉頭，道：「這麼說來，那天龍幫總壇所在之處，定然是十分隱密的了。」

玉簫仙子笑道：「昔年天龍幫想請我加盟，到處找我，雖被我婉言謝絕，但我卻暗中潛入了天龍幫總壇，查看他們的布設，不但地方隱密，而且險阻重重。如沒有我替你帶路，你就別想找得到人家總壇所在。」

楊夢寰微一沉忖，道：「你眼下如無要緊之事，就煩請送我一程，但我楊夢寰決不白受……」

玉簫仙子笑道：「你如有興致遨遊天下，我亦會奉陪你遍走天涯海角，眼下九大門派中，都已陸續趕赴天龍幫黔北總壇，咱們要去，立刻就要動身。」

楊夢寰仰天長長吐了一口氣，道：「走吧！」那一聲長嘆，似乎吐盡他心中的情愁煩惱，豪氣頓生，昂首闊步，向前走去。

玉簫仙子的輕功，在江湖上極負盛譽，楊夢寰自經「天機石府」數月精修之後，內功已大有進境，輕身飛行之術，較往昔已不可同日而語，兩人一放開腳程趕路，直似怒馬狂奔一般，待天色黃昏時分，已出了括蒼山境。

江南七月，炎暑猶存，秋陽似火，酷熱炙人，兩人雖然有著一身武功，但日夜不停地奔行趕路，亦常常跑得滿身大汗。

這日，進了黔北地界，玉簫仙子遙指前面起伏的山頂，說道：「咱們再往前走上五、六十里，就進入了天龍幫的總壇禁地，依據往例，一踏進他們禁地，立時將受到攔截，這次李滄瀾邀九大門派比劍，乃數百年江湖最爲豪壯之事，依我推想，他們不致再有什麼暗算……」

話至此處，突聞蹄聲得得，縱身後急奔而來，兩人回頭望去，只見四匹長程健馬，並轡疾馳而來，眨眼之間，已到兩人身邊。

當先一個四旬左右的中年大漢，突然一收馬韁，停住急奔之馬，打量了兩人一眼，抱拳笑道：「借問一聲，兩位可是參加英雄大會的嗎？」

玉簫仙子笑道：「不錯，怎麼樣？」

中年大漢道：「不知兩位屬於九大門派哪一門下？」

楊夢寰道：「在下乃崑崙門下弟子楊夢寰，這位姑娘是玉簫仙子，幾位可是天龍幫中的舵主嗎？」

中年大漢笑道：「巡邏小卒，不敢對兩位通名報姓，如不見疑，請兩位即刻上馬……」

玉簫仙子冷笑一聲，道：「上馬不難，你要把我們送到什麼地方？」

中年大漢笑道：「姑娘但請放心，敝幫爲迎接高人，已在各處入山要區，設下驛站，專司接待參加英雄大會的九大門派中英雄。在下職司此路，不敢有慢，兩位如信得過，但請上馬就是。」

玉簫仙子素知天龍幫中戒規森嚴，對方如不肯說，再問也是枉然。側臉望了夢寰一眼，微笑不言。

楊夢寰看四個大漢之中，已有兩人下了坐馬，控轡相待，略一沉忖，道：「既承接待，卻之不恭，我恭敬不如從命了。」說完，雙足微一用力，凌空而起，懸空一個翻身，人已坐在馬上。

中年大漢一抖轡繩，笑道：「這位姑娘請上馬吧，在下先走一步，替兩位帶路。」話出口，已放馬向前奔去。

玉簫仙子肩頭一晃，躍上馬背，接過馬轡放馬追去。

楊夢寰回頭看去，只見另一個騎馬大漢，控馬不動，和另兩個大漢，靜靜地站在原地，不知是何用心？

玉簫仙子故意把坐馬轡繩一收，和夢寰並肩而行，笑道：「兄弟，你看出來這幾個人的用心沒有？」

楊夢寰搖搖頭，道：「怎麼，難道他們還有什麼鬼謀暗算不成？」

玉簫仙子笑道：「下手暗算，他們倒未必敢，不過，他們用心的陰險，只怕要比下手暗算更叫人難以防備。兄弟，今天我要不帶你來，只怕難以逃得這一劫。」
楊夢寰怔了一怔，問道：「怎麼？他要把我引入絕地，然後下手，是不是？」
玉簫仙子道：「用什麼樣方法對付我們，我此刻也難想得出來，不過，我自信他們那些鬼魅伎倆，決瞞不過我一雙眼睛。」
楊夢寰突然一揚雙眉，道：「果真如此，也使我多長一點見識。」
一加襠勁，胯下健馬，忽地加快速度，向前追去。
三匹健馬如飛，不大工夫，已跑出了十幾里路，到一處高峰下面。
那中年大漢一勒馬韁，回頭對兩人笑道：「穿過這一道山谷，就是入山驛站，屆時就另有人接待兩位。」說完話，一提韁繩，直向兩座山壁夾峙的一道山谷中馳去。
楊夢寰抬頭打量山谷形勢一眼，不禁微生戒心。
原來這道山谷地形十分險惡，兩面峭壁矗立，光滑如鏡，谷道亦只有三尺寬窄，如若兩側峰上埋伏有人，用滾石、擂石打下，縱然是武功高強，也是難以躲避得開。
但聞玉簫仙子嬌笑一聲，道：「兄弟留心。」縱馬當先，緊隨那中年大漢身後，衝入山谷。
楊夢寰一見玉簫仙子縱馬入谷，不再猶豫，放馬追去。
三騎馬均放轡疾奔，快如流星。玉簫仙子早已暗中戒備，緊隨在那大漢身後，只要一有警兆，立時出手把對方生擒活捉，以做人質。
那中年漢子，似已覺出兩人暗作戒備，立時微收韁繩，放緩馬勢，和玉簫仙子並騎而走。

又走約二、三里路，山谷逐漸開闊，但兩邊峭壁卻是愈來愈高，越來越險。

楊夢寰目睹谷道漸寬，心中反而安定了許多，忖道：眼下兩面峭壁相距足有兩、三丈闊，就算中人埋伏，亦可閃避得……正自心念轉動，忽聽那中年大漢哈哈大笑，道：「前面有一段路，因被山泉沖壞，略顯泥濘，我先前一步，替兩位帶路。」口中說著話，人已一抖韁，疾向前面衝去。

玉簫仙子冷笑一聲，道：「不敢有勞，還是走在一起的好！」縱馬追了上去。

楊夢寰看兩騎突然加快，立時放馬疾追，三匹馬首尾銜接，相隔也就不過是兩、三尺的距離。

哪知疾奔了一陣之後，玉簫仙子和楊夢寰的坐馬，逐漸地慢了下來，而那中年大漢的坐馬，卻是愈跑愈快，一眨眼間，兩匹馬已被那大漢拋下了一丈多遠。

玉簫仙子忽然若有所悟地說道：「兄弟快追他，咱們中了他們鬼計啦。」

快馬急奔，去勢是何等迅快，玉簫仙子說了兩句話，又多落了丈餘距離。

但見那中年大漢坐馬越跑越快，兩人坐騎卻是愈來愈是不行，玉簫仙子心中大急，暗中一提真氣，正待躍下馬背，施展輕功身法追趕，忽見那中年大漢的坐馬，突然緩了下來。

這時，雙方相距已有了七、八丈的距離，二人見那中年大漢疾馳的去勢，又緩慢了下來，慌忙抖韁催馬，襠下加力，又向前衝去。

兩人胯下坐騎，雖都是長程健馬，但經過一陣奮力衝奔，早已嗚嘶氣喘，身上汗珠滾滾，顯然已用盡餘力。

玉簫仙子，久涉江湖，閱歷極爲豐富，江湖上一些鬼魅伎倆，實難瞞得過她，這時見坐馬行速漸慢，不由大爲疑惑，暗道：莫非他們在這匹馬上，做了手腳嗎？心念一轉，回頭對楊夢寰說道：「兄弟，你可覺著這馬有點奇怪嗎？咱們趕緊查查看，不要著了道兒，被人家作弄上一番，那可是大大丟臉之事。」

楊夢寰聽得玉簫仙子一說，立時俯首查看，觸目間，頓使他心中大生驚訝。

原來這道山谷，看來寬闊平坦，綠草油油，但馬蹄奔馳在上面，卻如踏在棉絮之上一般，是以馬匹奔行上面無法著力，楊夢寰心中正在狐疑之際，猛聽到前面那中年大漢，一陣冷笑，立馬停在原處。

楊夢寰用力一提韁繩，縱馬追上玉簫仙子，正待相問，玉簫仙子已搶先開口側臉說道：「兄弟，事情大是蹊蹺，其中必定另有陰謀，咱們還是先趕上此人，再另作打算。」領先提韁衝去。

二人又奔了數丈距離，陡覺地面一軟，馬蹄踏下，竟陷下三寸，行走更覺困難，玉簫仙子緊顰雙眉，喝道：「兄弟，小心。」

楊夢寰忽地長笑一聲，劍眉一挑，豪氣頓生，道：「想不到天龍幫的堂堂總壇之地，竟施出這等卑劣手段，我楊某人倒要見識見識。」猛的一提馬韁，也不顧地面鬆陷，硬向前路奔去。

那中年大漢一見楊夢寰縱騎追來，仰面哈哈大笑，狂笑聲中，雙腳用力，一夾馬身，但聞一聲驚嘶，霍地又振蹄向前奔去。

楊夢寰聽那中年大漢縱聲狂笑，心頭火氣更熾，斷喝一聲，雙手一按馬鞍，提聚丹田之氣，人已凌空騰起，半空中挫腰長身，倏地一個旋轉，穿空直向那大漢飛撲過去。

他自在天機石府隨同朱若蘭、趙小蝶研習《歸元秘笈》上記載武功以來，今天是第一次施展身手。凌空飛撲，去勢如電。

就在楊夢寰騰空躍追之時，突聞前面一聲悲鳴，那中年大漢也突然一聲怪嘯，就這一瞬之間，楊夢寰已到他身側，疾深右手，抓住那中年大漢後領，口中大喝道：「你還能逃得了嗎？……」

他這一出聲，提聚的真氣頓時消散，只覺身子倏地向下一墜，匆忙之間，卻踏在中年大漢的坐馬鞍後。

他出手迅快無比，那中年大漢連轉頭也未來得及，人已被夢寰抓住。

忽聽中年大漢狂笑一聲，雙腿用力一挾馬腹，坐馬一聲長嘶，忽然躍起了兩尺多高，衝出四、五尺遠，再落地時，突然向下沉去。

這本是一瞬間的工夫，楊夢寰定神看時，那馬腹部已沉入泥沼。

玉簫仙子高聲喊道：「兄弟快些把他震死掌下，退回來……」

楊夢寰右手掌暗中運氣，大喝一聲，內力外吐，擊在那大漢後背之上。

他這時的功力，已非小可，雖是一股暗勁，但力道亦極驚人，只聽那中年大漢悶哼一聲，耳鼻口目鮮血齊出，猛一回身，拚盡餘力，一把抱住夢寰，滾下馬背。

楊夢寰似是未想到他在重傷之後，竟存了同歸於盡之心，略一失神，竟被緊緊抱住，匆忙之間，急提真氣，雙掌推著那大漢前胸，用力一送，內勁外撞，中年大漢慘叫一聲，當場被震斷心脈，雙臂一鬆，身子凌空而起，摔出六、七尺外，一眨眼間，屍體沉入泥沼不見。

可是楊夢寰也因這內勁外吐的一擊，無法保持身子的輕靈，那大漢雖被他一擊震斷心脈，飛出六、七尺遠，他自己也突覺身子向下一沉，陷入了泥沼之中，不禁心頭一驚，趕忙一提真氣，穩住身子，饒是他應變迅快，泥沼已及小腹。

一陣破空風響，玉簫仙子疾如飛鳥般直飛過來，輕飄飄落在夢寰身側，伸出纖纖玉指，抓住了夢寰右腕，說道：「快些提氣，我助你躍出泥沼，這等……」她突然似想到什麼事，話未說完，一笑住口。

楊夢寰只覺那陷入泥沼的雙腿，似是被一股吸力，向下拖著一般，感到身子正緩緩地向下沉去，聽得玉簫仙子一說，立時潛運真氣，右臂向上一抖，左腕向下一按，借玉簫仙子相扶之力，身子向上拔起了一尺多高。

忽聽玉簫仙子啊呀一聲，雙膝以下，已沉入泥沼。

她乃見多識廣之人，雙膝陷入泥沼，立時覺出不對，輕輕嘆息一聲，道：「兄弟別掙扎了，這泥沼和一般的淤泥不同，它會自動把咱們吞陷下去。」

楊夢寰放眼望去，那長程健馬已不知何時沉入泥沼中，心中甚感駭然。

原來這泥沼表面因植有青草，硬度較堅，但一經陷入後，卻是感到鬆軟無比，絲毫用不上力，而且略一掙動，就感陷入泥沼的雙腿，似被一股激蕩流動的活水沖激，身不自主地向下沉去，這草下泥沼，竟似能夠流動一般。

玉簫仙子，忽然間變得十分沉默，目光凝注在對面崖壁間一塊大岩石上，一眨也不眨。

楊夢寰看她瞧著石頭出神，心中甚覺奇怪，忍不住問道：「你瞧那塊岩石幹什麼呢？」

玉簫仙子嘆息一聲道：「這泥沼可以流動，而且愈向下沉，它的沖擊之力愈大，咱們恐已被誘入中心，如果一次不能掙出泥沼，飛上實地，再次陷落其中，決難以逃得性命……」

楊夢寰道：「縱然逃不出這泥沼之區，但總也該盡力一試，難道就停在這等死不成嗎？」

玉簫仙子突然盈盈一笑，道：「怎麼？你不是從來不把生死之事放在心上嗎？現在怕死了？」笑意嬌甜，似乎根本未想到生死之事。

楊夢寰道：「死雖不足畏，但也要死得其所，死得心安理得。如你所說，咱們就在這裡讓泥沼把咱們沉陷下去，我卻心有不甘。」

玉簫仙子道：「我並非不要你走，但如果走錯一步，只怕難再有第二次逃生機會，要知這等泥沼之中，一個掙扎不對，不但不能逃出厄運，且將愈陷愈深，所以決不可輕舉妄動，必得有十分把握才行，目前咱們停身之地雖然是千鈞一髮，危險萬分，但只要咱們不妄自掙動，足可支持上半個時辰工夫，不必急在一時，容我想個自救之法。現在最為要緊之事，是咱們如何保持身子不要被泥沼中激蕩力，沉下去。」

楊夢寰仔細看那泥沼上的青草，原來是經人工由別處移植而來，浮鋪在泥沼之上的，只是鋪設極為均勻，不留心很難看得出來。

他伸手拍一下上面浮草，心中忽然一動，暗道：這浮草之上，可容快馬奔馳，或能容納一個人的重量，不如冒險由浮草上面滾出，強似在這裡待斃。

念轉心動，暗中一提真氣，雙手按在浮草之上，身子突然向上一竄，躍起尺多高。但哪知他小腹下，都已陷入泥中，重量加重了不少，身子將要竄出泥沼之時，兩隻按在浮草上面的手掌，不自覺加了幾分力量，但聞噗的一聲，浮草破裂，雙臂及將躍出泥沼的雙腿，同時又向下沉去。

王簫仙子聽到聲音，立時轉頭，玉簫一探，挑住夢寰前胸，低聲說道：「身子躍起之後，切記不可停留，我已估計過四周距離，正南方山壁距此大約七、八丈遠近，如你能一口氣飛躍過這段距離，就可脫離泥沼了。」不容楊夢寰答話，玉簫突然向上一挑。

楊夢寰借著玉簫仙子一挑之力，振臂躍起一丈六、七尺高，懸空一個疾轉，把沾在身上的淤泥甩落，施展草上飛行功夫，借泥沼上浮草接力，四、五個起落，已到了山壁下一個突岩上面。

回頭望時，玉簫仙子自前胸以下，盡陷入泥沼之中。

忽見她舉簫就唇，一縷裊裊簫音，婉轉而來，音調中充滿歡愉之情，毫無即將陷入泥沼的悲苦憂傷。

她爲救夢寰，雖把自己沉陷在泥沼之中，但卻十分愉快，簫聲是愈來愈是悅耳，似是她心中正有著無比的歡樂。

但這等歡愉的曲調，聽在楊夢寰的耳中，卻如萬把利劍，刺在他的前胸，忍不住高聲叫道：「姊姊，你不要再吹了，快些把身子穩住，我要想辦法救你出來。」

遠遠傳來了玉簫仙子銀鈴般嬌笑之聲，道：「不必費心啦，我一生之中很少有過像今日此時的這等歡樂，你好好聽著吧！我再爲你吹一首最愉快的曲子……」

楊夢寰本是情感極爲豐富之人，聽得玉簫仙子款款笑談生死大事，說來如飲甘露一般，心中大是激動，只覺一股熱血由胸中直沖上來，熱淚奪眶而出，叫道：「姊姊爲了相救於我，才深陷泥沼之中，如若我今日不能救你出來，只有重入泥沼，以死相謝了……」說話之間，忽然站起身子，重又躍回泥沼。

玉簫仙子看他說來說去，心中又是驚駭，又是歡喜，口中卻大聲叫道：「快退回去！我告訴你救我的辦法。」

楊夢寰知她所言非虛，如果自己再有什麼失錯，別說救人，連自己性命也難保全，當下依言又躍回崖壁邊石岩之上。

遠遠地傳來玉簫仙子嬌脆的聲音，道：「你停身的山壁之上，不是生有很多葛藤嗎？你採集一些，連接起來，一端結上一塊石頭，投擲過來。」

楊夢寰運足目力望去，只見玉簫仙子已向上掙扎出尺許高，知她已動了求生之念，當下放心不少，一提真氣，向崖壁間游昇上去，採了一大綑葛藤，連接起來，運足臂力投擲過去。

他此時的內力，相較半年之前，何止增加一倍，一投之勢，不遠不近，剛好把葛藤投擲在玉簫仙子面前。

玉簫仙子右手向前一探，抓住了葛藤，叫道：「你慢慢的向前拉吧！」

楊夢寰緩緩運氣，玉簫仙子的嬌軀，隨著他雙臂交替之勢，逐漸向他停身之處移動過來。

突然間，一陣隆隆滾石之聲，自身後傳入耳際。

楊夢寰回頭望去，只見一塊三、四尺方圓的巨石，由峭立的崖壁上，直滾下來。

玉簫仙子大聲叫道：「兄弟快跑，別管我啦。」突然用力一拉葛藤，身子已躍出泥沼，踏草急奔而來。

楊夢寰看她躍出泥沼，才丟了手中葛藤，霍然轉身，就這略一延誤，那巨石已泰山壓頂一般當頭疾落而下。

他停身突岩之上，四周數丈都無避身之處，匆忙之間，左手潛運真力，一記掌風直向巨石擊去，右手卻反臂抽出肩上長劍，內力貫劍，左手掌力一擋那巨石下落之勢，右手長劍一撥一劃，巧力並用，把一塊六、七百斤的巨石撥滑向一邊滾去。

這時，玉簫仙子已由浮草上飛身到楊夢寰停身大岩石上，嬌笑一聲，道：「你今天不要我死，以後要給你增加了煩惱，可別怪我。」

口中在和夢寰說話，人卻縱身一躍而去，直向崖壁上面攀去。

楊夢寰抬頭向上望去，只見峰頂之上，站著兩個身著勁裝的大漢，不禁心中暗道了一聲：好險，如是這兩人早來片刻，今天勢非傷在他們滾木擂石之下不可。

這時，玉簫仙子已施出摩雲十八招的身法，騰躍而上，凌空翻轉，忽東忽西，似是要人無法看出她落足之處，身法迅快，轉眼間已攀躍上二十餘丈。

楊夢寰一提氣，直追上去，他此時的輕功身法，已不在玉簫仙子之下，提氣攀登，起落間就是一丈遠近。

站在山峰頂上的兩個勁裝大漢，沉著至極，楊夢寰和玉簫仙子，快到了山峰之上，仍不見兩人有所舉動。

玉簫仙子側身一躍，擋在夢寰身前說道：「兄弟，你準備接應我，我上去看看，怎麼這兩個人像死人一般。」也不待夢寰答話，振簫一掄，半空連翻了兩個觔斗，已落到峰頂之上。

楊夢寰如何肯讓她單身涉險，在她振簫躍起之時，亦同時疾追上去，玉簫仙子剛到峰頂，楊夢寰已接連而至，定神看去，只見兩個大漢神情木呆而立，動也未動一下，原來兩人早被人點了穴道。在兩人身後，堆積著很多巨石滾木。

忽然玉簫仙子咦了一聲，揚簫指著峰下道：「那是什麼人？」

楊夢寰順著玉簫望去，只見兩個身著道袍之人，揮劍擋在一處要道入口，雙劍飛舞，電掣輪轉，正在和一群大漢動手，兩人劍勢異常綿密，雖然以寡抵眾，但卻絲毫看不出吃力之處，當下一揚手中長劍，答道：「不管是誰，但看來定是相助咱們之人，咱們豈能坐視不管。」說罷放腿向下奔去。

玉簫仙子嬌笑一聲，應道：「好！兄弟如有興致，咱們今天大開一次殺戒！」振簫急追，快如流星瀉墜，片刻間已到動手所在。

左面一人，似是聞得衣袂飄風之聲，側臉望了夢寰一眼，笑道：「怎麼？你的蘭姊姊沒有陪你來嗎？」口中在和夢寰說話，右手劍卻突然加快，白光閃動之間，響起了兩聲慘叫，兩個輕裝大漢，應聲而倒。

楊夢寰怔了一怔，道：「童師姊！」

只聽右面一人，搶先說道：「貞姊姊對我說，你會到這裡來的，果然我們在這裡遇見你啦！」這聲音柔甜嬌脆，熟悉異常，楊夢寰不必轉身，已知來人是誰，心頭一陣激動，橫跨幾步，向那人身側欺去。

但聞咳的一聲，一件青色道袍，登時撕成兩半，劍光斂處，一個身著白衣的少女，疾迎過來，偎入了他的懷中，抬頭微笑，玉容依然，不是霞琳是誰？

她在激鬥之間，突然撤劍而退，群敵立時趨勢向前衝來，楊夢寰左臂一帶霞琳嬌軀，右手長劍探臂而出，一招「笑指南天」，把最前一個人刺傷，群敵疾衝之勢，頓時被逼得緩了一緩。

玉簫仙子一晃身由夢寰身後閃出，掄簫一陣快攻，把逼近群敵迫退，笑道：「你們好好談吧！這一陣讓給我打啦。」玉簫橫掃縱擊，招招狠辣無比，片刻間已被她連傷兩人。

楊夢寰看自己身上污泥，沾了霞琳一身，心中甚是抱歉，正想輕輕推開她偎在懷中的身子，忽聽霞琳夢囈般地說道：「寰哥哥，你知道嗎？這很多天來，我都在想念你，以後，你打我罵我都可以，可是我不要再離開你啦。」

她右手提著寶劍，軟軟地支在地上，倚在夢寰懷中，粉頸靠在夢寰肩上，兩行晶瑩的淚水，從她微閉的雙目之中，緩緩而出。

淡淡的幾句話，情真意切，勝過千言萬語，楊夢寰縱是鐵石之心，也不禁油生惜憐，附在她耳邊，低聲說道：「我做了一件很大的錯事，始終沒有對你說過……」

沈霞琳忽然睜開眼睛，接道：「不要說啦，我一定會原諒你的。」

忽聽玉簫仙子嬌聲喝道：「既然來了，還想走嗎？」聲音由近而遠。

楊夢寰抬頭望去，只見數尺外橫七豎八地躺了一地屍體，玉簫仙子振袂疾躍，追殺逃走之人。童淑貞卻橫劍而立，滿臉黯然神色，望著橫躺在地上的屍體出神。

沈霞琳幽幽嘆息一聲，道：「貞姊姊，寰哥哥，咱們把這些死人埋掉好嗎？」她心地素來善良，目睹橫躺直臥的死屍，早已心生惻隱，珠淚紛墜了。

三人埋好屍體，仍不見玉簫仙子轉來，童淑貞忽然一橫手中寶劍，指著楊夢寰道：「我們為了等你，一月之前，就到黔北，總算皇天不負琳妹妹一片苦心，在這裡和你相遇，哪知你竟然和玉簫仙子走在一起，看來你倒是一位生具艷福的風流人物，我不知你有什麼魔力，竟然有那麼多女孩子對你這等傾心……」

楊夢寰急道：「師姊不要誤會，我……」

童淑貞仰天一陣尖厲的大笑，道：「我一點也不冤你，事實俱在，狡辯何用？我一生毀在情字之上，對負心忘情之人，恨之如刺。今天我把琳妹妹交給你，希望你今後能善為照顧，如若再讓她受到什麼委屈，當心你腦袋就是！」說完話，轉身而去，走了幾步，又突然回過頭來，問道：「陶玉是不是真的死啦？」

楊夢寰道：「他從萬丈懸崖之上，跌入絕壑，除非發生奇蹟，只怕難以得活，不過……」只見童淑貞臉色鐵青，雙目閃動著怨毒的光芒，不禁心頭一凜，停住了口。

童淑貞看他說了一半，突然住口，不覺大怒，厲聲喝道：「不過什麼？說呀！」

楊夢寰只覺她性情大變，暴如烈火，已非昔日賢靜文雅的本來面目，皺皺眉頭，側臉望了霞琳一眼。

沈霞琳嘆口氣，幽幽說道：「貞姊姊為了陶玉大哭了好幾次啦，你就老老實實地告訴她吧！」

楊夢寰道：「他雖從萬丈懸崖之上跌了下去，但那谷底之中並未發現他的屍體。」

童淑貞微微顫動了一下，顯然她在聽到這新的消息之後，心中十分激動。

她本已從霞琳口中聽得陶玉摔死絕壑的消息，心中早已認定陶玉已死，現下驟聞夢寰說起未見陶玉屍體之言，心中大感震動，也不知是喜是愁，是愛是恨，呆了半晌，才追問了一句道：「這麼說來，他是沒有死了？」

楊夢寰看她說話神情之中，仍有著無限惜憐之情，心中暗暗嘆道：「陶玉那般折磨於她，她竟然仍有著眷戀情意。」正想出言勸她幾句，忽然想到了李瑤紅對自己諸般相愛之情，暗自道了兩聲：冤孽！

把欲待出口之言，重又嚥下肚裡，嘆道：「他是否死了，眼下很難斷定，那樣高的懸崖之上，摔了下去，縱是鐵打銅澆之人，怕也難承受得住……」

童淑貞突然一跺腳道：「不要說啦。」轉身向前走去。

楊夢寰急道：「師姊請留步片刻，小弟還有幾句話說。」

童淑貞停步回頭答道：「你還有什麼話說？」

楊夢寰道：「小弟也遭掌門逐出崑崙門牆。」

童淑貞淡淡一笑道：「這個我已聽琳妹妹說過了，我是私自逃出崑崙門牆，你是被逐出師門之外，說起咱們都無顏見人。」

楊夢寰笑道：「師姊現下要往哪裡去呢？」

童淑貞道：「世界這等遼闊，哪裡都可以安身立命，必定會有一定的去處。」

楊夢寰呆了一呆，道：「師姊幼受三師叔教養之恩甚深，目前天下英雄大會，九大門派中人，都集聚黔北，師姊身逢奇遇，武功過人，縱無爭名逐霸之心，也該為師門效勞一次，替咱們崑崙爭點顏面，也算酬報……」

童淑貞未待楊夢寰說完，冷冷一笑，道：「你我都是崑崙門下叛徒，還有什麼顏面談為師門效勞之事……」

楊夢寰嘆道：「咱們雖然遠離師門，但師門教養之恩，依然是天高地厚，此番英雄大會，正是咱們酬報師門教養之恩的大好機會。」

童淑貞聽得沉吟了片刻，黯然一笑，道：「我自有酬報師門恩情之策，這個不敢有勞師弟。」說著轉身向前走去。

楊夢寰被她幾句話堵得怔了一怔，這時見她轉身欲去，忙又追前一步，喊道：「師姊……」

童淑貞聞聲停步，轉過身子，面泛怒色，道：「人各有志，你多說何用？」這兩句話，說得聲色俱厲，冷漠異常。

楊夢寰正待解說，沈霞琳已緩緩走了過來，拉著童淑貞的右腕，幽幽叫了一聲：「貞姊姊……」

童淑貞臉色忽轉緩和，撫著霞琳的纖手，淒然一笑道：「妹妹，你放心好啦，如若他真敢委屈你，姊姊定不饒他。」一整臉色，毫不遲疑地轉身疾奔而去。

楊夢寰望著她遠去的身影，撫今追昔，悵意前塵，一時思潮洶湧，感慨萬千，不由怔怔地呆在當地。

沈霞琳輕盈地依偎在他身旁，娟秀的面上露著天真聖潔的稚笑，靜靜地望著他，停了半晌，才幽幽說道：「寰哥哥，你心裡覺著很難過，是嗎？」

楊夢寰嘆息了一聲，喃喃自語道：「唉，她真的變了……」霞琳見他這種神情，心裡既想解說，又想勸慰，但一時間卻不知如何開口，只見她淚光瑩瑩，低低輕嘆了一聲。

二人沉默良久，夢寰一揚劍眉，面現堅毅之色，對霞琳道：「咱們走吧。」當先引路，向前奔去。

二人一陣急行，不到一盞茶的工夫，翻過兩座小小的山丘，但見那要道谷口，簫影縱橫，刀光閃閃，玉簫仙子正和一群大漢，殺在一起。

玉簫仙子一支玉簫，挾著絲絲嘯風之聲，宛如一條遊龍，上下飛翻，前打後擊，招勢綿密，威猛異常。但圍攻她的一群大漢，似也並非弱者，雖然已有七、八人被斃簫下，陳屍當地，可是一個個依然前仆後繼，奮勇無比。

楊夢寰振腕抽出背上寶劍，大喝一聲，一個縱躍，虎撲而上，長劍搖舞之間，寒光雷奔電閃，連人帶劍直射過去。他此時的功力，已極深厚，出手劍勢，銳不可當，一陣金鐵交鳴，三個大漢手中兵刃，尖聲脫手。玉簫仙子格格嬌笑道：「這般人手段下流，毫無骨氣，群打群毆不算，而且以暗箭傷人，殺之也無愧於心，不必對他們心存仁義。」說話之間，玉簫左點右打，連傷兩人。

楊夢寰心中尚記恨剛才被人引入泥沼之恨，出手劍勢亦極迅猛，片刻間被他刺傷六人。但他究竟是天性純厚之人，劍勢雖然凌厲，但卻猛而不辣，受他劍傷之人，大都被刺中皮肉，不但不足致命，而且筋骨也很少傷到。玉簫仙子卻和他剛剛相反，玉簫點打之處，不是穴道關節，就是致命要害，中她一簫，不死也得殘廢。

沈霞琳手提寶劍，站在一側，望著這些受傷大漢，心中泛起了無限憐憫之情，她本想出手相助夢寰，但見對方傷亡極大，滿地哀號呻吟之聲，不但不忍出手，反而放下寶劍，替敵人包紮起來了。

天龍幫中各壇下香主、舵主，雖然大都是出身綠林，殺人不眨眼的好漢，但對霞琳這等仁慈，個個心中感動。她人又生得美如春花，凡是受她裹傷之人，縱然劇疼仍烈，但卻咬牙苦忍，不肯再出聲呻吟，瞪著眼睛，呆呆地望著她出神。

楊夢寰眼看著對方抗拒人手逐漸減少，已傷亡十之六、七，但所餘幾人，仍是不肯停手，心中不禁暗自佩服天龍幫的規令森嚴，正待再猛攻幾劍，震飛他們手中兵刃，迫使他們屈服，突聞一聲大喝道：「住手！」

一處轉彎的出口處，站著一個五旬左右的老者，腰圍軟索三才錘，正是天龍幫中黑旗壇壇主開碑手崔文奇。他掃掠了橫臥在地上的幫中弟子，抱拳對玉簫仙子和夢寰笑道：「兩位沒有從正路而入，致引起本幫中弟子們的誤會，出手攔截，他們不自量力，死有餘辜。至於得罪兩位之處，懇請兩位看在在下的面上，不要再多追究。」

玉簫仙子收了玉簫，理理鬢邊散髮，笑道：「你們天龍幫邀請武林九大門派比劍，乃是數百年來江湖上最爲轟動的大事，想不到迎接來客竟是這等的下流，鬼計暗算，以多打少，也不怕天下英雄恥笑。」崔文奇本是性如烈火之人，此刻卻十分文雅，淡然一笑，道：「我們天龍幫是邀請人家九大門派中人來比劍，但卻未邀請草莽英雄參加，不知二位屬於哪門哪派……」

玉簫仙子一揚手中玉簫，笑道：「崔文奇你少在我面前賣乖，如果我玉簫仙子肯加入天龍幫，你那黑旗壇壇主之位，也未必保得住。你如果一定要問我門派，不妨先試我玉簫如何，看看能不能闖過你們的伏樁暗卡。」

崔文奇微微一笑道：「你如果真想和我打，等一下當著天下英雄之面再打不遲，眼下我是接待三位的主人，恕我歉難奉陪。」

玉簫仙子側目望了楊夢寰一眼，道：「兄弟，天龍幫五旗壇主之中，數此人手段最毒，你要小心防他一著。」

楊夢寰道：「這位崔壇主已和我有數面之緣。」

崔文奇笑道：「楊相公的劍術、身法，在下確已領教過了，的確高明，但望能在英雄大會之上，大顯威風，既可成名露臉，也可爲你們崑崙派爭得聲譽，此處已相距我們總壇不遠，兩位心中縱然氣忿難平，也望暫時忍下，今日已是八月十一，相距比劍之日只不過還有四天，四日時間，彈指即過，那時，三位不但可以向我們天龍幫挑戰，就是九大門派中人，均可由兩位隨意相邀。現下各大門派中人，大都已到，濟濟群雄，使荒山生輝不少，兩位請隨在下，到敝幫總壇迎賓閣中稍息風塵，也好調息一下旅途勞累。」

楊夢寰望了玉簫仙子一眼，心中暗自忖道：此人乃江湖之上出了名的女魔頭，如我和她同走在一起，必將引起天下英雄注意，要是被三位師長看到，只怕又要引起一場麻煩，但人家對我有數度救命之恩，不好開口相逐。一時之間，心亂如麻，沉忖難決。

玉簫仙子是何等人物，一見楊夢寰爲難之色，立時恍然大悟，微微一笑，道：「兄弟不必作難，儘管和令師妹相隨崔壇主去吧！他乃有身分之人，決不致再對你們暗施算計，我把你送到天龍幫總壇所在，心願已了，就此告辭。」嫣然一笑，凌空而起，施展摩雲十八招的身法，懸空幾個翻身，人已到四、五丈外，去勢如風，轉眼不見。

她這等一反往常的留戀之情，說走就走的決絕神態，反而使楊夢寰生出無限的愧疚之心，黯然望著她的去向出神。

崔文奇舉起左手向後一揮，十餘丈外山峰上突然出現一面紅旗，搖動一陣後，重又隱去。

楊夢寰悵望良久，才暗自嘆息一聲，回身拉著沈霞琳，隨著崔文奇身後走去。

崔文奇走了數丈之後，回頭大聲笑道：「迎賓閣距此大約還有五、六里遠近，咱們放快腳步，趕上一程吧！」他不待楊夢寰答話，陡然施展輕勁，疾如流矢一般向前奔去。

楊夢寰知他存心想試自己輕功，冷笑一聲，放步追去。

四六 風雲際會

楊夢寰擔心沈霞琳追趕不上，是以初行之時，不敢施展全力，哪知沈霞琳竟然不緊不慢地和他並肩而行，心中大感驚奇，逐漸加力，速度漸快，但沈霞琳竟仍能跟得一步不落。

楊夢寰猛然一提真氣，左手緊握沈霞琳右腕，凌空一躍，疾竄出一丈六、七，一連幾個飛躍，已追到崔文奇身後丈餘之處。

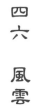

他原想以本身疾衝之力，帶著沈霞琳嬌軀，哪知躍奔之時，竟是毫無吃力之感，分明沈霞琳是以本身縱躍之術，和他同時凌空竄起，而且輕功之高，比起他毫不遜色。不禁暗暗驚奇，側臉望去，只見她面帶微笑，面不紅，氣不喘，若無其事一般，不覺微微一笑，道：「你在這半年之中，功力進境極大，看來比我還要強上許多。」

要知沈霞琳的功力，過去和楊夢寰相差一段距離，兩人分手半年之後重聚，沈霞琳竟似和他平分秋色，但他在這半年之中得受趙小蝶、朱若蘭的指點，進境極大，以此推論，沈霞琳在這半年中的獲益，比起他尤進一籌了。

只聽沈霞琳口中嗯了一聲，說道：「貞姊姊告訴我說，要我用心學習武功，將來好幫助你和人打架，所以，我就很用心的去學武功。她有一本書，上面記載了各種的武功、劍術、內功、掌法、輕功，無所不有，我們兩個人一起學習，我很快的就學會啦，但貞姊姊卻要比我花更長時間才能學會，她說我天份很高，如果肯用心去學，不出十年，就能把那書上記載的武功，全部學會。其實，我是想到將來幫助你，才肯用心去學，如果我心中沒有想到幫你，只怕學起來就沒有貞姊姊快了。」

楊夢寰笑道：「童師姊說得不錯，你心地純潔，最易集中心神，學起來，自然要比別人快上許多。」

兩人這一談話，腳步慢了下來，被崔文奇拋下了十幾丈遠。

楊夢寰一看不對，立時停口，腳下加力，疾追上去。

三人各出全力，向前疾奔，片刻之間，已翻越四、五座峰嶺，到了一處群峰環抱的盆地之中，崔文奇停下回頭一望，見兩人竟然緊追自己身後而到，心中暗自吃驚：兩個娃兒的輕功，竟然不在我之下。

他心中雖感驚奇，但外形卻是絲毫不動聲色，微微一笑，道：「側面就是敝幫中迎賓閣了，九大門派中參加英雄大會的高人，都住在裏面，兩位再往前走上半里，就有接待之人，恕在下不送了。」

說完一抱拳，轉頭而去。

楊夢寰抬頭望去，只見一片疏林掩映之中，果然隱現出重重樓閣。

兩人並肩向前走了十幾丈遠，忽見兩株大松樹後轉出兩個十六、七歲的童子，迎面一揖，問道：「公子，姑娘，可是參加比劍大會的嗎？」

楊夢寰點點頭道：「不錯。」

左面一個童子又是一揖問道：「不知兩位尊屬何門何派？」

楊夢寰道：「在下乃崑崙派中弟子。」

右面童子恭謹地轉過身去，說道：「兩位請隨小的來吧……」合掌當胸，緩步向前走去。

楊夢寰和沈霞琳隨在那童子身後，穿過了一片疏林，到了一座修築幽致的宅院之前，那童子回頭躬身說道：「崑崙派中高人，盡住此處，兩位請自入內。」說完轉身而去。

沈霞琳望了那輕掩朱門一眼，自言自語說道：「不知道師父來了沒有？」推門緩步而入。

楊夢寰運足目力，打量四周形勢，只見這一片盆地之中，方圓約三百餘丈大小，四周淺山環抱，滿植各色山花，紅白相映，景物極美，十座朱戶碧瓦的宅院，分散在疏林之中，心中暗自忖道：天龍幫主持之人，果是精於心計，他把九大門派，各置一座獨院之中，外面布著明樁，說是迎客，實是暗中監視，使九大門派中人，不便相互往來，想這次參與比劍大會之人，大都是各門派中精英高手，輩份都很尊高，誰也不願先行拜訪別人，使彼此無法相通消息，雖然近在咫尺，卻相隔重山，這法子當真是妙。心中在想，人卻隨在沈霞琳身後，進了大門。

這宅院之內，布設更是輝煌雅潔，滿院盆花，一片清香，正廳廂房，都掛著字畫，一個年約二十餘歲的勁裝佩劍少年，站在大廳門口，望到沈霞琳之後，立時含笑迎了上來。

楊夢寰一直未回到崑崙山金頂峰三清宮過，不識那少年是誰，沈霞琳卻盈盈嬌笑，叫了一聲師兄。

那人神情十分拘謹，對沈霞琳拱了拱手，目光卻投注在楊夢寰的身上，笑問道：「沈師妹，這位可是大師伯門下的楊師弟嗎？」

楊夢寰不自禁黯然一嘆，道：「小弟楊夢寰，兄台……」

那人笑道：「我叫黃志英，乃掌門師父門下。」

沈霞琳接道：「黃師兄乃咱們崑崙派中首座師兄，最是得掌門師伯喜愛了。」

楊夢寰躬身一揖，道：「不肖師弟楊夢寰已遭掌門師叔逐出門牆。」

黃志英微微一嘆，道：「咱們師兄弟雖未見過面，但我已從大師伯和沈師妹口中，聽得師弟事跡甚多，早生渴慕之念，今日能得一見，實乃生平中一大快慰之事。據小兄旁聽側聞，師伯和掌門師父，對逐出師弟一事，心中甚感不安，只要師弟能對師門一如過去，總有回崑崙門下之日。」

楊夢寰又拱手一揖，道：「全仗師兄善爲進言，小弟如能重返師門，決不忘師兄之德……」忽然瞥見二師叔玉靈子和三師叔慧真子並肩站在廳門，立即遙遙拜倒地上，高聲說道：「被逐出門牆不肖弟子楊夢寰，叩見師叔。」

玉靈子一語未發，緩緩轉過身子，踱入廳中。

慧真子卻輕輕嘆息一聲道：「琳兒，過來。」

沈霞琳本已隨在楊夢寰身後拜了下去，聽得呼喚之言，立時站起身子，跑了過去，說道：「師父，我和寰哥哥學了很多的武功，趕來參加英雄大會……」

慧真子輕輕拂著她秀髮，接道：「你這大半年的時間，都在什麼地方？」

沈霞琳笑道：「我和貞姊姊住在一起……」

慧真子臉色一變，道：「什麼？你和童淑貞住在一起，她還沒有死去嗎？」

沈霞琳搖搖頭道：「貞姊姊的本領比過去大多啦，她有一本書，上面記載了很多武功，拳掌、劍術及內功進修之法無所不包，無所不有，我的本領都是跟著她學的。」

慧真子冷然一笑道：「哼！她現在什麼地方，爲什麼不來見我？」

沈霞琳道：「她本來是和我一起來的，我們遇上了寰哥哥之後，她就自己走了。」

慧真子心情似很激動，緩緩閉目，鎮靜了一陣，睜眼問道：「她到什麼地方去了？」

沈霞琳搖搖頭道：「寰哥哥問她，她不肯說，回頭走了……」她黯然嘆息一聲，她乃心地純潔之人，只覺對師父不該說謊，但也不該把貞姊妹的事跡告訴別人，一時之間，心中惶惶不安，顰起秀眉，仰臉望著天際浮動的白雲出神，竟不知慧真子何時離去。

她正出神之際，忽覺一隻冰冷顫動的手，緊緊抓住了自己左腕，她生平之中從未和別的男人相處過，覺出抓在自己左腕的似是一隻男人手掌，心想定是楊夢寰，立時一側身向對方懷中偎去，口中嚶了一聲，道：「寰哥哥，你又病了嗎？怎麼手掌會這樣冷呢？」

只覺那抓在自己左腕的手掌，倏然間縮了回去，耳際間響起了一個激動低沉的聲音，道：「師妹請恕我一時激動失禮，萬望勿怪才好。」

沈霞琳倏然一挺嬌軀，轉頭望了一眼，只見楊夢寰靜靜站在丈餘之外，抓她手腕之人卻是崑崙門下的首座弟子黃志英，不禁粉臉一紅，笑道：「原來是黃師兄，我還以爲是寰哥哥呢？」只見他臉上一片鐵青，目中神光暴射，全身微微顫動，不禁芳心大駭，急道：「怎麼，你有些不舒服嗎？」

黃志英淒涼一笑，道：「請師妹小移芳玉，小兄有點事，請教師妹。」

沈霞琳微微一笑，道：「師兄有事問，我自然是不能推辭。」轉身隨在黃志英身後，向院落一角走去。

她不時轉臉望著楊夢寰，但楊夢寰卻呆呆而立，默默沉思，原來他正在想如何去見師長之事。

黃志英一直走近圍牆旁邊，才停下腳步，回頭問道：「師妹，你當真見過你童師姊了嗎？」

沈霞琳嗯了一聲，點點頭道：「我不單是見過她，而且我們還住在一起，很久很久……」她緩緩地把眼光移向遠處，似很神往地接道：「現在貞姊姊的本領也很大了，我的本領就是跟她學的……」

黃志英急切地向沈霞琳移近一步，喘吁吁道：「師妹所說可是真的嗎？千萬不可蒙騙小兄。」

沈霞琳見他問得這般緊張，不由得怔了怔，嬌美如花的臉上，現出了一層迷惑的神情，緩緩答道：「師兄是咱們崑崙派中首座師兄，我怎麼敢說謊呢？剛才師父問我，我不也是這般說的嗎？」說著，微微搖了搖頭，道：「唉！爲什麼師兄會不相信我的話呢？」

黃志英一見沈霞琳臉上泛起一種淡淡的幽怨之色，秀目中也閃動著楚楚可憐的淚光，他素知這位師妹乃是一位聖潔無邪的人間仙子，自己竟一時情急，談話未爲留意而使她純潔的心靈蒙受了刺痛，心中大感不忍，忙壓制住自己激動的情緒，強作歡容地笑道：「師妹乃是天下至純至正的人，不信你的話，還信誰的話，適才是逗你玩的，萬望師妹切勿介意才好……」

沈霞琳綻唇展顏一笑，道：「這就是啦。」

黃志英沉吟了片刻，柔聲對沈霞琳問道：「師妹，小兄尚有一事，想探問於你，不知師妹肯否見告？」

沈霞琳道：「師兄有事，只要我知道，一定奉告的。」

黃志英道：「你可知道你童師姊住的地方嗎？」

沈霞琳歉然笑道：「這真不知道了，我雖然和她相處半年，但就一直沒有想到問她這樁事，看起來，我真是很笨很笨的人。」說著竟吃吃嬌笑起來。

黃志英很關切地問道：「師妹和你童師姊在一起過了半年，據師妹看，她生活過得好嗎？她，她……」

沈霞琳見他連說幾個她字，竟訥訥地說不出來，不覺奇道：「她怎麼樣呢？」

黃志英唉了一聲，道：「她平時可跟你說過一些什麼沒有？」

沈霞琳轉了轉圓圓的秀目，沉忖了一陣，幽幽嘆道：「貞姊姊真的好像有點變了，她有時高興，有時難過，有時笑，有時哭……我問她，她也不告訴我，只說世上很多事情都是冤孽，她說我的心地最純潔，要我最好不要知道這些冤孽罪惡之事。她還說就是告訴了我，我也不會懂的。她只要我好好地跟她練武功，將來好幫寰哥哥跟人打架。」話畢，掩袖淺淺一笑。

黃志英心知再追下去，也是難以問出頭緒，輕輕嘆口氣道：「多謝師妹。」轉身緩步而去。

沈霞琳在半年之中，連番經歷變故，見識增進了不少，看黃志英無精打彩模樣，心中暗忖道：他這般追問童師姊的下落，心中定是很想見她，唉！他想念童師姊，會不會如我想念寰哥哥一樣的難過呢？

她突生強烈的惻隱之心，覺著自己應該想法子幫助他，使他能和童師姊見上一面。心念一轉，高聲叫道：「黃師兄快回來，我有話要對你說。」

黃志英聞言轉身走回，問道：「師妹有需小兄效力之處，但請吩咐就是。」

沈霞琳道：「你心中可是很想見到童師姊，是嗎？」

黃志英道：「我只要知她生活很好，就放心啦，見她不見她，都是無關緊要之事。」

沈霞琳道：「你不要騙我啦，我知道你心中很想念童師姊，等我見著她，一定要她和你見上一面。」

黃志英黯然一笑，默默不語。

沈霞琳道：「她說過還要和我見面，那決不會騙我，我一定會要你見到她。」

黃志英既不說見，也不說不見，微微一笑，扭轉話題，問道：「楊師弟被逐出門牆之事，你知道嗎？」

沈霞琳道：「我在旁邊看著，怎麼會不知道！」

黃志英道：「依據咱們崑崙門下規矩，凡是被逐出門牆之人，不能再涉足金頂峰三清宮一步，但三位師長都知你心地純潔，對你另眼看待，就是稍有觸犯戒規之處，也不追罰過嚴，咱們崑崙派這次對與比劍之人，除了三位師長之外，只我一人隨來，這所宅院，只是天龍幫接待客人之處，在咱們門規之中，沒有這一條限制，你暫時把楊師弟帶到西側廂房之中住下，待我請示三位師長之後，再來通知你們，眼下切不可讓他擅自闖入三位師長坐息之室，免得弄巧成拙。」說完，轉身急去。

沈霞琳轉臉向楊夢寰望去，只見他仍然呆站著，緩步走了過去，牽著他左手，向西廂房走去。

楊夢寰嘔盡心血，想不出適當求見師長之法，被沈霞琳一拉，不自覺隨她而去。

直待到了那廂房門口，沈霞琳停下了腳步，楊夢寰才想起問沈霞琳道：「你拉我到這裡要做什麼？」

沈霞琳笑道：「黃師兄說要我們暫時住在西廂房中，他去請示三位師長之後，你再去參見師伯和師父。」

楊夢寰心中暗道：只要你們不要逼我離開此地，我總會有辦法求得三位師長的諒解，當下推門進入西廂房內。

天龍幫為安置九大門派比劍高手，特別日夜趕工，修成這一座迎賓閣，分成了十座單獨的院落，九座分接九大門派，一座接待江湖上無門無派之人，是以每座院落，都修得十分寬敞，足可容二十個人合住。

沈霞琳和楊夢寰各擇一室休息。楊夢寰把身上滿沾污泥的衣服換好，暗把朱若蘭臨別相贈的墨鱗鐵甲蛇皮做成的內衣穿上。

此物雖能避刀槍，但穿在身上卻十分柔軟，如非朱若蘭再三叮囑他，楊夢寰實難相信，這等輕柔的蛇皮，竟然能避刀劍。

等了約頓飯工夫，黃志英才奔了過來，臉上一片莊肅。

楊夢寰看他神態，心中已預感到事情沒有辦妥，不禁心頭一陣亂跳，起身把黃志英迎入房中，問道：「師兄代我向三位師長求情之事，可……」

黃志英搖搖頭，接道：「事情確出人意料之外，三位老人家心意如何，實叫人難測難猜。」

楊夢寰道：「三位師長怎麼說呢？」

黃志英道：「我兩次向三位師長稟告，但三位老人家卻一直不作答覆，既不說見你，也未說不見……」

這時，沈霞琳也換了衣服，奔入楊夢寰房中，仍是白衣白裙，初浴新裝，更顯得容色姣麗，耀眼生花。

黃志英望了霞琳一眼，輕輕嘆息一聲，接道：「眼下之策，師弟可先在此廂房之中住下，暫時不必急於見三位師長，俟我再找個機會，對三位師長提出此事，沈師妹可先行去拜見，看看三位師長反應如何？」

楊夢寰道：「今日相距比劍之期，尚餘下三日時間，如果在這之內三位師長仍然不肯見我……」

黃志英接道：「大師伯和三師叔，似都不便作主，此事關鍵在掌門師尊身上，他雖未有接見師弟之意，但看樣子亦無逐走師弟之心，眼下師弟只有耐心等待一途。」

楊夢寰深深一揖，道：「如果重返師門，就是等上十年八年，也是無妨，一切全仗師兄成全了。」

黃志英還了一禮，道：「只要我力能所及，自當全力以赴。」

楊夢寰道：「小弟遵從師兄之言。」

黃志英拱手告辭，退了出去。沈霞琳目睹夢寰愁苦之容，心中大感不忍，說道：「我去見掌門師伯替你求情……」

楊夢寰搖搖頭，說道：「黃師兄說得不錯，精誠所至，金石為開，三位師長既然知道我來，不肯傳諭相逐，或已動了憐憫之心，你若為我去講情，萬一弄巧成拙，反而不美……」

沈霞琳素來不肯違拗夢寰意見，當下笑道：「那我也不要去見師父了，留在這裡陪你吧！」

楊夢寰道：「這怎麼可以，你並非被逐出崑崙門牆，豈可不去拜見師長，快些去吧，我在這裡等你，但千萬不可提我之事。」

沈霞琳去了不到頓飯工夫，又回到西廂房中，笑對夢寰說道：「三位師長正在靜室長談，我和黃師兄等了很久，但三位師長只顧談論武功，無暇和我們說話，我怕你一人在此寂寞，就很快趕回來了。」

楊夢寰略一沉思，忖道：是啦，這次比劍，不只是天龍幫和九大門派之爭，只怕九大門派相互之間也都存著爭勝之心，此事關係至大，三位師長自是重視。

一天時間，匆匆過去，到天色入暮時分，黃志英急急跑來對夢寰道：「三位師長似是發現了什麼新奇武功，一天之中，都在彼此探討研究，剛剛才靜坐休息，但面上都帶著睏倦之容，想必耗費心神不少，是以無暇重提師弟之事，尚望耐心再等一日。」

楊夢寰笑道：「師兄儘管放心，就是等上十年八年，我也不敢有不耐之意。」

黃志英微微一笑，道：「師弟有此耐心，小兄預賀你必有重返師門之日。」說完話，轉身急去。一日夜的時間，彈指即逝，在這一日夜中，黃志英也未再來過。

第三天，已屆中秋比劍之日，天色初亮，天龍幫中的紅旗壇主齊元同，率領八個黑衣勁裝大漢，登門求見，玉靈子帶著一陽子、慧真子、黃志英親自迎到門口，楊夢寰不敢緊隨三位師長身後，只有遠遠地站在丈餘外處。

齊元同藍衫福履，長髯飄飄，抱拳對崑崙三子一禮，笑道：「在下奉了幫主令諭，特來奉請三位道兄和貴派門下弟子，駕臨斷魂崖比劍場中。敝幫幫主，已在恭候大駕。」

玉靈子微微一笑，道：「隨便派遣一人相邀就得，怎敢又勞壇主大駕！」

齊元同答道：「好說，好說，崑崙三子之名，天下武林中誰人不知，敝幫準備的時間倉促，致有諸多不周之處，尚望三位道兄大量海涵。」

玉靈子笑問道：「我們眼下就動身嗎？」

齊元同道：「外面已備好快馬相候了，三位道兄請收拾一下，即刻上馬。」

玉靈子道：「貧道等山野之人無牽無掛，說走就走……」

齊元同大笑道：「道兄豪氣干雲，實叫兄弟佩服，斷魂崖距此行程約在十里左右，各位請上馬趕路，也可免除跋涉勞累。」

一陽子笑接道：「山野中人，步行慣了，騎馬反有不便之感，盛情心領了。」

齊元同道：「既然如此，兄弟也步行奉陪，我走前一步帶路了。」長揖轉身，當先走去。

崑崙三子緊隨齊元同身後，楊夢寰不敢過於逼近師父，和霞琳遠遠隨在身後。

齊元同上路之後，奔行極速，而且愈走愈快，崑崙三子不得不施展輕功放腿追趕，這一來，沿途上的景物，都無法瞧清楚，如同競賽腳程一般。

一陽子低聲對玉靈子和慧真子道：「他這等迅快奔行，必有深意，我們不妨各自注意一個方向，或可發現什麼可疑之處。」

玉靈子道：「大師兄言之有理，就請師兄注意前面景物，師妹和我分看左右兩側。」

三人這一用心分顧，果然發覺了不少可疑之處，只見齊元同所經之路，看上去雖是崎嶇的山道，但暗中卻都預先留下標記，最可疑之處，是沿途路上，從未發現別人經過的痕跡。這證明，其他各大門派中人，均非由此路而過。

一陽子突然加快腳步，騰身飛躍，緊追齊元同身後，問道：「齊兄，那斷魂崖距此還有多少路程？」

齊元同一面奔行，一面笑道：「再轉過兩個山彎，就到了。」

忽然前面一黑，進入一條山腹甬道之中。

齊元同右腕一晃，亮起一道熊熊的火焰，高聲說道：「這條甬道，只不過二百餘丈長短，有兄弟高舉火把替幾位帶路，但請放心就是，甬道之中確無埋伏。」

他手中的火摺子，似是特製而成，火光甚是強烈。

玉靈子借火光打量山腹甬道中景物，只見兩邊石壁間光滑異常，地下亦極平坦，分明是人工開鑿而成，至少也經過人工修飾，但卻看不出絲毫可疑之處。

走完甬道，又轉了兩個彎，齊元同突然放慢腳步，笑道：「斷魂崖就在前面了。」

崑崙三子抬頭望去，只見一座突起的峰嶺，橫立在百丈之外，中間是一片空地，矮草如茵，雜著紅白山花，絲毫沒有驚險可言。

玉靈子大笑道：「斷魂崖之名，聽來實在叫人提心吊膽，想不到卻是這樣風景優美的所在。」

齊元同微微一笑，道：「過了前面那一座橫立的峰嶺，道兄就可以窺見斷魂崖的真正面目了，現在言之，未免過早。」

慧真子冷笑一聲，道：「別說是一座斷魂崖，就是龍潭虎穴，大約也嚇不住人。」

齊元同微微一笑，道：「崑崙三子望重武林，自是不會把區區斷魂崖之險放在眼中了。」

陡然加快腳步，穿過草地，向那橫立的山峰上攀去。

一陽子回頭向玉靈子、慧真子道：「這矮草山花，分明經過人工修剪，咱們不可大意，師弟師妹請隨小兄身後前進。」當先帶路，照著齊元同的腳痕奔進。

攀上了那座橫立的山峰，景物立時大變，只見一條鐵索吊橋，橫過千丈絕壑，通到對面一座平坦山峰。峰上彩旗招展，人影穿梭，似是已聚人不少。

齊元同抱拳肅容，笑道：「過了這座鐵索吊橋，就是斷魂崖了，敝幫的龍頭幫主，已候駕多時。」

玉靈子探首向那千丈絕壑中一望，笑道：「深谷之中，想必早有埋伏，如果貴幫中派人把這鐵索吊橋斬斷，九大門派中人，插翅也難飛過這數千丈的深谷了。」昂首挺胸，當先踏上鐵索吊橋。

齊元同大笑道：「道兄儘管放心，本幫主和五旗壇主，以及屬下高手，大都群集在斷魂崖上，斬斷鐵索吊橋，大概還不屑施為。」

這鐵索吊橋，足足兩百餘丈長短，構造堅牢，走起來異常平穩，吊橋盡處，是一座突立在絕壑中的獨山。此峰形如蓮臺，上面縱橫數百丈，一片平坦，但往下卻是愈來愈小，四面深谷中一片薄霧淡煙，縱有極好的目光，也是難以看清楚谷底景物。

一陽子暗暗嘆道：「此峰雖是天然形勢，但看樣子似已經過人工修整，單是這鐵索吊橋，就不知要耗去多少人工了。」

平坦的峰頂上，早已擺好了錦墩檀案，九大門派座位都已先經排定。玉靈子步下吊橋，立時有四個青衣童子，手執彩旗，迎了上來，帶幾人走向左側一排座位之上。

玉靈子左右一瞧，香茗細點，早經擺好，但座位尚都空著。原來天龍幫把九大門派的座位，排成一個馬蹄形，環繞半個峰頂。

齊元同把崑崙三子帶過吊橋之後，就歸入了天龍幫座位之中，未再來過。

忽聽樂聲悠揚，彩旗招展，各大門派中人在彩旗導引之下，紛紛踏過鐵索吊橋各自就座。

一陽子低聲對玉靈子道：「天龍幫先把我們引來，不知是何用心？」

原來崑崙三子到場之時，除天龍幫中的人之外，其他各大門派中，均無一人到場。

玉靈子沉忖一陣，道：「事情的確蹊蹺難測……」

一陽子突然若有所悟地啊了一聲，道：「是啦！李滄瀾要酬謝我們數番相救他女兒之情，因而替我們……」他倏然住口，霍然起身，抱拳笑道：「聞兄久違了。」

聞公泰拂髯大笑道：「難得，難得，咱們崑崙、華山，這次毗鄰而坐，兄弟深感榮幸。」

玉靈子合掌當胸，笑道：「聞兄謙辭，貧道等愧不敢當。」

聞公泰大笑道：「客氣，客氣，三位道兄似是特受天龍幫的歡迎，竟比兄弟們先到了場中一步。」

此人疑心最重，他見崑崙三子比各門派中人都早到，不覺心中有懷疑之念。

玉靈子笑道：「聞兄不必疑神疑鬼，比劍即要開始，其他之事可以僞裝得來，但生死之事，大概不易僞裝得了。」

聞公泰笑道：「好極，好極，兄弟拭目以待，看三位道兄神劍剋敵，替咱們九大門派爭來奪人先聲。」大笑聲中，走入華山派座位。

楊夢寰和霞琳並肩坐在崑崙派分得座位中最末的兩個位置之上。抬頭打量全場形勢，這次比劍雖是數百年來武林中最爲轟動的大事，各派精英高手盡出，但蒞會參加之人，並不太多，少林寺人手最眾，也不過一十九人，其他各大門派大都是四、五、六人不等，點蒼人數最少，只有翻天雁馬家宏一個，是以，各大門派的座位，都空下甚多。

九大門派中人就座不久，突聞一陣咚咚鼓聲，正在奔走送供奉水的青衣童子，立時迅快奔回到天龍幫的位置後面，排成極整齊的一個雁翅隊形，高舉起手中彩旗。

鼓聲餘音甫住，天龍幫座位後面，緩步走出來海天一叟李滄瀾，白髯飄風，手扶龍頭拐，川中四醜當前開道，五旗壇主隨後護擁，步入場中，左手一揮，前面開路的川中四醜，立時分立兩側。

只見他，一頓手中龍頭拐，一片沙石飛揚中，深入石地數寸，雙手抱拳，團團一個長揖，朗聲說道：「敝幫乃江湖草莽中人物結合，承蒙各大門派不棄，允准敝幫敬陪武林中幫派末座，老朽感激至極……」他微微一頓後，又接著說道：

「三百年前，武林中九大門派，爲排名次相約在嵩山少室峰上比劍。那一場震古鑠今的英雄大會，現在武林中人，都還能口述甚詳，只可惜天機真人倚武出面，強行化解一場搏鬥。也許有人認爲天機真人那次舉動，替武林保留很多精英人才，但依老朽看法，卻是不然，如果不是天機真人倚仗武功，壓下第一場比劍大會，今日武林形勢又自不同，名次早定，紛爭亦將隨之消弭於無形之中，一時善舉，但卻留下了數百年仇殺紛擾，如果天機真人的陰靈有知，亦當抱憾於九泉之下了。」

這番話似是而非，只聽得九大門派中人，大都聳然動容。

李滄瀾目光環掃全場一周後，又繼續說道：「敝幫這次柬邀九大門派中的高人，以及江湖上無門無派的高手，到敝幫小聚。一則想藉此聚會之機，彼此結識相交；二則也可使九大門派數百年一直未決的排名之爭，借此相聚機會，有一個水落石出。老朽斗膽把我們天龍幫也算上一份，也好趁此機緣和九大門派高攀上一點交情。

「承蒙各位賞光，都依約遠來邊荒深山，實使老朽欣喜難言，隆情盛意，我這裡謝領了。」說完話，又是一個團團長揖，面帶笑意，環視圍坐席上九大門派中人一眼，緩緩就坐。

肅立李滄瀾身後的二名黃衣童子，待他入座之後，手中紅旗一揮，兩邊響起了一陣吹彈的細樂之聲。一曲奏罷，李滄瀾雙手捧起翠玉茶杯，起身離座，舉杯含笑，目掃全場，朗聲說道：「承諸位抬愛，移駕敝幫總壇，只是地處蠻荒，而我李某人及敝幫各屬，均是草莽粗野之人，未習禮儀，日來多有怠慢之處，李某甚感不安。所幸諸位全是俠義中人，平素不拘小節，縱有不周之處，當亦能海涵包容，在下茶水一杯，以謝疏忽之過。」仰首一飲而盡。

八臂神翁聞公泰，冷冷一笑，道：「好說，好說，李幫主這等謙虛，若是對譽隆位崇的武林高人，說來自是不爲過甚，如若是對在座全體而發，那就令人有愧不敢當之感了。」說著斜睨了崑崙三子一眼，接道：「不是我華山派自甘暴棄，李幫主這番話，在下就有點承當不起……」話畢又是嘿嘿一陣陰笑。

李滄瀾拂髯笑道：「聞兄錯怪老朽了，李某人手創天龍幫，也不過短短數十年間之事，膽敢承當起柬邀九大門派及天下英雄，比劍定名的武林大事，又蒙擁名自重的九大門派中的高人，應邀前來我天龍幫總壇，這實是李某生平足以引為自豪之事，對與會的各門各派自是一視同仁，何能再分彼此厚薄？聞兄發言責難，在下自當受領，不過，聞兄也未免過於小氣了。」

馬家宏見李滄瀾口詞犀利，再看聞公泰被反譏得無法圓場，心中暗道：不管如何，總不能讓天龍幫在未動手之前就占盡上風。心念一轉，起身對李滄瀾稽首為禮道：「貧道有句話，不知當講不當講？」

李滄瀾道：「馬兄有何高論，李某願洗耳恭聽。」

馬家宏陰笑道：「李幫主雄才大略，貴屬下又都是個個身懷絕學，使天龍幫崛起江湖，揚名武林，與九大門派同受武林尊敬，這種成就，得來已是不易。但無如李幫主不肯保滿守全，卻存心武林爭霸，並有唯我獨尊之意，此番敢以後進幫派，柬邀天下英雄，比劍排名，這等作為，顯然沒有把九大門派放在眼裡，自難怪聞兄有此感覺了……」

李滄瀾拂髯長笑，聲如龍吟，打斷馬家宏的未完之言，接道：「馬道兄不必逞口舌之才，極盡挑撥能事，李某人既然敢邀請天下各派宗師到我們天龍幫來，自然有心要見識一下各大門派的武學。」

突然聞一聲低沉佛號之聲，李滄瀾不禁一皺眉頭，停下口來，因為佛號聲音聽來雖然不高，但卻異常有力，字字如箭，鑽入耳中。

此人雖只低宣了一聲佛號，但全場中高手，卻無人不驚駭於此人內功的精深，舉目望去，只見少林派席位之上，緩緩站起一位身披黃色袈裟的老僧，合掌當胸，雙目微閉，接道：「貧僧乃出家之人，對江湖上的仇殺是非，雖無能予以化解，但至少亦不願參與，但這次接得李幫主柬邀之後，破例趕來黔北……」

李滄瀾笑道：「大師這般賞我李某人的面子，實叫在下感激。」

黃衣老僧霍然睜開雙目，兩道冷電一般眼神奔射而出，望了李滄瀾一眼繼續說道：「貧僧以少林派掌門身分，不得不來參加這場盛會，但貧僧並沒有爭強鬥勝之意，只想以我佛慈悲之心，來化解這場恩怨。」

李滄瀾笑道：「大師慈悲之懷，實叫老朽敬佩，但不知大師要如何化解這場比劍之爭？」

黃衣老僧低沉嘆息一聲，道：「三百年前，少室比劍慘事，至今想來，猶使人心生餘悸。今日貴幫邀到的比劍之人，比起三百年前的人才，又不知多上幾倍，可以說天下武林精英盡聚於此，如果一旦形成水火之勢，其結果必然悲慘絕倫……」他環視了四周一眼，接道：「因此老僧想向李幫主提供幾點比劍的意見，不知能否採納？」

李滄瀾道：「大師有話，儘管請說，老朽力所能及，無不從命。」

黃衣老僧微微一笑道：「李幫主雄才大略，老僧聞名久矣！不是老僧奉承李幫主，近數百年武林人才之中，李幫主可算得一枝奇葩。」

李滄瀾道：「好說，好說，老朽庸劣之才，大師過獎，愧不敢當。」

黃衣老僧又道：「天下各門各派武功，雖各有奇奧精奇所在，但如追本溯源，紅花，白藕，青蓮葉，大家原是一家人。武功雖有內外之分，剛柔之說，實則極剛則柔，極柔則剛，老僧忝為少林派一代掌門之人，有幸和九大門派中掌門宗師，以及李幫主等相會一堂，實我武林中近數百年來最好盛會。如果李幫主再把這場比劍火拚改變成切磋武學，名氣之爭改作彼此觀摩，化暴戾爲祥和，不但可消除一場悲慘的殺劫，而且也可以爲武林後輩樹立模楷。此乃大功大德之事，敬請李幫主三思老僧之言。阿彌陀佛。」

李滄瀾拂髯笑道：「大師這樣慈悲爲懷，老朽極是佩服，但九大門派中高人，都是不遠千里而來，就這般的聚而復散，只怕有失與會各高人之望。」

忽聽一人接口說道：「這麼說來，李幫主早已存心要和我們九大門派中人一比高下了？」

群豪轉頭望去，只見那說話之人，高坐武當派席位之首。紫臉長髯，身軀修偉，道袍佩劍，烏簪椎髮，正是武當派中掌門人靜玄道長。

此人在江湖上的聲譽地位，僅次於少林派掌門之人。武當派的實力，也和少林在伯仲之間，而凌駕其他門派。此人一說話，立時群雄附和。華山派掌門人八臂神翁聞公泰首先起身說道：「天龍幫自崛起江湖之後，處處和咱們九大門派爲難。二十餘年來，無時無刻，不在仇視敵對狀態之下，這場劫難早晚難免，與其留到日後解決，倒不如今日作個了斷。」

馬家宏哈哈一笑，接道：「貧道亦覺著此事拖延下去，有百害而無一利，趁今日這場盛會，大家把舊債積怨，一起清結倒也爽快。」

黃衣老僧輕輕嘆一口氣，道：「阿彌陀佛，冤家宜解不宜結。我們少林一派，承蒙各位武林同道看得起，列爲九大門派之一。老僧又蒙祖師慈悲，被推爲一代掌門之人，得和各大門派宗師列身一堂，但自知德望淺薄，不但不足以和各位相提並論，就是對我少林一派，亦覺愧無建樹。不過對這次比劍之事，已思之再三，如若各憑意氣用事，其結果的悲慘，不知要比三百年前的比劍之爭，慘上幾倍！」

只聽一聲佛號，起自峨嵋派席位之上，群豪轉頭望去，只見峨嵋派中超元大師緩緩站起身子，合掌當胸，對那黃衣老僧微一躬身說道：「大師慈悲為懷，愛普蒼生，如佛靈光普照。老衲亦忝為沙門中弟子，本應早淨六根，杜絕殺孽，但天龍幫對我們九大門派中人，實在太過藐視……」他微微一頓之後，又道：「本派中掌門之人，自被天龍幫擄來之後，迄今已近一年之久，生死未卜，這等奇恥大辱之事，是可忍孰不可忍。」

此語一出，全場震動，各派中紛紛交頭接耳，議論不休。

武當派掌門人靜玄道長，青城派掌門人松木道長，同時起身對黃衣老僧說道：「此事既已形成水火之勢，拖延下去，實是有害無益。大師德高望重，慈悲為懷，但此事實已非慈悲二字所能化解。」

馬家宏、聞公泰起身附和，力主一拚。霎時九大門派中人紛紛起身，場上漸形混亂，只有崑崙派和少林派下門人，仍然端坐未動。

那黃衣老僧，眼看群情騰沸，自知無能勸壓，長嘆一聲，緩緩就座。

李滄瀾一拂長髯，長笑起身，高聲說道：「各位暫請安靜，我李某人既然敢柬邀諸位到此，已準備領教各位的武功，但請諸位說出比劍的辦法，我們天龍幫無不奉陪……」

武當派掌門人靜玄道長，冷笑一聲，打斷了未完之言，接道：「李幫主既然邀我們到此比劍，想必早已預為安排了比武的辦法，何以到了這斷魂崖上，卻要咱們應邀之人劃出辦法，李幫主何所用心，實叫貧道不解。」

李滄瀾呵呵一陣冷笑，道：「諸位口口聲聲，說咱們天龍幫，崛起江湖，時短資淺，乃是武林後進末學，論資望，我李某人也自知天龍幫無法與歷史悠久的九大門派相提並論，此番李某人竟斗膽邀天下英雄來到敝幫總壇比劍定名，但咱們天龍幫之人，仍願以武林後進領教實學之心，請由諸位劃明辦法，我天龍幫中人，無不從命。」

滕雷一咧大嘴巴，乾咳一聲，起身接道：「李幫主何必如此自謙，依在下愚見，李幫主之言，恐怕是違心之論……」說罷，一陣乾笑不已。

李滄瀾臉色微變，隨即又復平靜，冷冷笑道：「滕兄英明過人，不知何以看出李某人言不由衷，尙祈當面指出，也好叫天下英雄與李某人心服口服。」

滕雷道：「好！既是如此，在下也就不得不說了，不過，如有差錯，尙望李幫主不要見笑。」頓了一頓，又乾咳一聲，接道：「如若李幫主果真自知時短資淺，而存心向咱們九大門派請益武學，那乃是人情之常，並非稀罕之事，就毋須大張旗鼓，勞師動眾。可是今天天龍幫的作爲，乃是存心爭霸武林，對九大門派，不僅不甘臣服，而且處處敵視，大有目空天下，唯我是尊之意。如今既敢邀天下英雄黔北比劍，定然早存了盟主武林的野心。處心積慮了二十年，到了今天箭在弦上之日，卻反言願以武林後進，向九大門派領教武學，嘿嘿……李幫主之言，就是三尺孩童，也難信得過……」

天龍幫五旗壇主之中，以五毒叟莫倫性情最爲急躁，一聽滕雷當著天下英雄編排李滄瀾的不是，哪裡還能忍下心中怒火。這時也顧不得禮儀，在座中，暴喝一聲，指著滕雷叫道：「滕雷你住口，這斷魂崖豈是你大發狂言之處，不錯，天龍幫既然敢邀請天下英雄來到黔北，自有這能力承擔這副擔子。今天乃比劍定名，不是逞口舌之能，你姓滕的果真有膽識豪氣，不妨劃出道來，天龍幫無不奉陪……」

就在這劍拔弩張之際，崑崙派一陽子起身離座，說道：「莫、滕二兄且不要爭吵，貧道願插一言。」

一陽子轉臉望著李滄瀾一眼，道：「賓客雖強，卻無奪主之理，天龍幫既有比劍定名之議，亦當早有適當安排。李幫主適才之言，不過是謙遜爲懷，以盡地主之誼而已。現下不妨請天龍幫將預定的辦法，公諸天下英雄之前，讓大家一明究竟，然後再作決定。不知諸位以爲如何？」

四座一陣議論，並無異言。

李滄瀾臉堆笑容，抱拳爲禮，朗聲說道：「既然如此，老朽就恭敬不如從命了。我李某人原想借這次比劍大會，使你們九大門派的排名之爭，亦藉此一併解決。但諸位卻認爲這是我李某人挑撥的手段，爲了使諸位消此疑慮，在下只好改變方法，你們九大門派算在一起，我們天龍幫願接受你們聯合挑戰。不過在下倒希望你們九大門派中，互相推選一個臨時主持全局之人，以便使這場比劍之事，能保持不混亂的局面。你們隨便推出一人，由敝幫酌情派人迎敵。大家以命相博，或是點到爲止，老朽就難作主張，要請眾議作主了，不知諸位覺著我李某人這辦法，還公平嗎？」

此言一出，九大門派中人，個個暗自點頭。武當派掌門人靜玄道長，起身大笑道：「李幫主這辦法，貧道十分擁護，果是一幫雄主之風，氣度大不相同，不知各位還有什麼高見？」

他目光緩緩掃過九大門派席位，群雄個個點頭無言。

靜玄道長拂髯笑道：「各位既然都同意李幫主的比劍之策，貧道以武當派的掌門身分，提議由少林派天宏方丈，主持咱們九大門派全局，不知各位意下如何？」

青城派松木道長首先起身附和道：「天宏大師德高望重，主持全局，最爲適當，我青城派首先贊成。」

玉靈子道：「我們崑崙派亦覺天宏大師是最爲適當的人選。」

少林派席位首座之上，又緩緩站起那黃衣老僧，高宣了一聲佛號，道：「老衲德望難以服人，如何能擔當這主持大局的重任。」

峨嵋派超元大師起身說道：「大師不必過份謙辭，既是眾望所歸，就請大師答應下來吧！」

華山派掌門人八臂神翁聞公泰、雪山派掌門人白衣神君滕雷同時起身說道：「少林派在我九大門派之中，素有領袖之譽，由大師主持全局，實乃最爲理想之人。」緊接著群雄紛紛起身附和。

天宏大師眼看群雄如此，心知如再推諉，只怕要落惺惺作態之嫌，只好合掌當胸，高聲說道：「各位道兄，既然這麼看得起老衲，貧僧只好勉強一試。」

李滄瀾大笑道：「少林派被譽當今武林之中，實力最爲強大的一派，由大師來主持全局，最爲恰當，老朽先向大師致賀。」說完抱拳一揖。

天宏大師合掌當胸還了一禮，笑道：「老衲承各大門派宗師抬愛，推舉主持此事，但此事實非老衲德能所及，如有不周之處，尙請李幫主指正是幸。」

李滄瀾大笑道：「大師德高望重，語語含示玄機，只可惜世上冥頑之人太多，有負大師慈懷，事已至此，大師也不必再多謙辭。」

天宏大師低垂慈目，合十當胸，低宣一聲佛號，道：「李幫主只此一念，已見佛心，老衲雖受命主持此事，但仍望雙方在動手過招之時，本好生之德，做到點到爲止，而體天心，則實爲天下武林之幸……」

崑崙派席上一陽子接道：「善哉！善哉！大師俠骨佛心，苦心規誡，無知世多冥頑，貧道借用三寶法語，也只能說『佛渡有緣人』了。」

天宏大師一抬慈眉，望著天龍幫主李滄瀾道：「阿彌陀佛，好一個『佛渡有緣人』，機緣際會，無數如此，就請李幫主示下，好使在場英雄，各結善緣吧！」

李滄瀾扶杖立身，神目炯炯，環視四座，一頷首，身後黃衣童子紅旗揮動，立時一陣金鼓鳴響，聲震山谷……金鼓聲中，走上五個紅、黃、藍、白、黑的勁裝大漢，各率一隊壯漢，來到場中，那紅衣大漢，恭身一禮，朗聲說道：「敢勞諸位俠駕稍移，好讓小的移座。」

眾壯漢動作敏捷，迅速已將場中座位，移後數步，恭身退下。

又一陣金鼓交鳴，黃衣童子紅旗高舉急落，金鼓倏然而住，全場鴉雀無聲。

李滄瀾緩步走到場中，抱拳爲禮，道：「盛會難得，就請大師發令，天龍幫恭候賜教了。」

天宏大師合掌應道：「老衲遵命。」轉臉向座中一望，道：「哪位英雄有興……」

話音未絕，峨嵋派席上，超元大師霍然起身，道：「天龍幫囂張狂妄，持劫本派掌門人，迄今年餘，生死未卜，此實爲本派開宗以來，空前恥辱，門下弟子，坐寢難安，貧僧雖是三寶弟子，亦難忍此羞辱，今請先試敵鋒……」離座躍身，直向場中走去。

天宏大師一見超元叫陣，閉目輕嘆，道：「阿彌陀佛，我佛慈悲……」

超元大師躍到場中，正待指責海天一叟李滄瀾，驀然天龍幫席上，響起一聲暴喝，道：「幫主請回，待我來會會峨嵋三老的金剛拳法。」

話未完，人已離了那獨特的擔架，躍到場中。

超元大師抬頭一看，來人正是獨腿獨臂、以五毒神掌馳譽江湖的五毒叟莫倫。

莫倫環掃全場一眼，單臂一舉，冷冷說道：「拳腳無眼，既然動上手，就難免要有傷亡。本壇久聞峨嵋派金剛拳法，乃武林中威猛絕倫的拳法，今日有幸領教，大和尚儘管全力施爲。」

超元知此人一身邪毒功夫，出手狠辣，哪裡還敢大意，當下抱元守一，暗中運氣護身，說道：「莫壇主請先發掌。」

莫倫道：「老夫素不喜歡繁文縟節，大師父承讓了。」呼地一掌，直劈過去。

超元閃身讓開一擊，雙拳齊出，一前一後猛擊過去。

別看莫倫只有一臂一腿，但動起手來，卻是迅靈至極。單腿一躍，人已橫閃八尺，吐氣出聲，遙遙一掌劈擊過來。

掌勢出手，立時有一股陰柔的暗勁，挾著腥風直撞過來。

超元大師首當其衝，不得不用力一擋銳鋒，當下暗運功力，反手擊出一掌。兩股一剛一柔的暗勁，在空中微微交接，莫倫擊出的力量，忽然像被收回一般，消失不見，超元左手卻趁時一拳，猛向莫倫擊去。

莫倫冷笑一聲，縱身向旁側一閃，指著超元說道：「你已暗中我五毒神功，如果勉強支撐著再打下去，傷勢便要立時發作。」

此言一出，全場一大半的人都不相信，就是超元自己也不信已暗中遭人暗算，正待出言喝問，忽聽那少林主持低聲宣了一聲佛號道：「師兄的確已中了暗算，快請退下休息。」

超元暗中試行運氣，果然覺出有點不對，不禁暗吃一驚，不敢再強行出手，依言退下。

只見九大門派席位上，站起一人，拂髯大笑而出道：「莫壇主二十餘年前，以全身劇毒馳名江湖，武林中無不退讓三分，二十年餘潛隱苦研，各種毒功，想必較昔年更高一層。貧道慕名已久，特來領教幾招。」

說話之人，正是點蒼派的翻天雁馬家宏。此人練有護身罡氣，毒氣難侵，一看莫倫暗施鬼計，趁超元大師護身真氣尚未行開之時，竟以迅雷不及掩耳的方法，打出五毒掌力，傷了超元，不禁心中大怒，暗中運起護身罡氣，急步搶出。

莫倫半年前在括蒼山時，已見過馬家宏的劍術，在五派聯手陣中，最爲突出，見他叫陣，心中立時加了兩分小心。

馬家宏一揮手中長劍道：「莫壇主請亮兵刃動手。」

莫倫道：「老夫自以空手對敵。」

馬家宏冷笑一聲，道：「刀劍無眼，莫壇主就不怕傷著嗎？」

莫倫道：「老夫雖然不用兵刃，在對敵之中常有暗器飛出，比兵刃也許更爲狡上幾分，這一點，我要先向馬道兄說個明白。」

馬家宏道：「既然動上了手，彼此就形成水火之勢，莫兄有什麼毒功暗器，儘管施爲就是。」

莫倫道：「馬道兄快人快語，在下十分佩服，請道兄先出手吧。」

馬家宏道：「莫兄相讓，貧道恭敬不如從命了。」長劍一推，斜向莫倫削去。

名家出手，劍勢果然不凡，馬家宏長劍斜推出手，始終如削如點，叫人難以測出他劍勢上的變化。

莫倫被迫得不自覺地向右後方退了三步。他原想，在拂開馬家宏攻來劍勢之後，趁勢反擊，出其不意地施展五毒氣功，先傷對方幾人，既可先聲奪人，一挫九大門派的銳氣，自己亦可揚眉吐氣於天下英雄之前。哪知馬家宏出手一劍，看似平平淡淡，其實乃是他天干風雷劍法中，一招極深奧的劍式，名叫「乘風破浪」。這招劍式的妙處，在出手時太過平凡，叫人一看之下，就知是誘敵之招，但卻極不易看出它劍勢的變化，無法搶制先機，就這樣被他看似平淡的隨手一劍，常迫得第一流高手閃身退避。

馬家宏一劍迫退莫倫，陡然欺上一步，運劍如風，展開快攻，剎那間劍影漫天，風雷並發。

這正是他苦研了十年的天干風雷劍法，一施展開，威勢果然驚人，莫倫一著失算，全盤皆輸，在馬家宏搶了先機的快速攻勢之下，竟然被迫得沒有還手之力，單臂揮舞，獨腿縱躍，但卻始終無法擺脫馬家宏繞身劍光。

天龍幫紅旗壇主百步飛鈸齊元同，看出苗頭不對，低聲對王寒湘道：「牛鼻子這套劍法狠辣迅快，兼備並具，莫壇主失去先機，只怕不易再扳回劣勢，我去替他下來。」

王寒湘道：「莫壇主功力深厚，齊壇主不必替他擔心，只要他脫出繞身劍光，就有好戲瞧啦。」

兩人談這幾句話的工夫，場中形勢已有了急劇的轉變，馬家宏手中長劍連出了三招奇學，那本已綿密的劍光，陡然間波起浪翻，幻化出一片劍山，向五毒叟莫倫罩去。

他有心在天下英雄面前，一顯身手，是以，把一套天干風雷劍法，盡量施展出來。果然這套獨步武林的精奇劍法，引起以劍術馳名江湖的武當、青城、崑崙三派的驚奇和注意，紛紛起身觀戰。

莫倫連受馬家宏劍招所制，被迫得如走馬燈般團團亂轉，當著天下英雄和天龍幫五旗壇下的高手之面，早已羞忿難耐，惱羞成怒，激起拚命之心。暗中潛運功力，大喝一聲，左肩一甩，一隻虛飄飄的衣袖，陡然向上一捲，裹住馬家宏的長劍，右臂借勢劈出一掌，當胸直擊過去。

這一著變化，不在武功法則之中，馬家宏怎麼也想不到莫倫竟會利用一隻飄垂的衣袖，捲住自己長劍，借勢搬回主動，不禁微微一怔。就這剎那間的失神，莫倫劈出的掌力，已挾著雷霆萬鈞之勢撞到。

馬家宏因有罡氣護身，不畏莫倫掌力中含蘊的毒氣侵身，他有恃無恐，雖失先機，心神仍然不亂，潛運腕力一絞，把莫倫捲在劍上的衣袖絞碎，順勢偏劍，向莫倫左肋削去。

他劍鋒尚未觸及莫倫肋間，五毒叟掌力已擊中前胸，只聽雙方同時冷哼一聲，各自退後三步，原來莫倫擊出的掌勢，乃是他畢生功力所聚，馬家宏雖有罡氣護身，但卻無法擋得那排山而來的千鈞暗勁，只覺胸前如被巨錘一擊，氣血湧動，馬步不穩，不自主地向後退了幾步，幾乎吃莫倫這一擊，震散護身罡氣。

但莫倫也被馬家宏護身罡氣的反震之力，震得獨臂發麻，腕骨劇疼欲裂，冷哼一聲，也向後退了兩步。

這一著硬拚，雙方心中都有了數，暗自驚佩對方的深厚內功。

但在天下高人注視之下，誰也不甘示弱，略一調息，同時欺身而上。

莫倫適才已嘗到失去先機的苦頭，幾乎被對方搶了先機的迅快劍勢所傷，心生警惕，哪還敢重蹈覆轍，一出手就以自己二十餘年潛心苦研的十五招楊花掌法對敵。

這套怪異的掌法，乃是他生平心血所繫，從不肯輕易施用，即是海天一叟李滄瀾，也不知莫倫會此武功。

剎那間掌影點點，有如風吹楊花一般，上下左右，盡都是飄忽的掌影。

馬家宏仍然以天干風雷劍法拒敵，這套威勢強猛的劍法，愈戰愈使人覺著奇奧難測，三十招後，風雷齊動，劍圈威勢，不斷地擴展，把莫倫圈入了一片劍光之中。

但五毒叟卻未因被圈入劍光中，而生慌亂之感，獨臂揮掃之間，著著反指襲向馬家宏要害大穴。

要知他這一十五招楊花掌，不但變化難測，而且每一出手，指影紛紛，如風擺楊花，使人眼花撩亂，拿不準他攻勢。兩人均以畢生心血研創而出的獨特武功動手相搏，只看得全場高手個個摒息相觀，鴉雀無聲。

激戰間，忽聽五毒叟冷哼一聲，獨臂一揮之間，十幾道無聲無息、細若遊絲的白光疾向馬家宏打去。

昔年莫倫以這細小絕毒的暗器蠍尾針，稱霸江湖，不知有多少武林高手，送命在他這五毒淬練、細若牛毛、發射無聲的霸道暗器之下。他動手之初所以不肯施用，無非是不願在天下英雄環視之下，以這等歹毒絕倫的暗器求勝，想以自己練成的五毒神功和楊花掌法，堂堂正正地擊敗敵人，以求揚眉吐氣於英雄大會之上。哪知馬家宏天干風雷劍法奇奧絕倫，而且又有罡氣護身，不畏毒氣相侵，楊花掌法雖奇，卻無法勝得人家天干風雷劍法，這才一橫心，打出蠍尾毒針。

馬家宏雖有罡氣護身，但心中對他這細小歹毒的暗器，也存著幾分顧忌，只怕護身罡氣難以擋得住這等細小鋒利的暗器，當下大喝一聲，向後疾退三步，全身真氣，運注劍身，舞出朵朵劍花，強烈的劍風波蕩，把十餘支打來的蠍尾毒針盡行擊落。

只聽莫倫冷笑一聲，獨臂連揚三揚，三波毒針連續出手，日光耀射之下，銀絲閃動，疾射而來，這等暗器手法，已到爐火純青之境，三波毒針不下百支之多，密如蓬雨，實在叫人無法躲避。

馬家宏見對方連發三波毒針，心中暗生驚駭。忖道：不知他這毒針還有好多，如連續打出幾波，我縱然不傷針下，也必大耗真氣，再和他動手相搏，定然要吃大虧，與其消耗真氣防守，倒不如出全力和他一拚。我這身劍合一，飛躍擊人之術，自練成之後，還未用過，今日當天下武林高人之面，不妨一顯身手，縱然傷損不到對方，亦可炫露一下絕技。念頭一轉，豪氣頓生，長嘯一聲，凌空而起，手中長劍劃起一片護身光幕，連人帶劍化成一道白光，直向莫倫罩去。

這等身劍合一的擊人之術，乃劍道中極高的一種功夫，全憑本身內力，運劍飛躍取敵於數丈之外，如再更上一層，以氣施劍，那就是劍道中最高的禦劍術了。馬家宏以極高的才智，數十年的時間，浸沉於劍道之中，雖然未習成御劍之術，但已被他練成身劍合一，飛躍取敵的至高成就，就九大門派高人中劍術一道而論，他算首屈一指的佼佼人物。

果然，他這身劍合一的飛躍一擊，使全場中高人為之震動。素以內家練氣自居、劍術稱雄的武當派掌門人靜玄道長，亦不禁暗自敬佩，自嘆弗如。

五毒叟莫倫目睹對方來勢凌厲，心頭大是驚駭，暗自嘆息一聲，忖道：今日之局，恐難善終。當下提足真氣，疾躍而起，準備以數十年修爲的功力，和對方作生死一搏之拚。

只聽海天一叟李滄瀾大聲喝道：「莫壇主不可硬拚，快些退下。」一頓手中龍頭拐，人如行空天馬，疾向兩人飛去。

八臂神翁聞公泰厲聲喝道：「好啊！李幫主準備群毆了。」一揚手，彈出一把金丸，一線飛出，直向海天一叟打去。

此人心中懷恨李滄瀾殺死師弟多臂金剛屠一江，早就有心挑起群鬥的場面，借九大門派高手之力，爲師弟復仇。是以，一見李滄瀾出手，立時打出一把金丸，想藉機挑起群毆的局面。

就在聞公泰金丸出手的同時，天龍幫白旗壇主子母神膽勝一清，雙手齊揚，打出了兩枚子母膽。

鐵膽劃起了破空的嘯風，迎向聞公泰打出的金丸，一陣金鐵相擊之聲，八臂神翁打出的金丸，盡被子母膽撞擊落地。

就這一緩之勢，李滄瀾已挾雷霆萬鈞之勢，躍近兩人，人未到，龍頭拐已自探臂掃出，橫向馬家宏擊去。

這等懸空出拐的身手，只看得場中群豪個個心生驚駭，暗自佩服。

四七　步步驚魂

李滄瀾來勢雖快，但馬家宏的運劍躍擊之術，較他尤快一著，再加莫倫逞強鬥勝之心甚強，不肯退讓閃避，反而以本身數十年修爲的功力，躍起迎敵，企圖作玉碎一擊。一攻一迎之間，迅如雷奔電閃，李滄瀾拐勢揮手掃出，仍是晚了一步，只聽兩聲悶哼，那經天而去、勢若長虹的白光忽斂，五毒叟莫倫和翻天雁馬家宏，同時由半空跌了下來。

李滄瀾一擊落空，人也落下實地。

群豪定神看去，只見莫倫滿身鮮血淋淋，濕透了一件長衫。原來他斷缺的左臂肩頭之上，又被馬家宏一劍洞穿，鮮血泉湧而出。

可是馬家宏被莫倫中劍後反擊的一掌，擊中前胸，他雖有罡氣護身，但也難擋莫倫這全身功力盡集右掌的一擊，只覺氣血浮動，人由空中摔了下來，幸得他護身罡氣未被震散，莫倫掌蘊毒氣，尚未能侵入他的體內。

這驚心動魄的生死一搏，使全場中人，都看得心生驚悸。

李滄瀾略一定神，陡然欺上一步，左手食中二指，迅如電光而出，舉手之間，截住莫倫體內血脈，止住他泉湧而出的鮮血。回頭對隨後奔出的川中四醜說道：「快把莫壇主送出斷魂崖，交給蕭香主，替他療傷。」右手一頓龍頭拐，但聞砰然一聲大震，鐵拐入地半尺。

李滄瀾拂髯大笑道：「馬道兄的劍術造詣，果有超人之處，老朽不自量力，想空手領教馬道兄幾招奇奧的劍法。」

馬家宏被莫倫一掌震得氣血浮動，正自運轉調息，聽得李滄瀾叫陣之言，心下甚感爲難，如果裝作不聞，當著天下英雄，甚失面子，如若相應出戰，自己在真氣尚未調息復元之前，只怕難是對方敵手。

李滄瀾目睹馬家宏精奇的劍術，心中已生殺機，但他要自重一幫之主的身分，又不便下手偷襲，一見馬家宏沉思不語，怕他見機而退，立時高聲說道：「馬道兄不理老朽，是何用心？難道就這般瞧不起我李某人嗎？」口中說著話，人卻陡然欺身而上，探手一把，直向馬家宏肩頭之上抓去。

翻天雁馬家宏既不能撤身退走，只好揮劍迎敵，手中長劍順勢一抬「迎風斷草」，劍光閃動，直向李滄瀾小臂上削去。

海天一叟用心就在逼他出手，一見馬家宏舉劍削來，立時閃身向後退了兩步，大喝一聲，舉手一指截去。

一縷指風暗勁，直逼過去，這正是李滄瀾獨步武林的絕學，「乾元指」神功，他心中殺機已動，竟然一聲不發地默運起「乾元指」神功剋敵。

馬家宏只覺那襲來的指風如劍，護身罡氣竟被衝襲，心知對方已施出「乾元指」神功，不禁心頭一凜，暗道：久聞李滄瀾練成了曠絕江湖的「乾元指」，指風裂金穿石，專破金鐘罩、鐵布衫及護身罡氣等功夫，看來是不假了。心念一動，立時運氣行功，把全身功力，盡集左肩之上，一側身，硬用左肩，擋受一擊。

總算他見機適時，拚受重創，用左肩硬擋一指，才算逃了一命。但覺左肩如受千鈞重力一擊，氣血向上一湧，肩骨痛如碎裂，護身罡氣登時散去，馬步浮動，立足不定，一連向後退了五步，仰臉摔在地上。

李滄瀾一擊，重創翻天雁馬家宏，使九大門中高手，個個臉上變色。天宏大師低宣了一聲佛號：阿彌陀佛！僧袍一揮，人如春燕剪水，由座位上直飛過來。

就在天宏大師飛身離座的同時，八臂神翁聞公泰、白衣神君滕雷、崆峒派陰手一判申元通、青城派的松木道長，同時躍飛離座直搶過來。

天龍幫中高手，目睹九大門派高人紛紛躍離座位，立時也急步搶出。王寒湘手舞摺扇，一馬當先，齊元同手握青鋼雙輪，緊隨王寒湘身後而出，勝一清、崔文奇以及五旗壇下高手二十餘人同時蜂湧而出，場面登時一片混亂。

李滄瀾回頭大喝一聲：「站住。」天龍幫五旗壇主及蜂湧而出的高手，果然一齊停下，不敢再向前欺進一步。

天宏大師一伏身，抱起倒臥在地上的馬家宏，低頭一瞧，只見他面色蒼白，雙目微閉，雖未氣絕，但以他這等身具深厚內功之人，竟然一傷至此，「乾元指」的威力，實是驚人，老和尚看得一皺眉頭，拂袖疾退。

聞公泰一揮手中青竹杖，冷笑一聲喝道：「李兄以幫主的身分，乘人劇戰之後，元氣未復之際，出手施襲，縱然得勝，也不算什麼榮耀之事。」

李滄瀾拂髯一笑，雙目精光暴射，冷冷地掃射全場一眼，說道：「聞兄養精蓄銳而出，可願接老朽一招試試嗎？」

聞公泰被對方拿話一扣，眾目睽睽之下，實難下臺，當下一揚手中青竹杖，道：「李兄這等盛氣凌人，難道兄弟還真怕你不成？」

李滄瀾幾句羞辱之言，激得怒火暴起，大喝一聲，揮杖一招「直叩天門」，當頭直擊下去。

李滄瀾這次柬邀九大門派比劍，已存爭霸武林之心，不但把全幫中高手調集總堂，準備和九大門派中人一拚，而且還預作了各種布置安排，進則可攻，退則可守，胸中早存殺機，只求速戰速決，一見聞公泰出手，立時側身向旁一閃，振腕一指直截而出。

他這「乾元指」神功，平常極少用出對敵，非至生死交關，很少出手，今日一出陣就連續用出，不但使聞公泰大生驚駭，就是天龍幫四旗壇主，也覺著事情大不平常。

聞公泰眼看馬家宏重傷在他「乾元指」下，哪裏還敢硬接他這一擊，立時沉腕收杖，身軀凌空而起，左手借勢探懷摸出一把金丸，正待彈出擊敵，忽見李滄瀾右腕一抬，勁襲而來的指風，忽然易向追擊過去。

原來他這「乾元指」已練到收發隨心之境，勢隨念動，指風隨勢襲敵。

但聞八臂神翁一聲悶哼，懸空的身子，忽如斷線風箏一般，在空中連續翻了兩個觔斗，墜落實地。

九大門派中，眼看李滄瀾舉手一擊之間，就把名列江湖一流高手的馬家宏和聞公泰重創當場，不禁個個臉上變色。

青城派松木道長右手長劍護身，縱身躍到聞公泰身側，左手一探，抱起了八臂神翁。

只見他雙目緊閉，鼻孔、嘴角之間，鮮血泉湧而出，氣若遊絲，傷勢十分嚴重，不禁暗生驚駭。

白衣神君滕雷一咧大嘴巴，乾咳一聲，道：「好辣的手法。」呼的一拳，直向李滄瀾劈擊過去，人卻在拳擊出之後，向後疾躍而退。

此人早已打好如意算盤，潛運功力，擊出一拳，如能傷得李滄瀾最好，即使傷不了人，他已退出場中，讓人接鬥下場。

哪知海天一叟殺機早生，那還容他退出場去，滕雷拳風襲到，他竟不閃不避，左手揮掌一擋，右手已運集「乾元指」神功截去。

一縷勁疾指風，直襲向滕雷後背，白衣神君正向前奔走的身子，忽然向前一栽，一聲未出，撲倒地上。

李滄瀾連施「乾元指」神功，一出手就傷了三個名列武林第一流高手掌門宗師，使九大門派中人，既驚且怒。華山、雪山兩派中參與英雄大會之人，一見掌門人重創當場，一齊站起身子，拔出兵刃，準備以死相拚。

天宏大師抱著馬家宏回到少林派席位上後，暗運功力推拿了馬家宏幾處穴道。

翻天雁馬家宏因有罡氣護身，雖然首遭銳鋒，但卻受傷最輕，經功力深厚的天宏大師推拿過幾次要穴之後，人已清醒過來，睜眼瞧了全場一眼，又緩緩閉上了眼睛，顯然，他傷痛難耐，無暇看清場中變化，就閉目運氣調息。

這時，受傷的八臂神翁聞公泰，被青城派松木道長救起，白衣神君滕雷被崆峒派的陰手一判申元通救了起來。華山、雪山兩派中人，已各仗兵刃而出，分向李滄瀾包圍過去。

天宏大師高宣了一聲佛號，大聲說道：「諸位不可憑一時意氣出手，擾亂了比劍次序。」

這聲大喝，聲如洪鐘，華山、雪山兩派中人，果然停腳步，一齊回頭望著天宏大師。

武當派掌門人靜玄道長，一拂胸前長髯，接道：「天宏道長乃咱們九大門派自選之人，凡是九大門派中人，都應該聽他的令諭行事，各位縱然心懷大忿，也不可壞了規矩，快請各歸席位。」

少林、武當兩派不但來人眾多，而且平日的聲譽，也凌駕其他門派之上。天宏大師和靜玄道長一齊出言阻止，華山、雪山兩派中人，果然不敢再強行出手，各自緩步退回原位。

李滄瀾朗朗一笑，環視全場一周，說道：「動手過招，自是難免凶險，不知還有哪位肯賜教老朽？」他出手連傷三大門派掌門宗師，不覺間趾高氣揚，口氣托大起來。

天宏大師合掌當胸，道：「阿彌陀佛，老朽原想以切磋武學，點到就收，完成這次比劍之爭，但李幫主出手狠辣，連傷我們九大門派中人，已使老朽難再啓唇相勸各派宗師……」

李滄瀾傲然一笑，接道：「老禪師用心雖然慈悲，但可惜九大門派中冥頑之人太多，看來是有負老禪師一番善決了。」此言一出，全場大嘩，九大門派中人，個個怒形於色。

武當派靜玄道長霍然站起身子，怒道：「李幫主乃極有身分之人，怎竟出口污辱人。」

李滄瀾笑道：「老朽久聞武當派以劍術馳譽武林，不知道長是否肯賜教老朽幾招？」

靜玄道長如何能受得這當面挑戰之辱，當下拔出背上長劍，離開座位，大踏步向場中走去。

他一離座，武當席位之上，立時有四個年齡較長弟子，各自拔出長劍，隨在靜玄道長身後，護擁他步入場中。

李滄瀾伸手拔起地上龍頭拐，在手中微一劃掄，呵呵一陣冷笑，欺步向靜玄道長迎去。

李滄瀾方一移步，這邊五旗壇中的王寒湘、崔文奇、勝一清、齊元同也各操兵刃，緊隨李滄瀾身後而出。

海天一叟李滄瀾以「乾元指」連傷三位武林高手，心中自不免油生驕氣。但面對武林奇士武當派掌門人靜玄道長，依然不敢大意，強按下驕狂之氣，抱拳爲禮道：「李某人何幸，得邀請道長見愛，肯不吝武當絕學，讓老朽一開眼界……」

靜玄道長未待李滄瀾話完，冷冷一笑，道：「李幫主力挫咱們九大門派中人，是何等豪氣，現下又何必自謙。但不知李幫主和貧道是單打獨鬥，還是和貴幫幾位壇主一齊下場？」說罷，抱劍後移三步，人已進入四個托劍的道長拱圍之中。

李滄瀾正待答話，陡聞衣袂飄響，王寒湘手弄摺扇，已躍到李滄瀾身側，恭身對李滄瀾道：「幫主神威，連剋三敵，應請返座小息。這武當派的『五行劍陣』可交由屬下等……」

李滄瀾放眼看去，果見武當派出陣的五人，已按金、木、水、火、土的五行方位站定，五人一式，右手托劍，左手掐訣，穩如山嶽，蓄勢以待。

李滄瀾心中暗道：王寒湘果然不愧文武全才，心思縝密，高人一等，若不是他提醒於我，幾乎大意誤事了。但他乃生性強傲之人，心念雖動，依然豪氣干雲，長嘯一聲，笑道：「久聞武當『五行劍陣』與少林『羅漢陣』天下馳名，數十年來，一直無緣親赴武當山，一開眼界，想不到今天在這斷魂崖上看此名陣，這千載難逢的機會，李某豈肯錯過。」轉臉對王寒湘道：「王壇主請回，今天老朽要獨闖『五行劍陣』，見識、見識這曠世的武學……」長嘯聲中，一頓龍頭拐，人已緩緩向「五行劍陣」走去。

「五行劍陣」雖是武當絕藝之一，但數十年來從未聞武當派用過此陣，在場九大門派高手一聽武當派排出「五行劍陣」，不由掀起一陣騷動。及至李滄瀾要一人單闖「五行劍陣」，這更是罕見罕聞之事，座中諸人不由得交頭接耳一番私議。

李滄瀾橫拐當胸，走近正東方，對那抱劍招訣的武當高手，微微一笑，也不答話，龍頭拐一揮，一招「直叩南天」，直向那道長擊去。

那道長微一側身，一招「宇宙混沌」封架來襲。

兩人這一交手，「五行劍陣」立時起了變化，這正東方道長封架過李滄瀾一招「直叩南天」，虛晃一劍，人忽然向旁側避去。

李滄瀾一得空隙，正待揮劍向靜立中央的靜玄道長攻去，突然人影閃動，那原立正南的道長，已欺身擋住去路，手中長劍一招「兩儀初啓」，幻化出兩朵劍花，分向上下兩路點到。

李滄瀾冷笑一聲，龍頭拐上格下封，將這一招奇襲輕輕化去，未容李滄瀾還擊，那道長又已閃開，原守在西方的道長卻又掄劍攻上。

這一陣五行變化，不過是眨眼之間的事，李滄瀾雖然未爲「五行劍陣」彼進此退的綿連攻勢所困，但心中已暗生驚駭。忖道：這「五行劍陣」果然名不虛傳，今日倒是得加上幾分小心。

他乃生性高傲之人，雖然在兩招交接之中，已覺出了「五行劍陣」的厲害，但卻不肯要人相助，當下凝神運氣，靜立待敵。

原來他在這兩招交攻之間，已看出「五行劍陣」不但五人聯合，天衣無縫，而且攻剋拒敵進退之間，含蘊著五行生剋的變化，一不小心，即將爲那五行變化，擾亂心神，被困劍陣之中。

要知以人聯成五行劍陣，不但兼俱了一般五行生剋變化，而且因人的進退攻守，經常連帶使全陣突變，這等突然的變化，脫離五行生剋變化的常規，縱然是通達五行生剋之人，也難應付這等正反易位，奧奇難測的突變。

李滄瀾乃一梟雄之才，機智才華，無不超一等，他連剋三敵的驕狂之氣，在經歷五行劍陣兩招變化之後，立時一掃而空，凝神蓄勢待敵。

靜玄道長目睹李滄瀾剎那間以動變靜，由狂傲變拘謹，不肯發拐搶攻，心中暗自佩服，忖道：此人果然與眾不同，竟能一瞬間自否驕狂。當下一舉手中長劍，一招「平沙落雁」疾刺過去，左腳同時斜上一步，帶劍陣變化，眨眼之間，五人交互移位，劍光閃動，分由四面八方攻到。

李滄瀾大喝一聲，龍頭拐「雲霧瀰天」，舞起一片拐影，但聞一陣金鐵相觸之聲，環攻近身劍光，盡被拐影封架開去。

靜玄道長劍勢首擋銳鋒，和他龍頭拐一觸之下，不但攻去劍勢被直擋開去，而且右臂發麻，手中長劍幾乎脫手飛去，不禁心生驚駭，暗道：此人內功這等深厚，和他動手相搏，倒是不宜力拚，舉劍在空劃了個圓圈。

這舉劍一劃，乃指揮五行劍陣變化的暗號，但見各守方位的四個道長，突然各自轉身，舉劍斜刺過去，四柄長劍，分襲四個方向，而且同時出手，一齊攻到，只要是武功稍差之人，就難免顧此失彼。

李滄瀾看對方攻勢變化，愈出愈奇，心中亦自暗生驚駭，當下一屈左膝，全身突然矮了半截，右腳暗運功勁，用力一旋，手中龍頭拐，隨著疾旋的身軀，環掃一周，把四面同時刺到的長劍，一齊封架開去。不待對方劍陣再有變化，立時長嘯一聲，右腳用力一彈，全身凌空而起，右腕揮動之間，幻化出一道拐影，挾著嘯風之聲，疾向靜玄道長罩去。

他看出對方劍陣變化奇奧，如若只守不攻，處處陷入被動，盡成挨打局面，久必爲人所傷，心念一動，生出反擊之心，架開對方四劍合襲以後，凌空躍起，疾向靜玄道長攻去，而且攻勢凌厲，企圖一擊成功。

靜玄道長目睹李滄瀾凌空下擊之勢，威猛至極，不敢以自己長劍和他龍頭拐相觸，閃身向旁邊退讓五步，長劍斜指，發動五行劍陣，立時劍氣漫天，幻化成一片劍幕，重重劍影，四面湧上。

李滄瀾一擊落空，身陷環繞的劍光之中，五行穿插遊走，劍勢變化難測。

要知武當派這五行劍陣，和少林派的羅漢陣同爲馳名天下的絕學。不同的是羅漢陣分爲大小兩種陣式，大則以一百零八人排成陣式，威勢更爲強猛，千百年來，只有三個人脫出那一百零八人布成的羅漢陣圖。但十八人組成的小型羅漢陣，雖不若大型羅漢陣圖厲害，但江湖上亦很少有人闖得過。

只見「五行劍陣」瀰漫著沖天劍氣，李滄瀾一支龍頭拐宛如神龍一般，遊走在劍氣之中，東衝西擊。

靜玄道長突然一聲清嘯，封開李滄瀾一拐猛烈攻勢，疾向右側橫跨兩步，霍一轉身，長劍直指，又猛攻而上。

靜玄道長這一舉動，正是指揮「五行劍陣」演變陣式暗示，但聽四位道長齊聲朗嘯，道袍飛翻，疾抽長劍，星換斗移，互交方位，陣式頓變。

「五行劍陣」一變，立時情勢大異。但見五柄劍，發出呼呼嘯聲，挾著風雷之勢交織成一片劍幕，如漫天濃霧，又似浩瀚無際的千頃波濤，洶湧翻滾，劍勢愈演愈密，倏然之間，僅聞得陣陣風雷之聲，那五位武當道長的身形，已隱沒在那一團劍氣之中。

李滄瀾天生異稟，功力深厚，雖然被這怒海驚濤般的劍幕所圍，但他依然勢如山嶽，並不為這懾人魂魄的劍勢所亂，一根龍頭拐招招絕學，遊騰於劍氣之中。

海天一叟李滄瀾雖然是一代梟雄之才，武林怪傑，但他以半生歲月沉浸在潛修武學之上，又以二十年時日經營天龍幫，是以雖具驚世的武功，卻未能兼研九宮五行之學，此時憑著一股豪氣，獨闖武當絕藝的「五行劍陣」，雖然未現敗跡，但如想一時之間衝破「五行劍陣」，仍是大不容易之事。

武當派的五行劍陣愈來愈是嚴密，變化愈來愈是複雜，在場高人之中，不少精通五行生剋之學，但看了一陣五行劍陣的變化之後，漸覺眼花撩亂起來。

原來這五行劍陣乃武當派鎮山之藝。其參與五行劍陣之人，都是經過嚴格的選拔、訓練，不但要資質過人，而且才華、骨格都要上選之才，每一代中選出七人，五正二副。靜玄道長以一代掌門之尊，親自臨敵，隨出四位道長都是他一輩份中師弟，這五人已浸沉在五行劍陣之學三十年以上時間，不但對五行劍陣反正生剋變化，精熟於胸，就是各人的功力，亦都有相當的火候，熟能生巧，巧於窮工變化，是以，五人遊走穿梭出劍的攻勢，大出五行劍陣常規，忽正忽反，奇奧異常，縱是精通五行變化之人，亦難測度其攻守之變。

一陽子看得輕輕嘆一聲道：「江湖上久傳武當派以劍術領袖武林，看來倒非虛傳，他們五行劍陣，確是劍術中極深奧的一門奇學。」

玉靈子點點頭道：「大師兄說得不錯，小弟亦有同感……」一轉臉瞥見楊夢寰聚精會神地在看著五行劍陣的變化，而且時而點頭稱頌，時而搖頭嘆息，大有智珠在握，洞悉先機之概。

玉靈子看得一皺眉頭，低聲對一陽子道：「大師兄素精五行奇術之學，想必盡傳於楊夢寰了。」

一陽子搖搖頭道：「小兄雖然略通此道，但實難談上精通二字，更談不上傳授於他了。」忽聽楊夢寰自言自語地說道：「可惜呀！可惜呀！庚金、癸水二行，如果多攻兩劍……」

玉靈子冷哼了一聲，道：「胡說八道什麼！」

楊夢寰悚然一驚，轉頭望了師叔一眼，默然垂下頭去。

一陽子見楊夢寰神情，原待開口相詢，轉臉見玉靈子面罩寒霜，不由心中一寒，暗自嘆息一聲，移目向「五行劍陣」望去。

「五行劍陣」陡起變化，李滄瀾神勇力鬥五位武當高手，真是武林罕見之事，只看得在場諸人，摒聲靜氣，個個面呈緊張之色。

天龍席上各旗壇主，一見幫主被層層凌厲的劍氣所困，自是焦急萬分，各擺兵刃，紛紛移步，準備齊攻「五行劍陣」。

王寒湘一見群情激昂，趕忙躍前阻擋。

王寒湘在天龍幫地位崇高，為人不僅武功精奧，而且學問淵博，極得天龍幫尊敬，他這出面制阻，果然立時生效。

王寒湘手託摺扇，靜看了一陣「五行劍陣」的變化，點頭微笑，突然朗聲說道：「幫主請先澄清心念，不要急切求功。」微微一頓，又道：「這是武當正五行，請幫主速攻北方，再走南方，以水剋火。」

李滄瀾素知王寒湘之能，聽他一叫，果然依言施爲，龍頭拐驀然一招「風雷並發」，直向北方攻去。

他拐勢攻出之時，正是「五行劍陣」庚辛、壬癸兩行位置相互移換，吃他淩厲的拐風一衝，兩行移位受阻，「五行劍陣」立時微現混亂。

李滄瀾一擊得手，立時一個轉身，返攻南方丙丁之位，龍頭拐疾施「分雲取月」，撥架開乙木、辛金兩位合擊劍勢，直向固守丙丁之位的道人攻去。

他這招搶制先機的猛擊，使微生混亂的「五行劍陣」，兩行移位的變化受阻，全陣頓時更形混亂。

靜玄道長舉起手中長劍，在空中轉了兩轉，四位道人忽然變換移位方向，混亂的「五行劍陣」陡然間又穩定下來。

王寒湘冷眼旁觀，洞悉機先，立時又高聲叫道：「幫主請攻乙木，再返攻辛金，『五行劍陣』已經以反代正了。」

李滄瀾是何等才智之人，言甫入耳，招術同時發出，龍頭捲帶嘯風，攻向乙木之位，同手一記劈空掌風擊向辛金之位。

武當派的反「五行劍陣」剛剛變成，尚未來得及發動攻勢，被李滄瀾搶先一拐一掌，劍陣又形紊亂。

靜玄道長大喝一聲，長劍揮去，疾攻三招，迫得李滄瀾揮拐接架。就這一緩之勢，反「五行劍陣」立時又恢復原位，一劍連綿出手，又把李滄瀾困入劍陣之中。

這一變化，激怒了一代梟雄的李滄瀾，長眉一揚，殺機突起，龍頭拐一招「神龍出水」，攻向癸水之位，反手一記乾元指，疾截向丙火之位。

他這「乾元指」威力強猛，非同小可，指風所及慘叫之聲隨起，守在丙火之位的一個道人身軀陡然直飛起來，摔到兩丈開外之處。

他一擊得手，不容對方劍陣再生變化，第二次運氣行功，「乾元指」連續點出，一縷指風直指向乙木地位，但聞一聲悶哼，又一個道人的身軀飛摔出去。

李滄瀾搶制先機的猛攻，使對方劍陣變化受阻，借機施展絕學，連用「乾元指」神功傷了兩人，「五行劍陣」五去其二，不但威力大減，而且劍陣已難再行推動。

靜玄道長眼看兩位師弟傷在李滄瀾「乾元指」下，悲忿至極，這是數百年來武當派從未有過的挫辱，急怒之間，頓忘厲害，大喝一聲，欺身直進，揮劍猛攻。

李滄瀾哈哈一笑，道：「好！這才是憑真功實學的打法。」反手架開長劍。

武當、少林，在江湖上同受天下武林尊仰，聲譽至高。此番當著天下英雄之前，竟被海天一叟李滄瀾單拐隻掌，擊破武當鎮山之藝的「五行劍陣」，這實是奇恥大辱之事，靜玄道長急怒之間，掄劍猛攻李滄瀾。

李滄瀾獨破名馳天下的「五行劍陣」，不由得豪氣驕態隨念而生，架開靜玄道長一劍猛攻之後，振腕揮拐，伸縮之間，已居然攻出三招。

靜玄道長性急之下，早把個人生死利害，置於度外，眼見李滄瀾三招連環攻到，他竟然不避不讓，氣納丹田，力貫劍身，點、挑、壓連綿翻起三朵劍花，但聞一陣金鐵交鳴，火花閃動，硬封擋了三拐猛烈的擊襲。

兩人這一交手，皆是全力施爲，靜玄道長力封三拐，只覺右臂痠麻，虎口欲裂。心中一凜，忖道：人云李滄瀾天生異稟，神力超人，此言實在不假，他既有過之神力，兵刃又極爲沉重，我怎能和他硬較功力，這豈不是以己之短對人之長嗎？

心念一動，趕忙收斂心神，步踏中宮，氣歸丹田，以心行氣，以氣領劍，竟施展出武當開山絕藝「太極劍」來。

這「太極劍」乃武當鼻祖張三丰所創，施展開來真是靜如山嶽，動若江河，李滄瀾那凌厲剛猛的拐勢，被靜玄道長所施「太極劍」粘、彈、震、引、化、捲、卸幾種絕柔的巧勁一一解化，漸漸扳回劣勢。

站在一側的兩位武當門下的道長，一見掌門人靜玄道長驟改劍招，搶回失去的機先，不覺勇氣陡增，斷喝一聲，身形暴長，雙雙掄劍聯攻而上。

三人聯劍出手，威力雖不若「五行劍陣」來得驚人，但這一場拚搏，並不憑藉陣形變化，而全在真才實學上分高低，一時間劍花朵朵，拐影如山。

李滄瀾偷眼四望，只見四座高手，都在摩拳擦掌，躍躍欲動，心知不能戀戰，必須速戰求功。當下冷冷一笑，拐影中抽出左手，暗集功力，右拐直襲靜玄道長，左手運起「乾元指」，突向左側那道人猛擊過去，這乃是李滄瀾蓄勢而發，有心一施。一擊之力，勢如山崩，但聽一聲悶哼，那道長連人帶劍被震出七、八尺開外。

就在「乾元指」震飛那道長的同時，翻腕抽回襲向靜玄道長的拐勢，突變一招「神龍入雲」，挾帶起一陣尖嘯，直向正前方那道人的長劍迎去，但聽一聲金鐵交震之音，那道長的長劍脫手而出，一道銀光，劃空而過，飛落出一丈多遠。呼吸之間，龍頭拐反封靜玄道長，左掌同時間又劈出一掌，那道長已知李滄瀾掌力厲害，哪敢硬接，挫腰移步，橫閃三步，讓開一擊。

指顧間李滄瀾又擊退二人，靜玄道長心知今日之會，武當派威名喪盡，心中一陣難過，血騰氣翻，臉色鐵青，慘笑一聲，振起餘勇，劍招一緊，全力反攻而上。

那躍退一側的道長見掌門人全力攻上，也一掄長劍，疾攻李滄瀾左側，李滄瀾暴喝一聲，未容他腳落實地，乾元指力已猛襲過去，但聽一聲悶哼，那道長已翻身倒地。

這時四周響起一片步履之聲，在場各門各派中人，齊向場中欺去，形勢頓形緊張。

天宏大師合掌當胸，宣了一聲佛號，道：「我佛請恕弟子罪過，今日之局，弟子不得不妄動嗔念了！」霍然站起身子，群僧一見掌門方丈站起身子，紛紛隨著起身。

玉靈子低聲對一陽子道：「咱們如果再不出手，只怕九大門中人，真要誤會咱們崑崙派和天龍幫有什麼默契勾結了。」也不待一陽子答話，翻腕拔出寶劍，縱身一掠，直向場中飛去。

一陽子、慧真子一見掌門人出手，一齊離座，飛躍追去。

這時，天宏大師已到場中，氣納丹田，高聲說道：「諸位道友施主，快請各歸原位，老朽想試試李幫主『乾元指』的威力。」

這聲大喝，有如春雷貫耳一般，全場無人不聽得字字入耳，各派中人見天宏大師要親自出手，果然各自歸回原來座位。

這當兒，場中劍光拐影，正打得激烈絕倫，靜玄道長眼看四位師弟，盡傷在李滄瀾的手下，心中悲憤已極，盡展全身絕學，以命相搏。

但李滄瀾天生奇稟，神力驚人，拐勢奇重無比，而且武學淵博，兼通各派武功，靜玄憑一股銳氣和李滄瀾單打硬拚，初時尚可平分秋色，但交手十幾回合，漸覺不支，劍勢逐漸緩慢，李滄瀾拐風卻是愈打愈強勁。

天宏大師慈目環掃了倒臥被擊的武當四位道人一眼，高聲說道：「道兄暫時退下，讓老朽見識一下李幫主的絕學。」

靜玄道長心懷大忿，哪裏肯聽，劍勢一變，攻勢反而更加凌厲。

天宏大師目光何等銳利，目瞧靜玄道長氣力漸弱，已成強弩之末，如再不替他下來，二十回合之內，必將傷在李滄瀾的手下。救人心切，顧不得有失禮舉動，大聲喝道：「各位既然推選老衲主持這場比劍事宜，豈可把老朽之言，當作過耳東風。」縱身而上，潛運真力，一招「移山超海」擊向兩人之間，強猛的勁道潛力，排山般直撞過去，迫的兩人各自退了兩步。天宏大師卻借機躍在靜玄道長身前，合掌勸道：「老衲是這場比劍的主持身分，請道兄退回本位。」

靜玄道長雙眉微微一揚，冷然說道：「李幫主好辣的手段……」

李滄瀾臉色一沉，截住天宏大師之言說道：「動手過招，難免傷亡，老禪師不必大發慈論，但請出手就是。」

天宏面容一整，莊肅說道：「既然如此，老朽恭敬不如從命。」正待欺身搶攻。忽聞身後響起玉靈子的聲音，道：「老禪師德高望重，豈可輕易出手，這一陣讓我們崑崙派打吧！」

天宏大師轉頭望去，只見崑崙三子並肩而立，各人長劍都已拔在手中，一臉堅決之色。只好合掌而退，道：「三位道兄請自珍重。」

玉靈子微微一笑道：「適才李幫主說得不錯，動手相搏，自難免要有傷亡，不過生死之事，有時非人力所能決定，老禪師請回席位，崑崙三子埋骨這斷魂崖，死而無憾。」

九大門派中人原都認為崑崙三子和天龍幫有著勾結，聽得玉靈子幾句豪氣干雲之言，心中疑念頓消。

李滄瀾冷冷地望了崑崙三子一眼，道：「三位當真準備要和老朽拚命嗎？」

玉靈子笑道：「李幫主儘管施展絕學，崑崙三子已抱必死之心而戰。」

李滄瀾拂髯大笑，道：「既然如此，三位就請聯劍出手吧！」

忽見王寒湘搶前兩步，躬身對李滄瀾道：「幫主連克強敵，豈可再戰崑崙三子，這一陣由屬下代幫主一戰如何？」

李滄瀾一皺眉頭，還未來得及開口，王寒湘又急聲說道：「幫主請稍養精神，少林派羅漢陣威勢尤勝五行劍陣……」

李滄瀾微微頷首接道：「崑崙派分光劍法乃馳名武林之學，你要小心應戰。」

王寒湘微微一笑道：「屬下請幫主放心，雖以寡敵眾，但已蒙紅、黑兩壇主，答應幫屬下並肩迎敵。」

說完話，一舉手中摺扇，齊元同、崔文奇聯袂躍入場中。

玉靈子望了師兄、師妹一眼，笑道：「咱們無緣領教『乾元指』神功絕學，但能各自單拚三旗壇主，也是一件大為榮幸之事，崑崙派在江湖上的榮辱，也全在這一戰了。」他這幾句激勵之言，實則無疑下令一陽子、慧真子和天龍幫三旗壇主以命相搏。

王寒湘冷笑一聲道：「且莫大言不慚，看今日鹿死誰手？」

玉靈子看對方三旗壇主之中，以王寒湘武功最高，一擺手中長劍，直奔向王寒湘迎去。

全場中人聽得兩人鋒芒相對之言，已知彼此都存了以命相拚之心，個個聚精會神，瞧著場中幾人舉動。

眼看雙方即將展開搏鬥，忽見一條人影由崑崙派席位之上，凌空而起，疾如出壥鷹隼一般，飛落崑崙三子身後五、六尺處，大聲叫道：「三位師長暫請住手，弟子有事稟告。」

玉靈子劍勢已經出手，聽得楊夢寰大叫之言，只好挫腕收劍，向後退了三步，回頭怒道：「你已不是崑崙門下之人，這等大呼小叫幹什麼？」

楊夢寰霍地拔出佩劍，拜伏地上，說道：「掌門師尊縱然不認弟子是崑崙門下，但弟子卻不敢忘負師門教養之恩，祈望掌門師叔下顧弟子一片赤誠，准予重返門牆，讓弟子代三位師長出戰，弟子死也瞑目九泉了！」

玉靈子冷冷說道：「你既非本門中人，你要如何均可，問我做甚？」

楊夢寰舉劍架在頸上，星目中淚水滾滾而下，泣道：「弟子身受師門十二年栽培之恩，但卻不能爲師門稍盡心力，掌門師叔如不答應弟子出戰，弟子就自絕於三位師長面前，也可略表崇敬師長之心。」

突見白影閃動，沈霞琳捷似掠波燕剪一般，由崑崙派席位上躍飛到楊夢寰身側，屈膝和楊夢寰並肩跪下，拔出背上寶劍說道：「寰哥哥要是死了，我也是不能活在世上。」她臉上毫無激動之情，說話聲音也十分平靜，但眉宇間，卻現出一片堅決之色。

慧真子嘆息一聲，道：「二師兄請成全他對師門一番孝心吧！如迫他自絕而死，倒不如讓他們死在天龍幫人手中！」

玉靈子轉顧大師兄一陽子一眼，只見他臉上一片憂急之色，靜靜站在一邊，瞧著並肩而跪的楊夢寰和沈霞琳，暗自一嘆，道：「好吧！你們自己找死，我也無法阻擋你們！」緩步向崑崙派席位之上走去。

楊夢寰拜伏地上，說道：「弟子叩謝掌門師叔破格施恩，准弟子重返門牆。」

玉靈子一言不發，直向席位之上走去。一陽子、慧真子，緊隨玉靈子身後退歸席位，武林之中，掌門人權威極重，玉靈子不置可否，一陽子、慧真子也不敢隨便開口。

楊夢寰一拜起身，回頭對沈霞琳道：「師妹請回咱們席位上，我一個人出手就可以了！」

沈霞琳搖搖頭，笑道：「我站在這裡看也是一樣，你如打不過他們時，我好幫你。」

楊夢寰已知她對自己情愛重過生死，再勸她也是無用，一橫手中長劍，向前走了兩步，指著王寒湘道：「你們一起上吧！」

王寒湘、齊元同曾在峨嵋山萬佛頂上見他和人動手，那時楊夢寰身負重傷，奄奄一息，現下聽他口氣這般狂傲，不覺怒火高燒。

王寒湘因見他曾和趙小蝶、朱若蘭尋書絕壑，乘鶴而去，心中聯想到這段時日之中，他可能已得二女傳授了什麼絕學。但這等短暫時間之中，縱是聰明無比之人，也難有太大的成就。

齊元同卻是按不住心頭怒火，冷笑一聲，喝道：「好狂傲的口氣，就是崑崙三子，也不放在本壇主的眼中。」

楊夢寰大怒道：「你敢出口傷人！」長劍一招「笑指天南」，疾刺過去。

在座九大門派中人，眼看崑崙三子不戰而退，卻讓門下弟子出戰，大都不滿，暗罵崑崙三子，貪生怕死，卻讓弟子去白送一條性命，有些人索性轉過臉去，不再瞧場中動手情形。

要知王寒湘、齊元同、崔文奇，都是江湖上久負盛名之人，楊夢寰不過是個二十左右的少年，崑崙三子縱然傾囊把絕技相授，但火候不到，決難是天龍幫三旗壇主的敵手。

且說齊元同一見夢寰長劍疾刺而到，左手青鋼輪斜出一封，反向長劍上面迎去。他這青鋼雙輪，本是專門鎖拿敵人兵器的外門兵刃，一封之勢，暗含真力，想一舉震開或奪下夢寰長劍，同時右手的青鋼輪一招「毒蟒出穴」，反向夢寰前胸擊去。

楊夢寰一見齊元同出手狠毒，雙輪上封右擊，同時並發，本想以《歸元秘笈》上絕學還擊，正待出手還擊，忽然心中一動，暗自忖道：我以一個江湖後輩，代師門獨鬥天龍幫久負盛名的內堂壇主，正是我揚名吐氣的大好時機，又何必急切求勝呢。心念一動，抽劍轉身，施展出「五行迷蹤步」的身法，輕盈地隨著擊來的凌厲攻勢只一轉，齊元同但覺人影一閃，左輪壓力一輕，兩招全落了空。

楊夢寰閃開齊元同的一招攻勢，卻不還擊，滑步欺身，人已到了崔文奇的身側，道：「你怎麼還不出手，當真想看熱鬧不成？」

崔文奇正注意著場中情形，他雖早知楊夢寰的「五行迷蹤步」奇奧難測，但無論如何也未想到，他會在與人拚搏的時候，竟能夠分身閃到自己面前，是以他一聽夢寰之言，不由心頭一凜，暗道：在短短的時日中，看情形，此人武功似又精進許多，今日之戰，倒真不可輕敵了。

崔文奇心念轉動，人卻絕不遲疑，一怔之間，人已向後退了兩步，氣運雙掌，蓄勢待敵。

但楊夢寰此時已存了報恩師門，戲弄群雄之心，雖然向崔文奇挑逗了一句戲言，卻並未出擊，他一見崔文奇驚退，運功戒備之色，向他微一冷笑，轉身舉步，正待向場中躍去，猛覺身後一涼，一股勁風已破空襲到。

變化突然，楊夢寰要想停步讓敵，已是遲了一步，但他乃絕頂聰慧之人，知道偷襲之人，必是齊元同，這時他心惱齊元同的背後偷襲，爲了應付這肘腋之變，他不再顧忌，左手一舉一帶，順著襲來的勁道一劃，竟施出那《歸元秘笈》的「接陰導陽」神奇絕學。

楊夢寰接過齊元同襲來的勁道，轉眼一望，笑道：「久聞王壇主武功蓋世，請代在下接一招吧！」左手一翻一送，那突襲而來的勁風，疾向王寒湘擊去。

王寒湘站在一側，因見楊夢寰閃讓的身法神奇，正自驚異，陡覺一股勁風，迎面直撲而來，一時之間，尚未看清這股力道是楊夢寰借用齊元同的內力擊來，揮掌一接，兩股強猛的潛力一交，齊元同、王寒湘各自被震退了一步。

原來齊元同目睹楊夢寰身法奇異，心中殺機突起，右手青鋼輪交到左手，運起劈空掌力擊去。哪知此時楊夢寰已非昔年可比，不但內功精進，而且學得不少《歸元秘笈》上記載的奇奧之學，朱若蘭相愛情重，特地把「導陰接陽」的借力打力手法傳授於他，楊夢寰初度試用，竟然得心應手。

這一借力打力奇奧手法，增強他不少信心，但卻使觀戰的高人個個心生驚奇。

慧真子微微一笑，轉臉對一陽子道：「大師兄，這年來寰兒的武功，似精進很多，將來光大咱們崑崙派的門戶，看來非他不可了……」忽然想到玉靈子尚未答允准許楊夢寰重返師門，慌忙住口不說。

楊夢寰借力一擊，轉身挺劍反奔黑旗壇主開碑手崔文奇刺去。

他存心要替師門爭光，想激起三人怒火，要他們一齊出手。

崔文奇在江湖之上身分極高，如何能受楊夢寰撩撥之氣，大喝一聲，一掌擊去。他被人譽爲開碑手，掌力有碎石開碑之力，強猛的掌力，直逼過去。

楊夢寰一看崔文奇忍不住出手，朗朗一笑，轉身一招「穿雲取月」，閃閃劍光，直向王寒湘刺去。王寒湘冷笑一聲，凝立不動，暗中卻運集功力，蓄勢以待。

直到楊夢寰劍勢刺到，才陡然一側身軀，右扇左掌一齊攻出，鐵骨扇點前胸「步廊」要穴，左掌卻擊向夢寰左肩。這以靜制動的反擊，看似平淡無奇，實則極難閃避，一陽子看得暗道一聲要糟。

忽見楊夢寰左手疾出，手腕翻轉之間，五指猛向王寒湘擊來左腕脈門要穴上扣去，右手長劍疾收，橫胸上封，架開了摺扇。

他這擒拿、封襲的手法，都是《歸元秘笈》上記載的武功，和一般常見的手法不同，剎那間攻守易勢了，王寒湘反而被迫得縱身向後躍退。

楊夢寰逼退了王寒湘，齊元同和崔文奇已分由左右兩側攻來，齊元同輪影滾滾，化做一輪青光罩，崔文奇三才錘一點，「巧打金鈴」破空錘風，疾點而到。

九大門派中人，眼看天龍幫三位名重江湖的壇主一齊出手，不覺激起同仇敵愾之心，青城派松木道長，拔出背上長劍，縱身一躍直向場中飛去。

沈霞琳聽得身後衣袂飄風之聲，回頭擋住了松木道長去路，道：「我寰哥哥本領大得很哩！不必去幫助他啦！」

松木道長，本有出手之心，但經霞琳一攔，倒不便強行相助，一時間進退不是，索性橫劍站在沈霞琳身後，就近看幾人動手相搏的情形。

只見楊夢寰長劍擺舞，隨著飄忽的身法，一閃身軀，避開齊元同、崔文奇合擊之勢，放手還擊，忽而振劍刺向王寒湘，忽而振劍刺向齊元同，天龍幫三個盛名甚高的壇主，竟然無法勝他。

九大門派中人，眼瞧楊夢寰以一抵三，不但毫無敗象，而且劍勢如龍，看著向三人猛攻，無不暗生敬佩。

忽聞楊夢寰大喝一聲，欺身向開碑手崔文奇猛攻過去，長劍搖舞，幻化出朵朵劍花，崔文奇眼看著對方劍光耀目，攻來之勢，凶詭難測，心知要糟，不敢揮錘封架，一收丹田真氣，倏忽之間，向後退了三步。

楊夢寰冷笑一聲，道：「你還走得了嗎？」一側身，迅快無比地欺身而上，避開了齊元同攻襲後背一輪，劍隨身進，疾向崔文奇追刺過去。

他這迅快的搶攻之術，乃《歸元秘笈》上記載之學，乘敵之危，蹈隙而攻。崔文奇只見欺進之勢來得太快，如影隨形一般追到，封架閃避，均來不及，略一怔神，左臂已中了一劍，只覺一陣劇疼，不自主地又向後退了兩步。

王寒湘大喝一聲，縱身疾躍而起，摺扇搖揮下擊，灑下滿天扇影。

九大門派中人，目睹王寒湘攻勢凌厲，個個為夢寰擔心，大部分人站起身子，準備搶救。

忽見楊夢寰左手一拂，借力躍起，右手長劍振腕上點，反向下罩扇影之中迎去。這一招正是《歸元秘笈》上記載的「一樹鐵花」，長劍已入王寒湘下擊扇影之中，忽然旋起一片銀芒，只聽二人同時一聲大喝，一齊由空中跌落下來，王寒湘握扇臂上鮮血直向下滴，楊夢寰卻反手一劍，橫向齊元同斬去。

齊元同心中大生驚駭，左手青鋼輪一招「力屏天南」，舞起一片輪影，封住夢寰長劍，右手青鋼輪一招「推波助瀾」，直向夢寰前胸擊去。

哪知楊夢寰橫削的長劍將和輪影相觸之時，陡然一沉右腕，長劍忽然斜斜刺出，避開了齊元同左手封劍輪影，反向齊元同擊來的右腕上迎去。

這一劍用得巧妙無比，搶盡先機，齊元同右腕正好向楊夢寰劍尖上撞去，被迫得自動收輪而退。

楊夢寰大喝一聲，忽地欺身而進，刺出長劍不收，振腕微微向上一揚，逼齊元同握輪左手自動向外一讓，門戶大開，楊夢寰卻沉腕一劍，刺在齊元同大腿之上。

他在片刻之間，連施《歸元秘笈》上記載的奇異劍招，劍傷天龍幫三位壇主，不但使天龍幫中高手心寒，即是九大門派中人也一個個大感驚駭。

沈霞琳笑意盈盈，面如春花，泛上了內心的喜悅，她高興地轉臉望了三位師長一眼，但見三位師長一臉困惑之態，驚愕地怔在當地，她微微一笑，把要出口的話，又噓了回去，緩緩地向場中望去。

楊夢寰指顧間連傷天龍幫三位頂尖人物，卻無半點驕狂之態，他靜站場中，臉上微露笑意，向躍退一側的王寒湘、崔文奇、齊元同環視了一眼，道：「承讓，承讓……」

王寒湘、崔文奇、齊元同都是成名江湖的人物，今天當著天下英雄，竟傷在崑崙派門下弟子手中，真是數十年英名毀於一旦，實是平生奇恥大辱。及見楊夢寰神定氣穩地站在場中，向自己發話，不由百脈賁張，一股怒火，冒上心頭，未容楊夢寰話完，崔文奇已大喝一聲，一抖手中軟索，奮不顧身，一招「毒蟒吐信」，直如一支流矢，向楊夢寰面門擊去。

楊夢寰心知崔文奇力能開碑碎石，功力深厚，這一招奇襲，自不便以劍對擋，身軀微側，左掌順著襲來的錘風，輕輕一撥，進步欺身，一抖長劍，直向崔文奇刺去。

崔文奇攻勢奇速，但覺身軀一震，攻出的錘勢，竟被人輕輕一撥，便失去了準頭，心頭正自錯愕，驟覺眼前銀光一耀，長劍已到。

開碑手久歷江湖，身經百戰，應敵經驗極是豐富，這時眼見長劍刺到，猛提一口真氣，一抖腕，疾收三才錘，雙臂搖揮，三才錘勢如遊龍，旋如風輪，硬封攻來劍鋒，同時猛一矮身，向後急退三步。

楊夢寰攻勢未收，陡聞右側一聲冷笑，耳際掠起一股劃空風聲，齊元同右輪護胸，左輪一招「晨曦初現」，直罩而下。

錘風輪影，前攔後阻，楊夢寰兩面受敵，同時長劍正被三才錘凌厲的勁風所牽制，欲抽不能，局勢頓形緊張。

慧真子正待躍出接應，忽聽沈霞琳叫道：「師父，不要緊，寰哥哥本領可……」

沈霞琳「大」字尚未出口，只聽場中一聲金鐵大震，陡然兩條人影倏地飛震四、五步外。

九大門派中人，一見場中震飛起兩條人影，不由一陣騷動，紛紛向場中望去，卻見楊夢寰神采飛揚，持劍靜立場中。

原來楊夢寰因兩面受敵，要想閃避已是不及，情急之下，只得再度施展「導陰接陽」的手法，一引崔文奇軟索三才錘，直迎向齊元同攻來的輪上擊去，讓他們先硬拚一招，自己卻用「五行迷蹤步」法閃隱一旁。

王寒湘一看齊元同、崔文奇一招硬拚，各被震開，不由怒火更熾，一咬牙，忍住右臂的劍創，鐵骨摺扇交遞左手，一聲斷喝，道：「好奇奧的武功，果然了得，待我王某人再來領教幾招……」說話聲中，人已躍起，扇影一閃，直向夢寰「期門穴」點去。

楊夢寰見鐵扇攻到，倒提長劍，移步旋身，一招「十面威風」，幻化出一層層劍幕，避開一招，猛地翻右腕，長劍疾出，勢如怒龍出海，反向王寒湘刺去。

王寒湘久歷大敵，自知分光劍的厲害，左手一抬，鐵扇護喉，一緊雙眉，猛吐右掌，一陣奇猛的力道，逼阻住夢寰進逼之勢。

二人再度交手，各展絕學，只見扇影點點，劍光森森，尤其王寒湘存心洗雪傷臂之辱，扇影之中，不時乘機揮動右掌，著著俱是專尋夢寰要穴攻擊。

崔文奇、齊元同雖被震退，不過只感一陣氣血浮動，經過運氣調息，各自暗中一試，知道內腑未曾受傷，二人互望了一眼，各擺兵刃，分由兩邊攻上。

陡然，天龍幫席上，響起了一聲朗笑，李滄瀾已飄身而出，龍頭拐揮擺兩下，兩道勁力，分阻崔文奇、齊元同二人的去路。李滄瀾來到場中，目掃群豪一眼，道：「王壇主請住手……」

王寒湘猛攻一招，扇影頓斂，身形一合，已落到李滄瀾身側。

海天一叟手持長髯，緩緩向夢寰走去，口中說道：「小兄弟果然了得，真是英雄出少年，想不到崑崙門下，竟有這等奇才，實令老朽傾羨，今天機緣難再，老朽不才，願意領教小兄弟兩招絕學……」

楊夢寰面對海天一叟，胸際驟然掠過李瑤紅的倩影，不由得一陣猶豫，隨口應道：「後學小輩，承蒙過獎，在下為了尊重你是一幫之主，願意禮讓三招……」

楊夢寰因一時意亂，這幾句話本是無心之言，但李滄瀾卻誤以為他是有意相辱，冷笑一聲，道：「好狂妄的娃兒，你就自信能逃得過老夫三招嗎？也罷，既是如此，你就接老夫一招試試罷。」霍地身形暴矮，右手一揮，龍頭拐一招「伏地追風」，疾向夢寰下盤掃去。

楊夢寰原地不動，身肩不晃，猛提一口真氣，身子凌空而起，半空中身形疾變，劍演「滿天飛花」，但見銀光亂抖，直向李滄瀾灑罩而下。

李滄瀾翻腕收拐，倒仰身軀，招變「觀星測斗」，直迎千點劍花，借機一展腰，站起身子，揮動龍頭拐，霎時間，拐影滾滾，層疊如山。

楊夢寰也一緊長劍，演出師門絕藝分光劍法，不時也幻變幾招《歸元秘笈》上的奇招，寒光繚繞，勝如風雷。

李滄瀾功力深厚，龍頭拐展開劃空長嘯，楊夢寰不敢以手中寶劍和他沉重的拐勢相觸，未免失去很多搶制先機的機會，相形之下，逐漸被迫落下風。但他每每被拐勢逼得將要落敗之時，就突然攻出了一招出人意料的奇奧劍勢，迫退李滄瀾，扳回劣勢。

轉瞬之間，雙方已相搏三十餘招，仍然是個不勝不敗之局。

李滄瀾看楊夢寰和自己力拚了三十餘招不敗，而且劍勢綿綿，愈打愈穩，心中既驚且怒，正待運集內功，全力反擊，忽聽楊夢寰大喝一聲，劍勢突變。

他經過這一陣搏鬥時間之後，對朱若蘭、趙小蝶所授《歸元秘笈》上的劍招，漸次熟練，振劍搶回主動，著力追攻。

李滄瀾武功雖強，但因楊夢寰攻出劍勢奇詭難測，寒鋒指襲之處，都是人必救的要害大穴，片刻間強弱易勢，李滄瀾反被楊夢寰奇奧的劍招變化，逼得步步後退，空有著世無匹敵的神力，因拐勢受制，無法施展。

在場九大門派眼瞧楊夢寰獨鬥名重一時的天龍幫三旗壇主之後，仍有餘力獨鬥海天一叟李滄瀾，替九大門派挽回了連番失利之辱，不禁油然生出敬慕之心，個個聚精會神目注場中。

天龍幫中群豪，正好和九大門派中人心情相反，他們眼瞧生平中從未挫敗過的龍頭幫主，漸被迫落下風，人人心情浮動，蓄勢向場中欺去。

超塵、超慧忽然舉鉢拔劍，大步向場中走去。

原來二人眼瞧楊夢寰劍招奇奧，愈戰愈是沉著，大有擊敗李滄瀾的希望，敵愾同仇，對著夢寰劍傷峨嵋門下弟子之事不但不再記恨，反而生出愛護之心，目睹天龍幫屬下群豪欺向場中，怕夢寰在勝得李滄瀾之後，受人群攻，故均離席而起，走入場中準備出手護援。

這兩人一帶頭，九大門派中人，個個都相繼起身走入場中。

天宏大師心知群豪正值激動之時，若如出面相阻，不但難以收效，且將觸犯眾怒，暗裡嘆息一聲，也緩步向場中走去，準備在楊夢寰、李滄瀾分出勝敗之時，及時防制群毆慘局。

忽聽李滄瀾大喝一聲，龍頭拐一招「玄鳥劃沙」，逼開楊夢寰的劍勢，振腕一指，猛截過去。

他這獨步江湖的「乾元指」神功，不但威力奇效，而且運用隨心，一施展出來，從未有人能躲得過去，但見楊夢寰身軀應手而起，在空中連翻了幾個觔斗，摔在地上。

沈霞琳驚叫一聲，當先向夢寰奔去。

九大門派中人似乎都極關心楊夢寰的生死，大都圍了上去。

天宏大師合掌當胸，用極低沉的聲音說道：「好厲害的『乾元指』……」忽聞身後群雄驚嘩笑語，不禁轉頭向後一瞧。

只見楊夢寰已由地上站了起來，閉目靜立，運氣調息。

四八　天龍之戰

這情景不但使天宏大師心中暗生震駭，就是九大門派所有在場之人，都覺著事非尋常，不禁爲之一呆。

楊夢寰閉目調息了一陣，蒼白的臉色，漸轉紅潤，驀然睜開雙目，伏身撿起長劍，大踏步向前走去。

圍守在他身側的九大門派中人，紛紛向兩邊讓開，閃出一條路來。

李滄瀾見夢寰竟未傷在「乾元指」下，只覺前胸如受巨錘一擊般，腦際轟然一聲，不自主地向後退了兩步。

直待楊夢寰走近身側，他才如夢初醒，口中哦了一聲道：「小兄弟武功當真有過人之處……」強自鎮靜下心神。

楊夢寰道：「李幫主的『乾元指』神功，威力果然不凡，但在下既未死在『乾元指』下，還想再領教幾招！」

李滄瀾目光炯炯，盯在楊夢寰臉上，想以他廣博的見聞，瞧出楊夢寰用什麼方法，承受了「乾元指」威功一擊，竟未被創傷當場。

他乃一代梟雄之才，心神略一鎮靜，靈智已開，他不信楊夢寰竟能以血肉之軀，擋受下

「乾元指」神力一擊，是以不住在夢寰身上搜望，想瞧出他以何物接擋「乾元指」力。

他這「乾元指」神功，力能裂金穿石，縱然是身上暗藏鐵甲，也要被指力戳破。

楊夢寰忽地舉手一招「杏花春雨」，疾刺過去，口中大聲喝道：「李幫主這般的瞧著在下，不知是何用心？」劍花朵朵，幻化出一蓬銀雨灑下。

這一劍他用的是追魂十二劍中一招奇學，但因他近來功力精進，同樣一招劍術，用出的威力和過去大不相同。

李滄瀾大喝一聲，龍頭拐一招「排雲掩月」，封架開楊夢寰的劍勢，振腕一拐「排雲取月」，挾著一股奇厲的拐風，直點過去。

這一拐不但迅速快倫，而且是他全身功力所聚，以他驚人神力，集中一點擊去，力道之強，直能透穿金石。

楊夢寰只覺那點來拐勢，威猛驚人，鐵拐未到，拐風已自逼人，心中突然一動，起想了《歸元秘笈》上一招奇奧之學，當下一提丹田真氣，全身凌空而起，讓開了一拐點擊。

李滄瀾只覺這少年武功，在這半年之中，精進了何止數倍，如再假以時日，其成就實難限量。

心念一轉，殺機突起，正待運聚「乾元指」功力點出，突見楊夢寰半空中打了一個旋身，手中長劍隨著旋動的身軀，化成了一片銀芒，直罩下來。

這一招乃趙小蝶傳授於他的一招「銀河飛星」，那旋轉耀目的劍光，使人無法料知劍鋒真正的指襲所在。

李滄瀾雖然久歷江湖，見多識廣，對武林之中各派的武功，知之甚多，但對楊夢寰半空旋身，振劍一擊的奇詭武學，竟然看不出用的是何種身法。但見一蓬劍光，勢如密雨，傾盆潑灑而下，不由心中震駭。

海天一叟縱橫江湖數十年，功力是何等深厚，心中雖感震駭，神志可不慌亂，立時長嘯一聲，力注右腕，龍頭拐舞起一片拐幕，虎虎生風，激帶起地面沙塵，硬封夢寰從天而降的凌厲攻勢。

楊夢寰長劍過輕，自不敢硬削龍頭拐。半空中調護丹田真氣，下落的身形，陡然又上昇三尺，長劍一斂，滿天劍雨，頓時不見。

只聽他冷笑一聲，身軀疾撲而下，長劍幻成一道寒光，與疾落的身勢，合為一體，勢如流星墜地，直向拐影中點去。

李滄瀾一見夢寰長劍如瀉星點到，一緊拐勢，原想硬指震砸，哪知對方招術詭異，自己拐勢再嚴密，依然無法抵擋，猛覺眼前銀光一閃，楊夢寰長劍已衝破如幕的拐影，乘虛直下，只聽嗤地一聲，鏘然聲響，但覺肌膚一寒，衣袖已被長劍刺穿。

楊夢寰猛一挫腰，下降身勢，向後一翻，雙腳點落實地，手抱長劍，星目含威，面呈笑意，卻不立時搶攻。

李滄瀾雄視江湖，野心萬丈，哪裏想到會被一個崑崙門下弟子挫敗，目掃衣袖，龍頭拐一頓，轟然有聲，仰天長長一嘆，道：「李某人縱橫江湖，數十年未逢敵手，想不到今天遭此大辱，尚有何顏見人，小兄弟身負絕學，老朽欽佩已極……」

王寒湘觀顏察色，一聽李滄瀾之言，知他不甘凌辱，似已存相拚之心，不由一皺眉心，咳嗽一聲，一長身，已到了李滄瀾身側，未容李滄瀾說話，搶先附耳低語了兩句。

李滄瀾臉上一片嚴肅，炯炯目光，環掃四周一眼，略一沉思，嘴角間露出一絲獰笑，微微頷首。

王寒湘左手一舉鐵骨摺扇，在空中微微揮擺。

天龍幫中五旗壇主等人，一見王寒湘手擺摺扇，互望一眼，緩緩舉步向場中移去，環伺左右的天龍幫高手，卻迅速向鐵索吊橋撤離。

忽見靜立一邊的兩個紅衣童子，手一揚，各放出一隻帶哨的信鴿，只見兩點白影，帶著一陣「汪汪」哨嘯之聲，劃空飛去。

李滄瀾回頭一看，見幫中之人已行過半橋，望著逼來的九大門派中人，突然一陣哈哈大笑，橫拐當胸，並不迎戰，卻向鐵索橋邊緩緩退去。

天龍幫各旗壇主及川中四醜，拱圍李滄瀾左右相護。

場中響起了一聲低沉的佛號，少林派天宏大師僧袍拂動，已當先躍到李滄瀾面前，合十當胸說道：「比劍未分勝負，李幫主這等率眾而退，不知是何用心？」

李滄瀾仰臉大笑道：「這斷魂崖乃一處獨峰絕地，除了那座鐵索吊橋之外，絕世功力也難飛渡得過……」

天宏大師眼瞧天龍幫中高手，都已登上鐵橋，只有李滄瀾還帶著齊元同、王寒湘、勝一清等四旗壇主，和川中四醜排擋鐵索吊橋邊，攔住去路，不禁一沉臉色，喝道：「李幫主的武功、豪氣，素為老衲敬仰，但今日竟然施展出這等鬼魅伎倆，不怕羞見天下英雄嗎？何況你這鬼計陰謀，還未必能夠得逞。」說完話，忽然舉手一揮，他身後隨行群僧立時各出上臂，頂在前面一人後背之上，十八和尚，舉臂相接，連結有丈餘長短。

這時，九大門派中人，都已衝到吊橋前面，各自拔出兵刃，紛紛出手。

李滄瀾大喝一聲，橫拐一掄，強勁的嘯風之聲，把逼近的群雄逼退開去。

他這一拐橫擊，威勢強猛絕倫，九大門派雖然一擁而上，但卻無一人敢首擋銳利，接他拐勢，竟然紛紛後退。

天宏大師一錯雙掌，猱身而上，右手一招「飛鈸撞鐘」，當胸直擊過去，左手卻疾如閃電而出，猛抓李滄瀾的拐勢。

海天一叟李滄瀾冷笑一聲，左手平胸推出一招「力屏天南」，硬接天宏大師掌勢，右腕一沉，龍頭拐「伏地追風」，猛向天宏大師下盤掃去。

天宏大師一抓落空，身子凌空而起，但他擊出的右掌卻未收回，但聞「蓬」的一聲輕響，兩掌接觸一起。

這兩個掌力相觸，各自心生震駭，天宏大師身子懸空，較為吃虧，被李滄瀾一掌震得向後飛摔出七、八尺遠，但李滄瀾亦被天宏大師的掌力震得向後退三步。

這時，川中四醜已各自搶了方位，排成四象陣式。

九大門派中人，都已看出眼下形勢，李滄瀾以幫主之尊，親率紅、黃、白、黑旗壇主斷後，阻攔九大門派中人踏上鐵索吊橋，其用心自是狠毒無比，只要李滄瀾和隨護之人，已退上鐵索吊橋，九大門派中人，必將盡落劫難，雖然一時之間，還難瞧出天龍幫用什麼方法，對付九大門派中人，但想來定然是異常毒辣的手段。

此時此地，此情此景，九大門派中人，都有著同一的命運，縱然彼此間有些嫌怨，也都完全拋棄，超慧和崑崙三子站得最近，低聲對玉靈子道：「眼下李滄瀾等相距鐵索吊橋，尚有一段距離，如讓他們退上了吊橋，只怕在場中人，都難逃過這場劫難。」
玉靈子道：「不錯，最好的辦法，就是咱們先繞到他們後面，截住他們退路。」
超慧道：「三位道兄如果願意出手，貧尼甚願追隨身後，略盡綿力。」
玉靈子一擺手中長劍，道：「此乃當爲之事，豈有不願之理。」當先向前衝去，一陽子、慧真子、超慧師太，一齊拔劍相隨，緊隨玉靈子身後向前奔去。
這時，李滄瀾和四旗壇主、川中四醜等，已然退到相距鐵索吊橋兩丈左右之處，李滄瀾居中策應全局，左有四旗壇主排成了雁翅相護，右有川中四醜排成四象陣式，擋住了九大門派中人的去路。
玉靈子略一打量眼下情勢，決定選擇了從右衝入，仗劍繞奔右面行去。
原來天龍幫排成的一個半圓陣形，剛才把鐵索吊橋的去路擋住，如若想攔擋他們退路，勢必要先從幾人之間衝過，四旗壇主雖然是各自爲戰，但幾人武功個個高強，想闖過攔阻，大是不易。川中四醜雖有四象陣法的合擊之術，但其個人武功，要比四旗壇主相差甚遠，玉靈子選擇了從右側切入。
李滄瀾一瞧崑崙三子行動，已知幾人用心，低喝一聲：「快向後退！」龍頭拐一招「白雲出岫」，疾向重又攻上的天宏大師點去，左手亦同時運集了「乾元指」神功，蓄勢待發。
天宏大師大喝一聲：「阿彌陀佛。」運起功勁，一招「羅漢飛杵」，劈出強猛絕倫的掌風，擊在李滄瀾點來的龍頭拐上。
此人內功深厚，劈出掌風勁道之強，似不在李滄瀾之下，激蕩的暗勁，擊在李滄瀾龍頭拐上，拐勢立時被撞得向下沉去。

李滄瀾冷笑一聲，道：「好雄渾的掌力，少林武功，果不虛傳。」

正待施「乾元指」功力點出，忽見劍光耀日，當頭罩下，楊夢寰連人帶劍，疾撞而到。

兩人自剛才動手相搏之後，李滄瀾已不敢再輕視這位後起之秀，右腕一振，下沉的龍頭拐陡翻起，舞出一片拐影，護住身子。

忽見劍光隱斂，楊夢寰懸空一個大轉身，腳落實地，身形突然轉了兩轉，竟從李滄瀾、王寒湘之間，欺入陣中。

王寒湘冷哼一聲，反手一扇，疾點過去。

但見白影閃動，嬌叱盈耳，沈霞琳緊隨楊夢寰身後飛到，劍光電奔，疾刺王寒湘握扇右腕。

她隨童淑貞苦研天機真人遺留下的劍經，不但功力精進許多，而且劍術成就尤高，一劍刺去，迅快無比，迫得王寒湘撤扇向一側閃避。

楊夢寰已施展「五行迷蹤步」法，衝過攔截，奔到鐵索吊橋旁邊，橫劍而立，擋住去路。

沈霞琳一劍逼開王寒湘，趁勢向裡衝去，但四旗壇主都是久負盛名之人，武功豈是等閑可比，王寒湘撤扇退開，齊元同已借勢而上，青鋼日月兩輪，左右合擊同時攻到，王寒湘退後三步，揮扇擋在前面。

就這一瞬間，崔文奇、勝一清已同時後撤，縮小了距離，層層攔住霞琳去路。

沈霞琳寶劍疾舉，一招「野火攻天」，逼開齊元同的雙輪，借勢一沉玉腕，寶劍直向前胸刺去。

沈霞琳自跟童淑貞鑽研天機真人的劍經以來，由於她聰慧過人，心湖澄明，學得認真，是以短短的時日裡，她不但內功精進許多，在劍招上更是有驚人的成就。

她玉腕一沉，長劍直指齊元同前胸，這一招既無凌厲驚人劍風，更無風雷懾魂的威勢，看來輕柔無力。

齊元同掄輪封架，就在輪劍將觸之際，齊元同陡覺左臂一震，一股反彈之力，將自己輪勢震得向下傾去，幾乎握持不住。不由悚然一驚，心中大感奇怪，暗自忖道：看她劍勢輕柔無奇，怎的竟有這般震力，難道這女娃兒小小年紀，能有什麼深厚的內功修爲不成？

他乃異常高傲之人，自己輪勢，幾乎被面前女娃兒震彈出手，自是不甘心，冷冷一笑，雙輪一緊，上下翻飛，左右滾繞，但聽呼呼風嘯，向沈霞琳直逼而來。

沈霞琳不願以劍硬擋鋼輪，笑意盈盈地信手輕揮，施展出天機真人劍經上的奇詭招術。兩人劍風輪影，似龍走蛇遊，鬥在一起。

這時玉靈子，手掄長劍已自右側衝進四象陣，寒光一閃，長劍直刺白無常陳應。如論武功，川中四醜，自是難勝玉靈子，但四醜聯手的四象陣便自不同，威猛雖不如少林派的小「羅漢陣」與武當的「五行陣」，但四醜的武學詭異，四象陣式另成一派，威力依然不小。

白無常陳應一見玉靈子劍到，右掌劈出一股勁風，身軀向左一閃，避開劍鋒，玉靈子跨步欺身，劍不變招，正待向前追擊，猛覺背後風嘯，未容他應付急變，又見左側人影閃動，川中四醜中的老大黑靈官張欽，老四惡魄周邦突分左右襲到。

玉靈子前追的身軀一時收勒不住，張欽、周邦又突然襲到，此時此情形同三面受敵，一時之間，要想分擔攻勢，實是不易。

玉靈子雙眉一挑，怒生心頭，一聲清嘯，長袖拂動，右劍左掌，正想以自己數十年的修爲，硬擋疾襲而來的敵勢，以解肘腋受制的危機，倏然間一陣衣袂風響，一陽子、慧真子、超慧師太已疾如鷹隼飛撲而至，同時各拍出一記掌風，逼退張欽、周邦。

如在平時比武動手，崑崙三子決不會一齊出手對付川中四醜，但此時情勢不同，九大門派百餘人的生死，都和這一戰關係極大，是以，在迫開張欽、周邦之後，三人同時欺入陣中，三柄長劍飛舞，分攻四醜。

川中四醜個人的武功，雖不及崑崙三子、超慧師太，但他們合搏這術，卻非崑崙三子等能及，以超慧師太和崑崙三子一齊出手的威勢，一時之間，竟無法衝破川中四醜的「四象陣」式，但見四醜赤手空拳在四人凌厲的劍風中穿梭移動，竟把四人強猛的攻勢擋住。

且說王寒湘目睹楊夢寰衝過攔阻，守住鐵索吊橋，立時低聲對黑、白二旗壇主說道：「崔兄、滕兄請聯手拒敵，不要對方再衝過攔阻，我去對付那姓楊的少年。」揮扇一躍，直向夢寰奔去。

九大門派中人數雖多，但因天龍幫以李滄瀾爲首連結一線拒敵，橫線盡量縮短，九大門派中人，無法一齊出手圍攻。

這時，天宏大師已從隨行弟子手中接過一支鐵禪杖，和海天一叟李滄瀾展開一場驚天動地的猛烈搏鬥。兩人均有著深厚的內功，驚人的神力，又都用的重兵刃，攻拒之間，威勢十分嚇人，強勁仗、拐嘯風，激排出一丈開外。

忽聞一聲震耳欲聾的金鐵大震，禪杖、鐵拐相觸一起，竟是半斤八兩，誰也無法勝誰。

李滄瀾哈哈一笑，道：「老朽生平之中，尚未遇得過這等敵手，老禪師果然不凡，再接我一拐試試？」掄動龍頭拐一招「五嶽壓頂」，當頭直擊而下。

天宏大師低宣一聲佛號，鐵禪杖「橫架金梁」，果然又硬接一擊。

李滄瀾長嘯一聲，抽拐橫擊，一招「力掃千軍」，攔腰疾掃。

天宏大師立杖接拐，又是硬碰硬封開李滄瀾的拐勢。

這兩人三招硬打硬接，聲震全場，在場之人雖都是久歷江湖之人，但也很少見過這等打法，不禁凝神觀戰。

天宏大師封架開李滄瀾三拐之後，揮杖搶攻，施展出少林派一百另八招「羅漢杖」法，剎那間杖影滾滾，排山般湧出。

李滄瀾一生之中，身歷數百戰，很少有人能硬接下三拐猛擊，今日逢此勁敵，不禁精神大振，一時之間，爭雄之心陡起，掄拐搶攻，招招運足內力擊出，杖風拐影中，不時傳出來震耳欲聾的金鐵相觸之聲。

這一場武林中罕見的力打硬拚，使在場之人爲之目眩神迷。

青城派松木道長忽然一揮手中長劍，高聲說道：「從今而後，咱們九大門派，應以少林派列名第一……」

忽然間傳來了一聲悶哼，打斷了松木道長未完之言。

群豪轉頭瞧去，只見齊元同右臂鮮血淋淋，濕透了一條衣袖，沈霞琳已衝過攔阻，向鐵索吊橋奔去。

勝一清目睹齊元同傷在沈霞琳的劍下，心中既驚又怒，單手掄刀，擋住圍攻群豪，右手探懷摸出一枚子母膽，一語不發，振腕向霞琳打去。

松木道長怒喝一聲，仗劍一躍，疾向勝一清攻過去，口中大聲叫道：「姑娘小心暗器。」

他乃一派掌門身分，揮劍攻上，圍攻勝一清的群豪，紛紛讓開。

沈霞琳奔行間，聽得松木道長呼叫，停步回頭瞧去，尚未看清是何種暗器，子母膽已挾著嘯風之聲，掠頂而過。

沈霞琳略一怔神，又轉頭向前奔去。

原來此際楊夢寰正陷背腹受敵之境，王寒湘施展全力搶攻，灑出滿天扇影，已過了鐵索吊橋，天龍幫中高手，眼瞧幫主和四旗壇主被九大門派中人圍攻纏戰，難以脫身，推選出十幾個武功高強之人，反衝過來。楊夢寰擋在鐵索吊橋頭上，背腹受敵，前拒王寒湘凌厲的猛攻，後拒天龍幫高手群攻，打來十分吃力，沈霞琳目睹夢寰形勢不利，哪裡還顧到本身安危，提氣疾躍。兩、三個飛躍，已近夢寰，手中寶劍突然一沉，刺向王寒湘。

王寒湘微向旁側一閃，哪知沈霞琳不容王寒湘變手還攻，那迅出的劍勢，疾向王寒湘追刺過去，王寒湘心中雖然大感驚怒，只是人卻被迫得向後退了兩步。

沈霞琳嬌軀轉動，直欺而入，低聲問夢寰道：「你累嗎？」

楊夢寰道：「我們背靠背先站好，再想法子對付他們。」

沈霞琳笑道：「好吧！」寶劍揮舞之間，抖出一片精芒劍花，身隨劍動，與夢寰靠背而立。

這時反衝過橋的人，已經奔到，但因鐵索吊橋太過狹窄，無法一齊出手，只好分成數批分別出手，每批兩人，各仗兵刃衝到橋頭，想以猛衝之勢，逼開夢寰。

哪知每次都被夢寰在力鬥王寒湘的搏鬥之中，抽施一招奇奧詭異的劍招，重又給逼退回去。

他們分波疾進，連衝了十四、五次，都未能得手，但楊夢寰也因分心旁顧，而被王寒湘逐漸取得了上風。

王寒湘一著得手，立時綿綿不絕地展開了快攻，搶得先機，正想施展幾招絕學，把夢寰傷在扇下，沈霞琳適時衝到，局勢立即大變。

沈霞琳據守橋頭，擋住了天龍幫反衝過來的高手。楊夢寰專心一意地對付王寒湘，連續施展了幾招《歸元秘笈》上錄記的奇詭劍式，迫得王寒湘失去先機，登時強弱易勢，正想再施幾劍殺手，把王寒湘創敗劍下，瞥眼師父一陽子手執長劍當先疾奔過來，三師叔慧真子緊隨身後。

玉靈子和超慧，居後迎敵，兩把劍併擋川中四醜的追勢。

原來，四人被川中四醜，以四象陣困住，動手相搏了二、三十回合，逗起玉靈子怒火，連施追魂十二劍中絕招，逼退川中四醜，衝破了「四象陣」，一陽子、慧真子，奔來準備接應楊夢寰，玉靈子、超慧師太聯袂阻止追兵。

川中四醜雖然凶悍無比，但卻無法衝得過玉靈子和超慧師太擋守去路的雙劍。

李滄瀾眼瞧場中的形勢，對天龍幫愈來愈是不利，如再纏戰下去，只怕吃虧。

心念一轉，當下疾掃兩拐，逼開天宏大師鐵禪杖，說道：「大師武功，果然不凡，可惜老朽眼下有事，不能奉陪老禪師了。」口說著話，人卻向旁邊動手的紅、黑、白三旗壇主身側衝去，掄動拐勢，接過了齊元同遭受的群攻，一再低聲吩咐道：「你們盡快設法，衝過吊僑，至少要搶上橋去，擋住追兵，不讓他們也衝上吊橋。」拐勢陡然一緊，拐影重重，如波翻浪湧一般，盡數把圍攻三人的兵刃接了過去。

勝一清、崔文奇猛攻了兩招抽身而退，回身向吊橋奔去。

齊元同強忍著臂上傷疼揮輪而戰，流血甚多，停下手來略一休息，反手取出背上銅鈸，挾著呼呼風聲，向九大門派人群中飛去，銅鈸飛出兩丈左右，陡然旋舞而下，幾聲慘叫，隨即響起，銅鈸旋飛，血流五步，兩個崆峒門下弟子，雙雙濺血當場。

他一鈸得手，立時又從背上取下一面銅鈸，翻身向鐵索橋之處奔去。

李滄瀾奮振神威，龍頭拐疾掃猛劈，幻化出一道丈餘長短的拐影，竟把圍攻勝一清、齊元同、崔文奇的數十個九大門派中高手，盡皆擋住，難越雷池一步。

天宏大師低喝一聲：「阿彌陀佛……」揮手中禪杖，身後舉臂相接的少林門下弟子，一齊向鐵索吊橋之處衝去，天宏卻手橫鐵禪杖，大步向李滄瀾走去。

他看李滄瀾的拐勢凌厲，無人能擋，非得自己動手不可。

忽聽圍攻李滄瀾的九大門派中人，響起幾聲慘叫，身軀凌空飛摔出一丈開外，摔倒地上死亡。

原來李滄瀾在激戰之中，又運集了「乾元指」神功點出，連傷兩丈三、四尺遠，疾向鐵索吊橋奔去。

天宏大師和青城派松木道長，率著九大門派中人，銜尾疾追。

這時，因天龍幫中的搶登吊橋，使慘烈的搏鬥，展開在吊橋前面。楊夢寰豪氣如虹，獨擋了崔文奇、王寒湘兩人猛攻，一陽子接鬥了勝一清，慧真子擋住了齊元同。

李滄瀾衝過來，龍頭拐突的一招「飛瀑流泉」，點向一陽子，口中大聲喝道：「玄都道兄，如有興打，請過了鐵索吊橋再打不遲。」他一直以一陽子相救女兒之恩，是以對崑崙三子另眼相待，言詞之間，無異相告一陽子，快請過鐵索吊橋。

一陽子側向讓開李瀾斜裡點來一拐，就這一避之勢，已被勝一清，借勢搶得先機，連續攻出三刀，把一陽子逼得向一側跨退三步。

李滄瀾目光如電，掃掠了全場一眼，瞧出楊夢寰據守之位，最爲重要，只要能把楊夢寰迫讓開去，天龍幫中的人，就不難搶登過鐵索橋，當下一振龍頭拐，疾向夢寰衝奔過去，口中大聲叫：「你們快搶內線聯袂拒敵。」連人帶拐凌空飛起，疾向楊夢寰衝去。

王寒湘人最機智，聽得李滄瀾大喝之言，心中已明白幫主用心，當下疾攻兩扇，猛向後撤，翻身一躍，掄扇疾向慧真子後背攻去。

齊元同雙輪旋飛，搶攻極猛，但卻始終無法迫開慧真子，衝越雷池一步。王寒湘背後施襲，逼得慧真子，不得不向一側閃讓。齊元同雙輪疾推出手，人卻跨步一個翻身，轉入了吊橋一面。

開碑手崔文奇在王寒湘撤扇之後，也猛攻一錘，退了下來，運集功力，遙遙一掌，劈向一陽子。

一股疾猛暗勁，直撞過去，逼得一陽子向右面讓開了兩步，勝一清亦借機立時轉入內線。天龍幫在李滄瀾和四旗壇主帶領下，全都搶入了吊橋一面，立時縮小橫面，退到李滄瀾和楊夢寰動手之處，聯手拒敵。

楊夢寰振奮全力，獨鬥李滄瀾，一柄劍奇招連出，竟把海天一叟雷霆萬鈞一般的拐勢擋住。

這當兒，天宏大師和松木道長帶著九大門派中人，已自追到，但因王寒湘等縮短了拒敵的橫面，九大門派人手眾多，一擁而上，反而有點施展不開手腳。

忽聞李滄瀾大喝一聲，左手一指疾向夢寰截去。

楊夢寰已嘗過他的「乾元指」力，知道凌厲難擋，如果自己躍飛避過，霞琳卻擋受不住，一時之間想不出適當辦法，只好一咬牙，挺胸接他一指。

但覺一股強厲絕倫的指風，點中前胸之上，全身氣血一陣浮動，身軀被震得直飛起來，李滄瀾借勢欺身，龍頭拐「吞雲吐月」，指襲向霞琳後背。

沈霞琳激鬥中忽覺身後金風疾襲，嬌軀疾向前面一伏，反手一劍，回頭橫削。

李滄瀾手腕一振，去勢勁急的龍頭拐勢，又加了幾成威力，橫向沈霞琳劍上碰去。

九大門派中遠遠瞧到李滄瀾施展「乾元指」，震飛了擋守在要道的楊夢寰後，竟又對沈霞琳施下毒手，他拐勢沉猛，沈霞琳決難擋受得住這一拐橫擊，個個怒火暴起，但天龍幫四旗壇主的縮小橫線聯袂拒擋敵勢，配合極是嚴密，九大門派中人，一時間也無法衝過相救。

但見李滄瀾勁急的拐勢，和沈霞琳的寶劍一觸，微生金鐵相擊之聲，沈霞琳的嬌軀隨著李滄瀾的拐勢，橫裡直飛起來。

她自隨童淑貞練天機真人劍經上的武功之後，不但劍術大有進境，而且內功亦有極大的成就，因她心地純潔，最易集中精神，半年之中，收獲極大，目睹李滄瀾掃來拐勢凶猛，立時潛運真氣，把內力貫注在劍身之上，寶劍一和李滄瀾拐勢相觸，立時借劍上內力反震，躍飛起來。

她本身躍飛之力，再加上李滄瀾的拐勢推送之力，直把沈霞琳的嬌軀，震飛起三、四丈高。

兩人激戰之處，相距那鐵索吊橋不過數尺遠近，沈霞琳嬌軀被拐勢橫推之力，斜斜向上飛去，早已超過那鐵索吊橋一丈多遠，下面是深不見底的千丈絕壁，摔下去勢必粉身碎骨不可。

忽見飄飛在空中的沈霞琳雙腿疾收，在空中連翻兩個觔斗落向鐵索吊橋，腳未沾地，寶劍已探臂刺出，但聞一聲慘叫，天龍幫中一個高手，應聲濺血，跌落橋下。

李滄瀾目睹沈霞琳懸空翻轉的身法，大大吃了一驚，疾向鐵索吊橋衝進的身子，不禁微微一停。

就這微一怔神，沈霞琳已腳著橋上，寶劍左刺右掃，盡都是奇奧狠辣的招術，但聞連聲慘叫，片刻被她劍創四人，摔下了鐵索吊橋。

她固天性善良，不願傷人，是以和人動手之時，不肯施展毒辣的劍招，此刻忽然不再顧忌出手劍招，著著奇奧凌厲。

沈霞琳連傷五人之後，鐵索吊橋的天龍幫中高手，一時間被她威勢所懾，不敢再向前逼進。

只聽她驚嚇地喊了一聲：「寰哥哥，你沒有傷著嗎？」左臂一探，把楊夢寰提上吊橋。

原來楊夢寰憑仗身著墨鱗鐵甲蛇衣，硬接了李滄瀾一招「乾元指」力，身軀被振飛起來，向絕壑之中摔去。

他這次早已有了準備，運集了功力抗拒，雖被震散真氣，人尚未被震暈過去，眼瞧身子向千丈絕壑之中落去，一種潛在的求生本能，發揮了作用，拚用僅存元氣，借下落之勢，向鐵索吊橋上橫飛過去，哪知天龍幫返衝過來的守在橋上的十幾個高手，一見夢寰橫向橋上落來，刀劍齊出，疾刺而去，楊夢寰正值真氣散而未復之際，一劍封擋，沒有架開對方攻來的兵刃，腳未沾上鐵索吊橋，人便向絕壑之中落去，但他身子下沉之際，又陡然向前一欺，左手抓住吊僑邊緣，身子穩了下落之勢。

天龍幫守在橋上之人，立時一擁而上，各揮手中兵刃，想逼夢寰鬆開抓在鐵索橋邊緣的左手，摔入萬丈絕壑。

那鐵索吊橋上，十分狹窄，幾個蜂湧而上，反而有些施展不開手腳。

在這等生死一髮之間，人類生命潛在的本能，發揮了極大的作用，楊夢寰突然聚起一口真氣，忍著傷勢，揮動右手長劍，阻擋攻襲，居然把圍襲敵人擋住。

沈霞琳被李滄瀾拐震飛起來，瞥眼見夢寰危殆情勢，驚急之下，施展出「鷂子翻身」的身法，翻落吊橋，揮劍傷敵，救了夢寰。

楊夢寰雙腳落著吊橋，立時向後退了三步，閉目運氣調息。

沈霞琳看他臉色慘白，神情萎靡，心想說幾句慰藉之言，但一時間，又不知從何說起，轉顧間看到李滄瀾手提龍頭拐，衝了過來，說道：「寰哥哥，你好好的閉著眼睛休息吧，我一個人就可以擋住他啦！」揮劍一躍，反向李滄瀾迎了上去。

海天一叟目睹她連創天龍幫高手的奇奧劍勢，已不敢再存輕視，龍頭拐一招「笑指天南」，迎頭點去。

沈霞琳皓腕一沉，寶劍貼著龍頭拐，向下滑去，同時嬌軀一側，隨著劍勢，踏步直向中宮欺進。

這一招用得驚險無比，但也大大出了李滄瀾的意外，眼見寒鋒閃閃，直向握拐右腕上滑去，迫得他不得不向後躍退避開。

沈霞琳一劍逼退了李滄瀾，卻不隨勢追趕，反而凝神沉思起來。原來她想第二招該用什麼劍法，才能把李滄瀾逼退回去。

這座鐵索吊橋，寬不過三尺左右，李滄瀾龍頭拐沉重威猛，一擊力逾千斤，如果在平地之上動手，還可閃避敵勢，縱躍還擊，此刻卻萬萬不能用輕身提躍之術，躍起還擊。沈霞琳自知兵刃上不能和人硬打硬接，必需用奇奧的劍招，欺近他的身側搶攻，才能取得優勢，擋住他不能衝過。

李滄瀾看她橫劍靜站顰眉凝思，不知在想的什麼心事，大喝一聲，重又欺身攻了上來，手中龍頭拐一招「力掃五嶽」，橫裡直襲過來。

這一擊威勢強大，嘯風迫人，心中暗自忖道：我這一拐，用八成真力，拐勢足以碎岩斷石，看這個丫頭不向後退讓，還有什麼法子招架。

哪知沈霞琳竟然不閃不避地待他拐勢將要近身之際，嬌軀突然向右側倒去。

李滄瀾暗道一聲可惜，這女娃兒如要被我一拐逼得摔下千丈絕壑，勢必要跌個粉身碎骨不可……心念方動，忽見眼前白影一閃，一道寒光，直向前胸刺來。

原來沈霞琳衛護夢寰之心深切，害怕李滄瀾衝了過去，傷害夢寰，竟然冒著絕大的危險，借雙足之力，穩住身子，橫向一側倒臥下來，上半身完全離開吊橋，懸空探入了絕壑。

如若李滄瀾事先想到，只需隨便踢出一腿，就可把沈霞琳踢下絕壑之中，但他卻沒有想到這個嬌艷如花的小姑娘，竟然敢冒這等凶險，讓避自己的拐勢，以爭取還擊的時間，變出意外，不禁微微一怔。

就在他一怔之間，沈霞琳的寶劍，已刺到他的臉前，劃破他前胸衣服。

只要沈霞琳劍勢向前移送數寸，李滄瀾縱然不死，亦必重傷劍下，但她卻收劍不刺，反而向後退了兩步，說道：「紅姊姊待我很好，我要傷了你，她定然十分傷心……」

李滄瀾低頭瞧了瞧胸前破裂的衣服，拂髯大笑，道：「當真是長江後浪推前浪，一代新人勝舊人，你的膽識、劍術，已足使自稱以劍術馳名武林的武當、青城兩派中高人蒙羞，看在你的份上，老朽索性讓九大門派中人安渡這斷魂崖鐵索吊橋之險……」話至此處一頓，突然回頭大聲喝道：「住手。」

他這一聲大喝，直似晴天霹靂一般，震得四山回鳴不絕。正在動手相搏的四旗壇主，和九大門派中人，果然都停下手來。

李滄瀾扶拐走到橋頭之上，目注王寒湘等四旗壇主說道：「閃開路來，讓他們過橋去吧！」

四旗壇主盡展所學，拚命擋住了九大門派中人，不讓他們踏上鐵索吊橋，眼瞧大功將成、不知李滄瀾何以會又突然改變了主意。

四人心中雖然疑竇重重，但卻是不敢追問，依言讓開，讓九大門派中人魚貫走上了鐵索吊橋。

李滄瀾扶拐當先帶路，四旗壇主和川中四醜走在最後。

直待所有的人完全踏上對岸，李滄瀾突然大喝一聲，一拐擊在左面一條鐵索之上，一條粗逾兒臂的鐵索，應手而折。

四條繫橋鐵索，斷去一條後，吊橋重心失去平衡，斜向一側歪去。

群豪一齊止步，千百道眼光一齊集在李滄瀾身上，不知他此舉用意何在？

李滄瀾目光環掃九大門派中人，哈哈一笑，道：「老朽原想把諸位全都葬在斷魂崖上，至多老朽和屬下四旗壇主等九條人命相陪，我們十條人命換了武林中各大門派精英，死也死得值得……」話至此處，突聞連聲爆響，由那千丈絕壑中直傳上來，爆響過後，緊接著一聲天崩地裂般的大震，整個的斷魂崖倒塌下去，李滄瀾拂髯長笑，聲如龍吟，挾雜在滾石裂岩的大震聲中，更覺笑聲淒厲，動人心魄，直看得九大門派中人，一個個臉色大變。

天宏大師合掌當胸，低念了一聲：「阿彌陀佛，我佛有靈……」

突然提高了聲音，道：「李幫主這等處心積慮，恐已耗費不少時日了吧？」

在滾石和李滄瀾大笑聲中，他這幾句話仍然能使在場中人，聽得字字入耳。

李滄瀾收住大笑之聲道：「不錯，老朽已爲你們準備十年工夫了……」他仰臉望天，自言自語地說道：「十年之功，毀於我一念之間……」言情神態之間，感慨無限。

天宏大師接道：「一念仁慈，自有善果，李幫主大可不必惋惜。」

李滄瀾突然提高了聲音，說道：「各位道兄，暫請稍靜片刻，聽我李某人說幾句話。」

字字如金鐵相擊，擲地有聲，全場群豪果然靜肅下來。

李滄瀾手拂長髯，朗聲接道：「李某人心存惡念，早有預謀，原本想奉陪各位葬身在斷魂崖上，不料被那位女英雄一劍刺中前胸，觸發我一時仁慈……」

群豪轉頭看去，果然見他前胸衣衫之上，有一處寸許長短的裂縫。

因當時打鬥激烈，沈霞琳刺破李滄瀾前胸衣衫之事，大都沒有看到，如非他親口說出，群豪尚不知有此事情。

李滄瀾揚起龍頭拐，指著霞琳，又道：「如若她當時手上加力，老朽不死亦必得重傷當場。」群豪隨著他拐勢指處，數百道目光，盡投注霞琳身上。

這時，楊夢寰已然運氣調息完畢，倒提長劍而立，沈霞琳偎守在他身側，一雙玉人珠璧映輝，男的英姿挺秀，女的國色天香，只看得群豪油生羨慕之感。

青城派松木道長，低聲對崑崙三子說道：「恭喜三位道兄，有此衣缽承繼之人，二十年後崑崙派必將爲九大門派中領導之人。」

玉靈子欠身一笑，卻未答話。

只聽李滄瀾繼續說道：「可是除了斷魂崖，這方圓十里內仍有著重重埋伏，諸位能否闖得過去，老朽很難預作論斷……」他微微一頓之後，又道：「從此刻起，各位不管身懷著何等的歹毒暗器，均可隨意應用，彼此格殺無論。」突然舉拐一揮，天龍幫的高手紛紛向幾條山谷之中退去。

他們早有預謀布署，退勢異常迅捷，轉眼之間，盡入山谷之中。

單單餘下了李滄瀾一人，仍然站在該地。

九大門派中人一見天龍幫退勢奇快，阻攔已自不及，紛紛拔出兵刃，把李滄瀾層層包圍起來。

李滄瀾目光如電，環掃了群豪一眼，笑道：「那三條山谷之中，都有埋伏，諸位分開行動也好，集中一起行動也好，除了那三條山谷之外，四面都是峭壁懸崖，無路可通，原來的幾條山徑，早已被人破壞，總之，在這斷魂崖十里方圓之內，到處密布殺機，諸位要如何選擇，老朽不便多嘴，不管諸位走哪條路，當你脫出埋伏之時，老朽自當率幫中高手迎接，那時，新債舊欠，一筆算盡，恕我要失陪了。」

餘音未絕，龍頭拐已自振腕掃出。

天宏大師橫起禪杖硬接一擊，李滄瀾翻身，換了一個方向突圍，左手運集起「乾元指」神功，喝道：「哪個願試接老夫一招？」龍頭拐縱打橫擊，挾一片嘯風之聲，直向外面衝去。

在場之人，都已目睹他「乾元指」神功的厲害，誰還敢硬擋銳鋒，紛紛向兩側讓去，幾個讓避較遲之人，手中兵刃，吃他龍頭拐震飛脫手。

玉靈子長劍一擺，奔了過來，想擋住李滄瀾的去路，忽聽海天一叟縱聲長笑，笑聲中凌空而起，施展「八步登空」輕身之術，人如行空天馬一般，從群豪頭頂上疾飛而過。玉靈子大喝一聲，振臂而起，手中長劍「穿雲摘月」，追刺過去。

李滄瀾回手一拐，疾向玉靈子長劍之上掃去，玉靈子劍勢一偏，讓過拐勢，微一沉腕，李滄瀾收拐疾變一招「推窗送月」，橫封劍勢。

拐劍相觸，響起了一聲金鐵交鳴之聲，李滄瀾借玉靈子劍勢彈震之力，身子突然昇高數尺，去勢反而加了幾分迅速，玉靈子卻被李滄瀾沉重的拐勢一壓，躍起的身子，向下疾沉。

他這一掠之勢，直到三丈以外之遠，群豪再想兜截之時，已然遲了一步，李滄瀾已第二次躍飛而起，奔入正中一條山谷中，隱去不見。

松木道長仗劍當先，向山谷之中追去，突聽天宏大師低宣一聲佛號，叫道：「道兄暫請止步。」松木道長停步回頭說道：「大師有何見教？」

天宏大師慈眉微微一聳說道：「天龍幫處心積慮，預謀了咱們九大門派十年，只看斷魂崖全峰倒塌驚人威勢，當知此言非虛，這等布置，豈是一朝一夕之工，以此推論，那山谷中的埋伏自非虛言恫嚇了……」

松木道長道：「事已至此，只有集中咱們九大門派之力，和天龍幫作生死一搏之拚，縱然是刀山劍林，咱們也不能畏縮不前。」

超塵大師接道：「不錯，眼下之局，只有寧為玉碎一途可循。」

天宏大師笑道：「天龍幫中之人，盡隱三條山谷之中，咱們如一擁而進，正陷入他們的謀算之中，眼下情勢，九大門派，已成了生死與共的局面，除此之外，別無第二條路可走，但必須謀定而動，免得臨時措手不及。」

玉靈子道：「大師高見，貧道極是佩服，咱們必須事先預計好應變之策。」

天宏大師目光環掃了圍守他身側的群豪一眼，嘆道：「這次慘劫，既已成無法避免之事，老衲也不敢再奉勸各位心存仁慈，承各位抬舉老衲，推我出面，主持這場比劍紛爭，老朽就斗膽擅自作主，以拙見分派職司，如有不適之處，尚請各位道兄、施主不吝指教。」

群豪一齊說道：「大師德高望重，但請吩咐，我等無不遵從。」

天宏大師目光轉投到崑崙三子身上，笑道：「有勞三位道長率領門下弟子，當先開路，但如遇上什麼險阻之時，切不可涉險輕人，應先行計定破敵之策，然後再行動不遲。」

玉靈子道：「貧道等師徒四人，敬領大師慈命。」

天宏大師聽得一怔，心中暗道：你們明明師徒六人，怎麼會只算四個人呢。

這原是他人門派之中的私事，天宏大師雖然聽得一怔，但卻不便相詢，眼光略掃崑崙三子及夢寰、霞琳之後，便又接道：「煩請峨嵋派超塵、超慧兩位大師，在九大門派之中，挑選二十位高手，相護聞、馬幾位受傷之人……」說到此處，緩垂長眉，沉思片刻，微微一嘆，道：「前途危機四伏，看來今日還少了一場搏鬥，在我等未行動之前，最好先能將聞、馬諸兄的傷勢予以療治一番，縱不能立使痊癒，也要使之能不再惡化，以免途中發生意外，難以兼顧，不知諸位高見如何？」

天宏大師環掃場中諸人一眼，但見僧袍飄飄，舉步向聞公泰、馬家宏幾人身旁走去。崑崙三子、超塵、超慧、武當派掌門人靜玄道長、青城派掌門人松木道長等人，也緊隨天宏大師身後走去。

幾人來到聞公泰等停身之處一看，但見幾人臉色蒼白，呼吸微弱，雙目垂閉，嘴唇嚴封，宛似酣睡正濃。

天宏大師、一陽子、靜玄道長俯身檢視了一陣，天宏大師搖頭嘆道：「海天一叟『乾元指』果然厲害，聞、馬諸兄功力如此深厚，尚且傷及內腑，如若功力稍差，就勢非當場斃命不可了。」

一陽子道：「依貧道看來，他們不但傷及內腑，而且經脈也被震盪過甚，是以血氣運行，已略略離位，要想治療，怕非短時之事……」

天宏大師點頭答道：「道兄所言極是，老朽亦覺著他們血氣有點離位，要是在普通一般武師言，即使有人能為他療治，縱然保得性命，也難保得不殘，即令僥倖不殘，則有生之年，也無能再練武功了，所幸聞、馬都是身具數十年的修為，以老朽看來，只要有能手施診，當不致落得那般結局……」話至此處，微作沉思，又道：「眼下只望能以內家功力，把他們經血導入正常，使他們自己能運功護住內傷，不致擴大，只要能突出重圍，當不難設法了。」
天宏大師與一陽子這一番洽商，靜玄道長卻未發一言，持髯仰首，望著遠方，呆呆出神似在集中精力，在思考什麼。
天宏大師轉臉見靜玄道長靜站一旁，知他精通歧黃之學，不覺說道：「靜玄道兄，久仰你醫學精博，不知道兄有無良策。」
靜玄道長緩緩轉過身子，道：「大師過譽，愧不敢當，不過以貧道愚見，以我幾人功力或可能使之不再惡化。」
一陽子道：「既然如此，事不宜遲，就請道兄作主。」
靜玄道長探手入懷，取出一只碧玉小瓶，道：「這玉瓶之中，是我們武當派歷代相傳秘方製成的調氣固神丹，雖非什麼靈藥，但服用之後，不無小補，先讓我們每人服用一粒，咱們再以本身功力，助他們打通受傷經穴。」
一陽子道：「貧道久聞武當派調氣固神丹，乃療治內傷聖藥，武林之中，人人珍視……」
靜玄嘆道：「調氣固神丹雖無什麼起死回生之能，但對身受輕微內傷之人，確有藥到病除之效。不過，眼下聞兄、馬兄等人所受的傷，就非區區幾粒調氣固神丹所能救得了，最爲要緊的，還是咱們憑藉內力，打通他們受傷脈穴，先使他們氣血流暢，促使心臟機能恢復功用，這幾粒丹藥，只不過略收點止血之效。」
天宏大師抬頭望望天色，回頭對身後隨來的十八弟子說道：「你們四人一組，分守住那三條山谷出口，不讓天龍幫中人出來，六個在四周巡視，一發現天龍幫有什麼舉動之時，即刻傳警。」

十八個弟子，同時合掌領命，十二個弟子分守住三條山谷出口，六個弟子分開巡行四周。

天宏大師眼瞧十八弟子，各奔職位，立時又提高了聲音，道：「各位施主、道兄請各就原地靜坐，養息一下精神。」

全場群豪都依言在原地坐下，但各門派中大都暗自派出一、兩個高手，自動去協助圍守谷口的少林弟子。

松木道長拂髯微笑道：「天龍幫邀我們九大門派比劍，雖然造出了一場殺劫，但卻使我們九大門派數百年來相積的一點嫌怨，完全消除，如果咱們能夠平安的脫出天龍幫的陰謀，今後江湖之上，當不會再見咱們九大門派之間相互紛爭了。」

天宏大師點頭笑道：「道長說得不錯，這場浩劫過後，武林中也該有一段平靜時間了。」

靜玄道長打開瓶塞，倒出了很多黃豆大小般的白色丹藥，分別啓開受傷之人的牙關，把丹藥投人口中。

一陽子低聲對玉靈子道：「咱們回到金頂峰後，應該把追魂十二劍招，分別傳授給門下弟子了。」

玉靈子道：「師兄之見，正和我心意相同，小弟當閉關三月，以謝歷代師祖，破此禁例，把追魂十二劍招，傳給門下弟子。」

忽聞鳥羽劃空，一隻紅冠白羽的巨鶴由萬丈碧空直瀉而下，直待到三、四丈高低之時，陡然打個盤旋，穩住下落之勢，緩緩地繞著群豪飛行。

這等奇大之鶴，舉世少見，在場群豪都是久走江湖、見聞廣博之人，也不禁抬頭相望。

忽聽沈霞琳叫道：「寰哥哥，你看這大白鶴是不是蘭姊姊養的靈鶴玄玉？」她心地一片純潔，想到之言，立時就隨口說了出來，而且聲音很大，毫無避忌，引得群豪紛紛轉頭向她望去。

楊夢寰低聲答道：「不錯，這巨鶴正是玄玉……」但見百道以上目光，齊齊投注過來，不禁臉上一熱，住口不言。

沈霞琳仰首上望，不自覺舉起右手，對著繞飛巨鶴揮動了一下。

那巨鶴耳目靈敏無比，沈霞琳舉起手來，立時被牠發覺，長唳一聲，雙翼驟斂，倏忽之間，降落到霞琳身邊。

此鶴巨大，落在地上，比起盤坐的人還要高出一頭，昂首而立，紅冠耀目。

牠似乎毫不畏人，在霞琳身側站了一會兒，竟從環坐的群豪之間走過，直待到了片空地之上，才突然一展雙翼，凌空而起，雙翅展動間搧起的勁風，吹起一片沙石。

但見牠穿空斜上，眨眼間飛過一個山峰不見。

一則群豪心情正值沉重之時，再者那巨鶴的高大，世所罕見，挺立行動之間，神威凜凜，牠雖從人群之間穿過，竟無一人相犯於牠。

沈霞琳瞧著巨鶴的去向，出了一會兒神，轉過臉，低聲對夢寰道：「玄玉既然來了，黛姊姊定然也會到這裡來啦，好久沒有見到她了，我心裡很想念她。」

楊夢寰看師父、師叔都在望著他，口中嗯了一聲，沒有答覆霞琳之言。

沈霞琳卻似毫未察覺，瞧了夢寰一眼，又道：「黛姊姊本領最高，要是她肯幫我們，咱們就不怕天龍幫了。」

楊夢寰皺了皺眉頭，低聲說道：「不要說話啦，好好養息一下精神，等一下只怕還要有幾場凶慘的搏鬥。」

沈霞琳微微一笑，不再言語，轉臉向天宏大師等盤坐之處望去。

只見靜玄道長和大師伯一陽子盤膝閉目而坐，舉手分按在聞公泰、馬家宏兩人前胸，天宏大師左手扶著滕雷而坐，右手頂在他背心之上，片刻之後，三人臉上，都隱隱見了汗水。

廣闊的山坳中，靜寂的雅雀無聲，群雄個個閉目而坐，滿臉莊肅之色。

只有沈霞琳睜著又大又圓的眼睛，不住地瞧來瞧去。

忽見翻天雁馬家宏身子掙動了一陣，緩緩坐起身子。

三人之中以他功力最深，又有護身罡氣，是以醒得最快。

他如夢初醒般，睜眼向四周瞧了一陣，把身軀向左移開了兩尺。

天宏大師低聲說道：「馬道兄傷勢未癒，最好不要移動身子。」

馬家宏長長吸了一口氣，霍然站起身子，回頭望了靜玄道長一眼，道：「多謝道兄相救。」

靜玄道：「馬道兄功力精湛，貧道只不過……」

馬家宏道：「如非道兄相助，貧道哪裡還能重生。」一面答著靜玄的話，一面暗中試行運氣。

要知馬家宏有罡氣護身，雖被李滄瀾「乾元指」所傷，但他只是被震得氣血流散，暈倒當場，內腑雖感受到震動，但因經過護身罡氣擋了銳鋒，傷得並不太重，經靜玄道長以本身內力，把震散的真氣，導聚丹田之後，人立時清醒過來，真氣帶動行血，立時全身血脈流暢，百穴暢通，人和未受傷前一般。

但聞公泰和騰雷卻因沒有護身罡氣，而受傷較重。

天宏大師在滕雷身上施展「推宮過穴」手法，先把他身上幾處要穴活開，運用內力將他被震散的真氣，導聚丹田，天宏大師內功雖比靜玄深厚，但因滕雷受傷甚重，並未即時醒來。

只見他緩緩睜開眼睛，瞧了天宏大師一眼，又緩緩閉上雙目。

天宏大師目睹滕雷諸般神情，心中已知不是三、五日可以休養得好，當下手掌加了幾分內力，一提丹田真氣，立時有一股強烈的熱流，循臂而上，集聚掌心。

白衣神君滕雷覺著一股強猛熱流，由後背「命門穴」直逼內腑，立時感到血脈流行加速。

他第二次睜眼又看了天宏大師一眼，道：「多謝大師援手相救，我雪山派決不和天龍幫……」

天宏微微一笑道：「滕施主傷勢極重，但目前不宜動怒，但請閉目休息。」

這時，聞公泰也由暈迷中清醒過來，眼瞧一陽子坐在身側，滿頭大汗，知是他出手相救，心中甚是慚愧；暗道：這數日來，我常常向他們崑崙派中挑撥、譏諷，他竟毫無忌恨，單憑這一點，就非我八臂神翁聞公泰能及萬一。

心念轉動，挺身欲起，哪知他傷勢未癒，這一挺身，忽感內腑痛苦難當。

他乃生性倔強之人，縱然內腑巨疼難耐，但仍然不肯示弱，正待第二次挺身坐起，卻被一陽子舉手按在身上，笑道：「聞兄快請閉目運息，以你精湛的內功，不難很快復元……」

聞公泰微微一笑，依言閉目運息。

天宏大師放好滕雷，又讓華山、雪山兩派中各推舉出兩個武功最好的弟子，用松枝、葛藤，造成了兩個軟榻，把聞公泰和滕雷分置榻上，並暗中點了兩人睡穴，以免他們爲激烈的搏鬥，分散精神，激動情緒。

崑崙三子眼看天宏大師撤回派出守望弟子，心知即將入谷，一齊合掌問道：「大師可是決定即時入谷嗎？」

天宏望望天色，笑道，「現下不過午時，如果我們能在天黑前闖出天龍幫重重埋伏最好……」

崑崙三子知他言未盡意，但也未再追問，一齊拔出長劍，當先向正中一條山谷之中走去。

黃志英奔到夢寰身側，低聲說道：「楊師弟快隨在師長身後入谷……」話未說完，人已由身旁疾掠而過。

楊夢寰轉臉對霞琳道：「你跟在三位師長右邊，我走左面，保護三位師長側翼。」

四九　恩怨江湖

天宏大師轉眼望了望松木道長，和陰手一判申元通，道：「兩位請各帶著四個弟子，分護兩翼，接應前後。」

此時，九大門派中人，已成生死與共的局勢，而且天宏大師的武功，又是九大門派中最高的一個，群豪都已對他心服口服，凡他吩咐之言，無不遵從。

只聽天宏大師高聲說道：「各位道兄、施主，天龍幫之人不戰撤入山谷，想這山谷之中，定有著極厲害埋伏，老朽庸劣之才，不敢妄斷谷中埋伏何物……」他微微一頓之後，又道：「爲了避免分散實力，老衲想集中我九大門派之力，單闖正中一條山谷，各位道兄、施主如另有高論，敬望不吝賜教。」

群豪齊聲說道：「大師吩咐，我等無不從命。」

天宏大師合掌說道：「既是如此，老衲就擅自作主了。」探臂從相隨弟子手中取過鐵禪杖，又道：「天龍幫對我們九大門派處心積慮，已有十年準備，此次定然要全力發動，敬望各位道兄、施主，在入谷之後，能捐棄門戶之見，彼此相互支援。」

群豪齊聲相應，各自拔出兵刃，日光下但見寒鋒閃閃，齊向谷中走去。

這時崑崙三子已經衝入谷中，黃志英緊隨師父身後，楊夢寰、沈霞琳卻分護左右兩側，天宏大師手橫禪杖，帶著十八弟子，和九大門派中人，跟在崑崙三子身後而進。

深入了谷中二十餘丈，竟然不見一點動靜，玉靈子低聲對一陽子道：「怎麼不見一點動靜，難道李滄瀾故作玄虛不成……」一語未畢，突見前面轉彎之處，緩步走出五個身著各色不同衣服的妙齡少女，每人手中，各執一種樂器，背上斜插寶劍。

玉靈子細看那五個少女服色，暗合天龍幫五壇旗色，紅、黃、藍、白、黑。

那五個少女轉出山彎之後，不再前進，一字排列，擋住去路。

玉靈子冷哼一聲道：「擺出幾個奇服異色的女孩子來，算什麼英雄。」長劍一探，驟然加快腳步，向前衝去。

一陽子微微一皺眉頭，道：「掌門不可躁進……」

他話還未完，忽見那居中的黃衣少女，舉起白光燦燦的銀箏。

用手一撥，錚錚幾聲弦響，她兩側四個少女，各舉手中樂器，剎那間，群樂相和，鐵琶、銀箏、玉笙、胡笳，交響聲中，雜著一縷婉轉的洞簫之音。

玉靈子身法是何等迅快，群豪聲起，他已衝到了五女身前，但見五女各自垂首，撥弦弄簫，歌笙吹笳，神色平靜，竟然瞧也不瞧玉靈子一眼，他乃一派掌門身分，要他舉劍先向幾個少女出手，如何能做得出來，只好停住腳步，一揮手中長劍，大聲喝道：「快些閃開……」

居中的黃衣少女，不待玉靈子話完，突然抬頭一笑，緩緩轉過嬌軀，向來路退去。

紅、藍、白、黑四個少女，也一齊轉身，相隨那黃衣女身後而行，蓮步姍姍，走得十分緩慢，渾若不覺玉靈子緊隨身後。

玉靈子心頭雖甚忿怒，但他乃一派掌門的身分，如何能對人背後施襲，何況對方又是幾個妙齡少女，只好放慢腳步，追在五女身後而進。

一陽子、慧真子因見玉靈子不肯出手，不便搶先，提劍相隨玉靈子身後而進。

轉過了山彎之後，景物忽然一變，只見一片廣場，植滿了五色花樹，色彩鮮艷，繽紛奪目，五個彈琶撥箏、吹笳品簫的少女，各自轉入一色花樹之中。

玉靈子端詳了眼前花樹林一陣，正待舉劍而入，忽聽一陽子大聲叫道：「掌門師弟且慢。」

說話之間，人已搶到了玉靈子前面，回頭笑道：「這等深秋季節，哪來的這等色彩鮮艷的花樹，而且株株大小相同，縱然窮盡李滄瀾生平精力，也難尋得這多奇異花樹……」他微微一頓之後，又道：「這些花樹不但依五行生剋變化布成，且非自然生成之物。」

這時，天宏大師帶著群豪，也到了花樹陣邊，聞言抬頭望去，果見對面的花樹，株株大小如一，色彩晶瑩奪目，不禁點點頭，道：「不錯，這些花樹分明是由人工做成……」回頭望著靜玄道長一眼，道：「道兄精通五行神算之學，敢請勞神和崑崙三位道兄共議破陣之策。」

靜玄仗劍而出，打量了花樹陣一眼，回顧一陽子道：「久聞道兄隱居玄都觀，精研五行神算之學，此陣想必已爲道兄看破了。」

一陽子道：「依貧道看來，各色花樹互相交植，想必是反五行的布置了。」

靜玄道長：「不錯，道兄一言道破其陣奧妙，實叫貧道佩服，請道兄幫我同入陣中一探如何？」

一陽子略一猶豫笑道：「尚仰道兄帶路。」

靜玄微微一笑道：「好說，好說。」當先由藍色花樹陣門而入。

一陽子緊隨著由紅色花樹陣門而入。

忽聽楊夢寰大聲叫道：「師父不可輕進，這花樹陣……」

玉靈子回頭瞪了他一眼，怒道：「大叫什麼……」他本還想罵他一句，但忽然想到他連接李滄瀾二招「乾元指」，而毫無損傷之事，不禁心頭一動，倏而住口。

楊夢寰不敢再叫，卻悄悄一拉霞琳和黃志英的衣角，三人聚在一起低聲談論起來，楊夢寰雖然指手劃腳，滔滔不絕而言，但他聲音很低，群豪又都把目光投注到靜玄和一陽子的身上，也沒人注意他們。

只有天宏大師回頭瞧了夢寰一眼，但又很迅快地轉過頭去。

楊夢寰愈講興致愈高，索性蹲下身子，一面用手在地上亂劃，一面繼續滔滔而言。

黃志英和沈霞琳，也似乎聽得十分入神，不住地點頭。

這時，靜玄和一陽子，已深入花樹陣中，只聽群豪響聲嘹亮，蕩漾全陣之中。

靜玄的心神被那煩擾的樂聲，弄得微生躁急，舉手一劍，向近身處一株花樹之上劈去。

便聞格然一聲，長劍被彈了回來，敢情這些花樹都是用鐵鑄成，外面塗上了鮮艷的色彩。

突然間，各色的花樹，枝葉紛紛垂下，而且有很多樹幹也開始轉動，片刻間由五色幻化成數十種彩色出來。

原來那紛紛垂下的枝葉，裡面另外塗著不同的顏色。

這一陣色彩的變化，使全陣都有了極大改變，饒是靜玄道長和一陽子，精通五行生剋之人，此際，竟也生出手足無措之感，只覺一片鮮艷繽紛的彩色中，門戶重重，竟然不知該走哪一門戶方向才對。

陣外群豪眼瞧兩人初進陣時長驅直入的豪氣，一個個心頭讚佩，及見兩人被彩色變化影響，靜站陣中不動之時，心中又生出焦急之感。

但聞弦管笙歌裊裊傳出陣來，靜玄和一陽子忽然隨著那悠揚頓挫的歌聲，開始轉走，樂聲愈響愈急，兩人也越跑越快，但卻始終不離那數尺方圓之地。

馬家宏長嘆一聲，道：「兩位道兄被困在陣中了，哪位精通此道之人，請和貧道一起入陣相救。」

玉靈子、慧真子、超塵大師，同時舉起手中兵刃，舉步向前衝去。

天宏大師突然低喝一聲：「諸位且慢，當今武林之中，有誰不知靜玄道長和玄都觀主，精通五行之學，幾位難道自信強得過兩位道兄嗎？」

此言一出，使馬家宏等大大地為之一怔，半晌玉靈子才說道：「那咱們總不能眼瞧著兩人被困在陣中不救？」

天宏大師，突然搶上兩步，掄開手中鐵禪杖，砰然一聲金鐵大震，擊在一株花樹上面。一陣枝葉搖動過後，花樹只不過稍作彎曲之狀。

天宏大師回顧幾人說道：「老衲自信兩臂有千鈞之力，這一擊力道不小，足可碎石斷碑，但這花樹卻仍然屹立無恙，如非極好的精鐵所鑄，早已折斷在老衲鐵禪杖之下了……」

天宏大師微微一頓之後，又道：「這等精鐵鑄成的花樹，緊硬無比，如不精通五行生剋變化，想硬闖花陣，只怕是大不容易之事。」

陣中樂聲，愈響愈緊，靜玄和一陽子奔行的速度也更加急快，日光照射之下，但見兩人臉上汗水滾滾而下。

馬家宏、玉靈子橫劍趑趄不前，自知不精五行生剋之學，進得陣去也難救得兩人。

忽聽楊夢寰大聲喝道：「師兄、師妹記好轉向方位。」振袂而起，橫劍直向陣中躍去。

黃志英、沈霞琳緊隨夢寰身後衝入陣中。

玉靈子一皺眉頭，低聲罵道：「不知天高地厚的東西。」他本想喝止幾人，但當群豪之面，又怕人罵自已有心袒護門下，只好眼瞧著幾人飛入陣中。

楊夢寰去勢最快，眨眼之間，人已進入了陣中，黃志英、沈霞琳也緊隨入陣。

三人入陣之後，突然分向，個方向，楊夢寰向正中而入，沈霞琳向右面轉去，黃志英轉向左面，三人以楊夢寰奔行的速度最快，但見他身子轉來轉去，片刻之間，人已到了一陽子停身之處。

群豪站在陣外望去，看他入陣的身法迅快絕倫，無不心生敬佩之感……

慧真子低聲對玉靈子道：「看來他們是真的知道破陣之法了。」

玉靈子微一點頭，一語不發。

楊夢寰救出師父和靜玄道長，黃志英和沈霞琳已然同時趕到，楊夢寰對兩人微微一笑，提劍直向陣中衝去。

這時，那五個妙齡少女，都已隱身花樹深處。陣外群豪看楊夢寰身形消失不見，大約頓飯工夫，弦管樂聲都突然靜下來。

一陽子反手拔出背上古劍，隨手向一株花樹上面砍去，但聞一聲輕微的金鐵交鳴，花樹應手而折。

這當兒，楊夢寰已由花樹深處，轉了出來，恭恭敬敬地對師父說道：「五個撥弦吹管的女孩子，已經被我點了穴道，沒有她們的樂聲操縱，此陣就變成死陣，只是這些花樹，都是鐵鑄而成，不易毀去。」

一陽子舉起手中古劍笑道：「你用這柄寶劍，開出一條路來，引導各位長輩通過此陣。」

楊夢寰接過寶劍，低聲對黃志英和沈霞琳道：「如果有人攻來，你們記著用我剛才講過的步法，以及轉動的方位對敵，就不致被困陣中了。」說完，舉劍向旁側一株鐵樹砍去。

他此時的功力，已非小可，寶刃過處，鐵樹應手而折。

片刻之間，被他連砍了一十三株花樹，大都中主位。

楊夢寰持劍奔到陣外，高聲說道：「諸位老前輩，請放心通過此陣吧。」

天宏大師低宣了一聲佛號道：「真正是英雄出少年。」大踏步當先入陣。

這座花樹陣，占地有二畝大小，遍植花樹，雖被楊夢寰砍去一十三棵主樹，還是依然遍地花木扶疏，使人有眼花撩亂之感。

天宏大師雖不諳此陣圖式，但仗著自己數十年的修爲，大步踏入陣中，放眼打量了花樹形式，覺得除了鐵鑄花樹之外，並無奇特之處，何以竟能將玄都觀主一陽子與武當掌門人困在陣中，心中實感不解。

正忖念間，崑崙三子、松木道長及九大門派中人已魚貫入陣，到了自己身側，長眉軒動，環顧說道：「天龍幫十年有成，如不是崑崙門下出此俊彥，只怕這第一關，咱們就無法順利通過，此去山谷迢遙，還不知有多少險阻，只望諸位步步留意，勿中他人奸計才是。」說著領著眾人向前走去。

楊夢寰手執古劍，邊側隨護，黃志英、沈霞琳依照楊夢寰之言，仗劍殿後。陣式既遭楊夢寰衝破，一路再無阻礙，片刻工夫，眾人已全數出了花樹陣。

驀然間景色驟變，前面橫峰攔路，右邊泉潭相阻，僅有左首一條四、五尺寬的山路可循，天宏大師一看形勢，微微嘆道：「此處地形險絕，又無別路可通，在這條非走不可的絕路上，天龍幫又不知布置了什麼歹毒的詭計……」

楊夢寰轉臉看了一看掌門師叔，對天宏大師道：「晚輩不才，願為諸位老前輩開路。」

天宏大師點頭應道：「難得小檀樾豪氣干雲，俠膽鑒人，既是如此，只好偏勞你多辛若了。」

楊夢寰正待舉步，松風聲中，傳來一陣虎嘯獅吼、豹驚猩怒之聲，聲音雖似尚遠，但卻群谷回響，駭人心魄。

馬家宏急對天宏大師道：「久聞天龍幫得一奇人，能驅猛獸毒物，前面群獸怒號，想必天龍幫要以這些畜生來對付咱們了。」

天宏大師道：「阿彌陀佛，如此一來，天龍幫造孽就太重了！」說著轉臉對楊夢寰叮囑道：「你前去務要小心，不可急躁貪功，以免誤事。」

楊夢寰應了一聲，提劍向前躍去。

天宏大師怕他有失，招呼了一陽子、超塵大師、陰手一判申元通，以及四名本門弟子，緊追夢寰身後而去。

幾人奔行約有二里路光景，山道突然變狹，只有二尺寬闊，楊夢寰正在奔行的身子，陡然停住，雙目神光炯炯，凝注山腰一座隱藏樹木之後的石堡。

幾人都是武林高手，目光何等銳利，一見楊夢寰神情，情知有異，連忙向石堡望去，卻發現在這一間僅有小屋大小的石堡旁側，伏有二個天龍幫暗樁，雖見二人隱伏堡側，但卻半晌不見動靜。

陰手一判申元通道：「大師，待在下前去看看。」

天宏大師指派一個少林弟子，道：「你陪申施主一同前去，但聽申施主吩咐，不得擅自行動。」

二人在將近石堡之處，不便貿然而進，雙雙伏下身子，凝神注視，但見那二人半屈身軀，右手各執著一個銅環，目定神呆，竟似泥塑木雕之人一般。

陰手一判申元通仍是崆峒派頂尖人物，江湖經歷至為豐富，一見此等光景，不由大感迷惑，當下回頭向天宏大師等人打了個手勢，便輕向那石堡躍去。

事出蹊蹺，變化肘腋，任是天宏大師、一陽了如何沉著，也不由大感意外，一陣衣袂飄佛，紛紛向前追去。

陰手一判申元通及少林門下弟子已到了石堡之處，一看那二個依然是神情木然，毫無警覺，似早已被人點了穴道。

申元通也來不及多加考慮，右手伸吐之間已握住那只銅環。

這時天宏大師等人已來到山腳，正待向山腰石堡奔去，陡見申元通手握銅環，欲待掀起，天宏大師閱歷更是廣博，知道二只銅環必是暗中埋伏的消息樞鈕，心中一震，大聲喝道：「申施主不可。」

天宏大師話剛出口，那邊申元通已一提銅環，說時遲，那時快，但聞一陣軋軋巨響，申元通心知不妙，趕忙鬆手已是晚了一步。

少林派掌門人天宏大師正自注視申元通的行動，驀然間突覺停身之處，嘩啦一響，右側的山石一動，但覺眼前翻湧起一片烏雲，直向幾人罩來。

楊夢寰正站在天宏大師右側，一見山腹中湧出一群數千隻巨大的黑蜂，道了一聲「不好！」手中寶劍已劃出一道銀虹，擋拒黑蜂猛衝的疾勢，天宏大師及一陽子，也舞起寬大的道袍僧袖，「叭叭叭」連聲暴響，勢如風雷，申元通也撲返山下，掌風連發，直向蜂陣掃去。在幾人雷厲的撲擊之下，約一盞熱茶工夫，方將群蜂滅盡。

陰手一判申元通歉然道：「在下一時疏忽，幾又中了他人的毒計了。」

說話中，幾人依然向前奔行，這時狹谷山道，愈行愈窄，而且這道山谷，上覆一片濃蔭，黑暗暗的不知有多長多遠。

幾人又走了三數里路，谷中浮沖上一股黴濕之氣，中人欲嘔，不免心氣浮動，加速腳步，沿著山勢一轉彎，眼前突然閃出一陣金黃光耀，定神一看，竟是幾頭斑虎、猛獅與金毛大猩猩，這些畜生已被人擊斃，堆聚山側，一陽子俯身探視，轉臉道：「這事變得太奇，天龍幫用來對付咱們的狠毒埋伏，何以竟遭人暗中搗毀，此人又是誰呢？」

天宏大師宣了一聲佛號，道：「難怪適才聞聽得虎嘯獅吼，想必是暗中協助我等之人，在此格殺這些凶猛的畜生。」

陰手一判道：「依大師高見，此事是何人所為呢？」

天宏大師微微一笑，道：「這個，老衲也難說得出來，不過，來人既有力斃獅虎之能，決非無名之人。」

靜玄道長嘆道：「難的並不是搏斃這幾頭獅虎，而是在對方埋伏尚未發動之前，制敵機先，天龍幫派守操縱機關的人，雖未必是幫中第一流的高手，但武功定然不弱。」

天宏大師道：「道兄高見不錯，這人武功，只怕還要在我們在場諸人之上。」

一陽子心中一動，暗道：九大門派中高人，大都雲集此地，當今武林之中，誰還有這等本領，莫非又是她相助不成……他心中雖然想出了相助之人，但卻未便說出。

群豪心中雖然揣測紛紛，但誰也不肯先把心中猜想之事，說出口來。

沿途上，但見毒蟒僵挺，及險關重重，但因守望之人，俱已被點了穴道，是以毫無凶險阻礙。

穿行約六、七里後，忽見左右兩道山谷，合聚一起，敢情三條山谷，都在此處會合。

一塊大岩石後，緩緩轉出一個氣度高雅，全身玄裝，胸繡白鳳，髮挽宮髻，外罩淡黃披風的秀逸絕倫少女，至美中威儀逼人，群豪瞧了一眼，紛紛垂下頭去。

只聽沈霞琳高聲叫道：「蘭姊姊！」飛一般奔了過去，直向那玄衣少女懷中撲去。

群豪之中，只有少數人認識這玄衣少女，正是括蒼山天機石府的朱若蘭，大部份人，都未見過，只覺她艷麗得不可逼視，高貴得使人自慚形穢，竟無人敢多瞧她。

朱若蘭皓腕輕伸，接住沈霞琳撲過來的嬌軀，笑道：「琳妹妹，恭喜你，今天可以報殺父之仇了！」

沈霞琳聽得怔了一怔，道：「誰是我的殺父仇人？」

只聽一聲清澈的佛號，澄因大師肩負禪杖，由大岩後面轉出，接道：「琳兒，你的殺父仇人就是天龍幫五旗壇主之一的百步飛鈸齊元同。」

群豪齊向那大岩後望去，不知那巨岩之後，還藏有好多個人？

沈霞琳大叫一聲，又撲向澄因懷中，哭道：「師伯一直騙我說琳兒沒爹沒娘，原來我父親是被人殺了！」

澄因身軀顫動著，笑道：「十幾年來，我一直不肯告訴你這件事，是怕你傷悲過深，影響你武功進境，這是你母親遺物血書，你拿去瞧瞧吧！」

沈霞琳從澄因手中，接過一個布包，席地而坐，打開包中遺物，一面閱視，一面熱淚如泉。

此物原在慧真子手中保存，在括蒼山中交給了趙小蝶，趙小蝶轉給朱若蘭，朱若蘭又把它還給澄因大師，輾轉交替後，仍然由受命託孤的澄因大師，交給了沈霞琳。

朱若蘭目光如電，環掃了全場一眼後，說道：「天龍幫李滄瀾，已率領屬下五旗壇主及幫內高手，羅列谷外等你們九大門派中人！」說完，轉身向前走去，走到沈霞琳身側，扶起她身子，說道：「決戰在即，妹妹要節哀養神，方可手刃強敵，慰伯父、伯母在天之靈。」

沈霞琳包好父母遺物血書，站起身子，一抹臉上淚痕，道：「姊姊說得不錯，我要親手殺死那逼死我父母的人。」

澄因輕輕一嘆，欲言又止。

朱若蘭回頭望了群豪一眼，拉住沈霞琳，緩步向前走去，九大門派中雖無一人問話，但他們心中都默認了這位風儀絕世的玉人，就是搏殺獅虎、毒蟒，破除天龍幫各種埋伏，援救眾人出險之人，慢步隨她身後而行，竟無一人存心超行在她的前面。

轉過了兩個小彎，景物突然一變，只見一片廣闊的空場中，雲集了天龍幫中高手，李滄瀾手橫龍頭拐，橫阻去路，一見朱若蘭率領九大門派中群豪到來，拂髯一聲長笑，道：「老朽早知和姑娘並立於天地之間，不是你死，就是我亡……」

朱若蘭冷漠一笑，接道：「我已再三相勸……」

李滄瀾驀然一聲大喝，道：「住口……」

朱若蘭黛眉一揚，臉泛怒色，正待反唇相激，天宏大師已手橫禪杖躍出說道：「李幫主志在我們九大門派，豈可遷怒他人，老衲願以古稀之年，和李幫主作一次生命之賭……」

李滄瀾冷冷接道：「你豈是老朽敵手，還是讓這位朱姑娘出手的好。」

天宏大師臉色大變，微微一笑，道：「老衲年近八十，死亦無憾了！」

忽聽朱若蘭厲聲喝道：「李滄瀾你回頭瞧瞧，如還執迷不悟，那就不要怪我手辣心狠了！」

群豪抬頭望去，只見一片濃煙，瀰漫遠山，附近幾道幽谷之中，也冒起熊熊煙火。

正中一道谷中緩步走出了四個白衣小婢，護擁著一個肩披藍紗，懷抱琵琶的艷麗少女。

驀聞高空鶴唳，一隻巨鶴由碧空直瀉而下，鶴背上跳下一醜一美的兩個女人，正是三手羅剎彭秀葦和玉簫仙子。

群豪中陰手一判申元通，目睹自己苦尋近年不見的玉簫仙子，不禁一陣激動，大叫一聲：「玉簫仙子！」大步由群豪中直走出來。

他乃一派掌門身分，這等有失儀態之舉，立時引起一陣紛紛議論。

玉簫仙子目光轉動，掃他一眼，滿臉莊肅之色，和三手羅剎並肩走到朱若蘭身前，一齊躬身說道：「婢子等幸未辱命。」

朱若蘭點頭微笑，道：「很好。」突然一揚左掌，斜拍出手，又道：「退下去。」

她一掌擊出，絲毫不帶破空之聲，但卻聽得一聲悶哼，原來申元通看玉簫仙子不理他，竟追了過來，被朱若蘭反手一掌，震得悶哼一聲，向後退去。

玉簫仙子縱橫江湖十幾年，威名甚著，九大門派中人，有不少人和她相識，只覺她此刻已似換了一個人般，閉目垂首，和三手羅剎彭秀葦靜靜地站在朱若蘭的身邊，一臉端莊嫻靜之色。

朱若蘭反臂一掌擊退了申元通後，望著李滄瀾十分嚴肅地說道：「你辛苦建起的五壇基業，和各種陣圖埋伏，都已被我派人燒光，除了令嬡所居的『洗心庵』外，你們天龍幫的基業，再難找出片瓦存在……」她話還未完，驟聞衣袂飄風，神鷹陳葆疾奔而來，相距朱若蘭丈許左右時，躬身說道：「奴才奉公主之命，釋救天龍幫囚居的武林同道，已然如命完成，峨嵋派掌門人，超凡大師也在其中……」朱若蘭聽他竟然叫出公主二字，不禁一皺眉頭，一揮皓腕叱道：「別說啦，快退下去。」

陳葆雖然身受叱責，但仍然恭恭敬敬地施了一禮，才退下去。

九大門派中人，聽她說出已毀去天龍幫中基業，個個驚喜交集，一時間全場肅然，鴉雀無聲。

朱若蘭緩緩向李滄瀾走近幾步，又道：「智者千慮，必有一失，你自認你們總堂要地，布設嚴密，無人敢犯，故傾巢而出幫中高手，留給我可乘之機……」

李滄瀾大喝一聲：「不是你死就是我……」振拐疾點而出。

拐風如嘯，迎面點到，但朱若蘭仍卓立不動，直視那碎石斷碑的千鈞拐力，有如無物一般。

單是這份膽氣，已看得在場群豪個個心生敬仰。

李滄瀾拐勢將近朱若蘭前胸之時，忽覺對方高貴無比，不可褻瀆，自動一偏拐勢，點向朱若蘭左肩。

朱若蘭微微一笑，嬌軀微晃，低聲叱道：「你還不失光明風度。」讓開拐勢，疾退三尺。

李滄瀾一擊不中，揮拐又攻，五旗壇主紛紛出手，合圍而上。

玉簫仙子怒叱一聲：「李滄瀾，你要不要臉？」她乃縱野慣了之人，雖被朱若蘭收服了過來，在急忿之下，仍然脫不了出口傷人的習性，玉簫振處，灑出點點簫影，護住了朱若蘭。

驀聞震人心弦的幾聲弦響，趙小蝶大喝道：「住手。」

在場之人，只覺那弦聲如千斤重錘，擊中胸前，個個心頭震蕩，不自禁全身一顫。

李滄瀾和五旗壇主，同時停下了手。

朱若蘭目光一轉，從沈霞琳手中取過寶劍，高聲說道：「川中四醜殺孽最重，我要先重創這四個人。」一提真氣，身劍合一，一道白光，電射過去，這正是劍術中最高的一種禦劍之術。

川中四醜平時總是隨護李滄瀾兩側，單單此時站在五旗壇主和李滄瀾的身後，朱若蘭要傷川中四醜，勢非先要闖過五旗壇主和李滄瀾的攔擊。

劍風如輪，寒虹疾射，看得人眼花撩亂，李滄瀾一拐封空，朱若蘭已禦劍衝過，白光繚繞，劍氣漫天，灑出朵朵劍花，迫得五旗壇主紛紛向後退去。

但聞幾聲慘叫連續響起，川中四醜個個血濺當場，不是胸腹中箭，就是腰腿斷裂，盡皆失去了作戰能力，一一委頓倒地。

劍光回旋，打了一個轉，重又飛回原地，白光斂處，朱若蘭玉容重現。這一手禦劍之術，只看得在場群豪，一個個目瞪口呆，半晌說不出話來。

朱若蘭一揮長劍，冷然說道：「李滄瀾，你如肯聽我良言相勸，就請立時解散天龍幫，尋處名山勝水，隱居林泉，樂享餘年，如若仍然不悟，今日就是你……」

李滄瀾大喝一聲，鬚髮皆豎，運用「乾元指力」，疾點過去，口中還厲聲喝道：「且莫太過藐視老夫，先接我一招『乾元指』試試。」

朱若蘭怒叱一聲：「你要找死。」氣貫劍身，縱身而起，左手運集「天罡指」力，正待劍指齊施，和他硬拚一招，忽覺一股疾風，急射而來，迅快絕倫的搶到朱若蘭前面，耳際響起趙小蝶嬌脆的聲音道：「『乾元指』何足爲奇，試試我『般禪掌』和『玄門一元罡氣』……」

話還未完，忽聞李滄瀾悶哼一聲，身軀倒飛而出，直摔到一丈開外。

刹那大變，迅如電光一閃，在場群豪，竟無一人看清楚李滄瀾受創經過。

原來趙小蝶眼看李滄瀾鬚髮豎立，知他已運集了全身功力，企圖與朱若蘭作生死存亡的一拚。她知朱若蘭任、督二脈未通，禦劍克敵，又是最耗真氣的武功，怕她元氣未復，難以接李滄瀾全力一擊，遂丟玉琵琶，縱身疾躍過來，左手打出「般禪掌」力，右手運集了「玄門一元罡氣」，蓄勢待敵。

那「般禪掌」力，乃佛門無上心法，遇剛則柔，遇柔則剛，李滄瀾「乾元指」力和「般禪掌」力一接，立時覺出不對，只覺如擊在一團棉絮之上，絲毫用不上力，心知不對，正待撤身而退，般禪掌力，已反擊過來。

幸他見聞博廣，功力深厚，臨危不亂，暗運內力，左指右拐齊出，推出「乾元指」力和強勁的拐風一擋，果然把趙小蝶反擊過來的「般禪掌」力消解不少。

哪知趙小蝶右手一揚，又推出玄門一元罡氣，一股淩厲暗勁，直擊過來，李滄瀾側運「乾元指」功，真氣已耗去不少，如何還能擋得趙小蝶蓄勢一擊，只覺前胸如受千斤巨錘一撞，身不由主地直飛而起，向外摔去。

趙小蝶一擊重創李滄瀾，緊接著舉步向五旗壇主衝去，舉掌揮動，乒乒乓乓一陣亂響，五旗壇主每人被她打了兩下耳光，只打得五人個個臉頰紅腫，嘴角鮮血直流。

她去勢奇快，打得又詭異難測，叫人無法閃避，待五旗壇主各揮兵刃，向她還擊之時，她卻閃如電射般退了回來。

五旗壇主正要揮刃聯手合擊，忽聽李滄瀾低聲喝道：「住手！」支撐著站起身子，扶拐向前走了幾步，目光緩緩掃掠過朱若蘭、趙小蝶道：「老夫生平之中，尙未有遭受過今日之敗……」

朱若蘭冷冷一笑，接道：「天龍幫本可和武林中各大門派並存，但你卻雄心萬丈，妄圖壓服天下武林同道，邀人比劍，暗施鬼謀，想一網打盡天下高手，用心不謂不毒，爭霸逞強，急圖擴展實力，以助凶焰，不問良莠，一齊羅收，龍蛇混雜，天龍幫變成了江湖上藏污納垢之所……」話至此處，微微一頓，回頭對沈霞琳道：「琳妹妹，你過來。」

沈霞琳應聲而出，奔到朱若蘭身側，目光卻投注在齊元同身上，問道：「姊姊，那背上銅鈸，手中分執雙輪之人，可就是我的殺父仇人嗎？」

朱若蘭把手中寶劍交還沈霞琳，說道：「不錯，你去把他殺了，替伯父伯母報仇。」

沈霞琳接過寶劍，緩步而出，楊夢寰怕她有失，搶到前面觀戰。

趙小蝶轉臉望了楊夢寰一眼，欲言又止，舉手招過來四婢，取回玉琵琶抱在懷中。

沈霞琳橫劍緩進，舉步行動之間，似拖著千斤重鉛，異常沉重，走入雙方之間一片空地上，舉劍指著齊元同道：「你出來！」

齊元同望了李滄瀾一眼，道：「這個是我昔年一個仇人之女，那仇人死在我的手中，她要報殺父之仇……」

李滄瀾嘆息一聲：「你去吧！」

齊元同抱拳一禮，大步而出，走到距沈霞琳三尺左右之處，停下腳步，高聲問道：「你可是沈士朗的女兒嗎？」

沈霞琳點點頭，道：「嗯，你殺了我父親，逼死我媽媽，我要替他們報仇！」

齊元同大笑道：「江湖之上，自難免彼此衝突，如果當時死的不是令尊，而是我齊元同呢？」

沈霞琳搖搖頭道：「我母親遺下血書中，已經說明了你殺我父親的原因，是爲了……」熱淚奪眶而出。

齊元同大聲喝道：「你既然在報殺父之仇，還不快些出手，等待什麼？」他怕沈霞琳直截了當地說出他和沈士朗結仇之事，是以接口大聲喝止。

沈霞琳似也覺到在眾目睽睽之下，此事不便出口，故不再多說，舉手一劍，緩緩刺去。

齊元同看她劍勢來得異常緩慢，心中甚是感到奇怪，隨手橫輪一封。

沈霞琳待輪劍將要相觸之際，忽然一沉玉腕，寶劍疾掃齊元同下盤，劍風颯颯，威猛至極！

齊元同吃了一驚，仰身疾退五步。

沈霞琳揮劍搶攻，縱躍而上，奇招連出，一口氣連攻七劍，迫得齊元同雙輪左右封擋，手忙腳亂。

澄因大師手橫禪杖，站在一側掠陣。他雖已從朱若蘭口中得知沈霞琳武功大進，足可手刃親仇，但他仍然放心不下。

天龍幫幾位壇主，也各自手橫兵刃，準備隨時出手援救齊元同，不過他們注意的是防阻他人出手，因為在幾人心目之中，沈霞琳決不能勝得齊元同。

朱若蘭目睹場中相搏，漸入緊張關頭，沈霞琳已施出《歸元秘笈》上的劍招，已然智珠在握，穩操勝算，立時高聲說道：「場中之人，彼此仇恨深重，不共戴天，分不出生死，只怕難以罷手，任何人均不應插手相助，哪個妄自出手，我立時要他橫屍當場……」她回頭望著趙小蝶，又道：「蝶妹妹請留神監視全局，不管什麼人，只要出手干擾，立時下手搏殺。」

趙小蝶笑應道：「姊姊請放心吧，誰不聽姊姊的話，我就要他的命。」琵琶交到左手，右手蓄勢以待。

幾句話的工夫，場中形勢已進入生死惡鬥，沈霞琳心切父母之仇，集中全神應戰，只覺腦際間不停閃過各種奇異的劍招，劍招愈打愈是奇奧難測，齊元同一對青鋼雙輪，施展出各種輪法，但均難對擋沈霞琳凌厲劍勢。

激鬥中，忽見沈霞琳凌空一躍，寶劍揮舞之間，撒下一天寒星，這正是天機真人手著「劍經」中一招奇學「天河倒掛」，齊元同一著失神，被沈霞琳寶劍幻化的漫天劍影，乘隙攻入，但聞一聲悶哼，森森劍鋒，穿胸而過，血流五步，屍橫當場。

開碑手崔文奇眼見齊元同送命在一個女孩子的手中，心中忽生悲傷之感，晃身直欺過來。

但聞趙小蝶一聲嬌叱：「你想死嗎？」遙遙一掌直劈，潛勁去勢雖快，但卻不帶破空之聲。

崔文奇聞聲驚覺，抬頭橫掌一接。

只覺那撞來力道疾而不勁，竟被自己迎擊之勢給擋了回去。

正等舉步而進，忽覺那被自己擋回去的一股潛勁去而復返，不禁心頭大生驚駭，暗中運集十成功力，向前猛推過去。

哪知這全力一擊，對方的反震也陡然增強，全身如受雷擊，身軀忽的向上跳起三尺，心脈寸斷，六臟碎裂，連哼也未哼出一聲，口中狂噴鮮血而死。

趙小蝶遙空一掌，把一個名滿江湖的高手，當場震斃掌下，不但是天龍幫人看得個個心生寒意，就是九大門派中人，也瞧得人人臉色大變。

王寒湘高舉摺扇一揮，天龍幫中高人，紛紛拔出兵刃，只要王寒湘摺扇一指沈霞琳，近百名的天龍幫高手即將一擁而上。

天宏大師高宣了一聲佛號，帶著十八弟子，當先奔了上去，高聲喝道：「王寒湘，你是準備憑仗人多，一擁而上，展開群毆嗎？」

王寒湘還未答話，李滄瀾已搶前兩步，攔住了王寒湘道：「快些退下，收起兵刃！」天龍幫拔出兵刃湧上的高手，聽得李滄瀾的話後，果都紛紛收了兵刃。

趙小蝶帶了四個白衣小婢，緩步而出，道：「齊元同雖傷未死，此事還未完結，你們雙方之人，都請暫時退下。」她目光銳利無比，雖然眼瞧著齊元同中劍倒地之後，竟然沒有掙動一下，心中生疑，仔細瞧去，果然發現齊元同並未氣絕死掉。

轉臉向沈霞琳望去，只見她呆呆地站著出神，仰望雲天，不知在想的什麼？絲毫不知齊元同中劍裝死之事，不禁心中大急，緩步走了出來，口中雖然是喝請雙方之人退下，其實無疑是告訴沈霞琳要她留神齊元同的飛鈸暗器……沈霞琳正在想著母親遺書上記載之事，對趙小蝶暗示的警惕，竟似渾然不覺，忽見中劍倒臥在地上的齊元同一躍而起，雙手銅鈸連環飛出，一面筆直地襲向沈霞琳，一面卻盤空旋轉，誰也不知他要打的是哪個。

沈霞琳待對方銅鈸出手，心才驚覺，再想躲時，哪裡還來得及，只得一振手中寶劍，疾向銅鈸之上點去。

那銅鈸雖是直取而來，但仍然是旋轉而到，沈霞琳劍尖一點，銅鈸打個轉，帶著一片金刃劈風之聲，上昇三寸，疾向沈霞琳頭上掃去。

這等奇奧手法，也只有百步飛鈸有此絕技。

只聽他長笑一聲，口噴出一股血箭，身體重又倒了下去，那股噴出的血箭直打到七、八尺外。

原來他被沈霞琳一招「天河倒掛」，灑出的點點寒星、劍影掃中，自知難以對付，使出這招奇襲，正想撤身疾退，沈霞琳劍鋒已及前胸，閃避已自不及。

他內功精純，眼見難逃利劍穿胸之危，立時一提丹田真氣，保住一口元氣，集在丹田不散。

直待沈霞琳心分旁顧，趙小蝶一掌擊斃崔文奇，王寒湘準備率領天龍幫屬下高手，硬拚之時，齊元同也乘亂而起，憑藉護在丹田的最後一口元氣，發出飛鈸，一面急旋直進，一面旋空緩飛。

沈霞琳警覺時，飛鈸已達當頭，勢難轉身，只得藏頭縮頸，那銅鈸挾尖風掠頂而過，削落了沈霞琳頭上一片秀髮。

趙小蝶本待舉掌劈出罡力，擊落銅鈸，但她突然想到朱若蘭不准別人妄自插手之言，自己又是奉命監管全局之人，自不好執法犯法，銅鈸既是齊元同所放，別人自不能多管。

就在她心念轉動之間，那盤飛的銅鈸削過沈霞琳停身之處，突然向下一沉，疾如電閃般，倒旋過來，襲向沈霞琳背後，沈霞琳驚魂乍定，哪裡還能想到第二面銅鈸能倒旋過來，襲向背後，眼看嬌稚無邪、美麗絕倫的沈霞琳，就要送命在銅鈸之下。

驀聞楊夢寰一聲大叫道：「師妹留心！」一條人影疾如電射而出，迅快無比地衝向沈霞琳身側，右手遙推一掌，把沈霞琳嬌軀，震得向前飛去，他卻穿空而到，直向那飛鈸上面撞去。

這等救人之術，實乃罕見之事，只看得在場之人，個個心頭一震，但聞波的一聲，另一面旋轉勁急的飛鈸，正擊在楊夢寰前胸之上。

但見他懸空兩個轉身，落著實地，人雖被那飛鈸撞得向後退了一丈多遠，但卻是毫無損傷。

沈霞琳吃楊夢寰推出掌力，震得向前疾飛了八、九尺遠，落著實地，回頭瞧時，正值楊夢寰撞上飛鈸，不禁嚇得啊喲一聲驚叫，疾向楊夢寰身側奔去，見他安然無恙，才放下心中一塊石頭，婉然一笑，問道：「寰哥哥，你沒有傷著嗎？」

楊夢寰正待答話，忽聽趙小蝶叫道：「琳妹妹，快請閃開！」

沈霞琳依言向旁側橫跨三步，見趙小蝶臉色一片凝重，心中甚感奇怪。

趙小蝶笑道：「不干姊姊的事！」轉臉望著楊夢寰冷冷說道：「誰要你出手多管閑事？」

楊夢寰先是一怔，繼而淡淡的一笑道：「我已經管過了，怎麼辦呢？」

趙小蝶星目環掃，見在場群雄，個個睜大眼睛瞧她，心中暗自忖道：我若不理此事，只怕天下英雄都要笑罵我處事不公，當下一沉臉色，說道：「蘭姊姊命我監管全局，不許任何人出手干預沈姑娘和齊元同相搏之事，你竟妄自出手，撞落人家飛鈸，不知是何用意？」

楊夢寰道：「他們各憑武功，搏拚生死，別人自是不應插手，但這使用暗器傷人之事，自是該另當別論。」

趙小蝶聽他說得似是有些道理，心中甚感爲難，轉臉向朱若蘭望去，想從神色間看出此事該怎麼辦。

哪知朱若蘭仰臉望天，根本就不和趙小蝶目光相觸。

趙小蝶心中難定主意，不禁問道：「蘭姊姊，他講得可有道理？」

她一連問了數聲，朱若蘭相應不理，連頭也未轉動一下。

楊夢寰淡然一笑，大聲說道：「趙姑娘既是執命行令之人，此事應該自己斷處，大可不必再問朱姑娘了。」

趙小蝶道：「我該一掌把你劈死？」

楊夢寰道：「生死豈足掛齒，趙姑娘但請出手。」

趙小蝶緩舉右手，星目電閃，又掃了全場一周，只見沈霞琳雙目圓睜，淚光濡濡，一瞬不瞬地盯住她瞧，全場鴉雀無聲，群豪個個凝神相觀。

楊夢寰卓然而立，若無其事一般，神情十分鎮靜，大有視死如歸的豪氣。

趙小蝶手掌雖然舉得很慢，但終於高揚了起來，在半空略一停留，一掌向楊夢寰劈過去。

楊夢寰知她功力深厚，劈擊出手的掌力，自己決難抵拒得住，當下暗中運氣，護住中元，想憑仗著墨鱗蛇甲，接她一掌試試。

但覺一股急襲而來的掌風，撞在任、督兩脈交匯之處，把楊夢寰整個的身軀，震得飛起來四、五尺高，砰地一聲，摔了下來，沈霞琳奔過去一瞧，只見楊夢寰側身而臥，雙目緊閉，臉上一片鐵青之色，除了一縷十分微弱的氣息之外，全身都已不再掙動。

這位嬌稚善良，最愛流淚的姑娘，此刻卻沒有流下來一滴淚水，她凝眸望著楊夢寰沉思了一陣，忽地伸手抓起地上寶劍，轉身緩步向趙小蝶走去。

她茫然的臉色上，泛起一股悲忿和惜憐的混合神情，逼近趙小蝶四、五步時，停了下來。

趙小蝶一瞧沈霞琳神情，已知她來意不善，不禁心頭微微一震，她倒並非懼怕沈霞琳，心頭的震動，只是一種惶惑和不安的擴展……她轉臉望了朱若蘭一眼，又回頭望著沈霞琳，問道：「琳姊姊，你要幹什麼？」

沈霞琳淡淡一笑，道：「你快要把他打死了，知道嗎？」

趙小蝶微微一怔後，道：「絕了氣嗎？」

沈霞琳道：「雖然沒有完全絕氣，已是奄奄一息，我瞧他是活不了啦！」

趙小蝶口中輕輕地嗯了一聲，道：「誰要他不聽蘭姊姊的話呢？這也怪不得我！」

沈霞琳神色怪異地微微一笑，道：「你從前救過他的性命，我心中很感激……」

趙小蝶道：「不必啦！」

沈霞琳又笑道：「但你一掌把他震死，我也很恨你。」

趙小蝶目光轉動，掃了四周群豪一眼，口中茫然應道：「你恨我就恨我吧！那也是沒有辦法的事。」

沈霞琳突然斬釘截鐵地說道：「我要殺了你替他報仇！」

趙小蝶臉色微變，目光盯在沈霞琳的臉上，一字一句地答道：「你打不過我！」

沈霞琳道：「打不過你，我也和你大打一場，我們總要有一個死掉，不管是誰死在誰手中，都是一樣。」

趙小蝶閉目沉思一陣，道：「你可是當真要和我打一架嗎？」

沈霞琳道：「我們不是打架，是拚命！」

趙小蝶笑道：「好吧！不過，我要你等一會兒好嗎？」

沈霞琳道：「爲什麼？」

趙小蝶道：「我生平之中，從沒打死過人，今日打死了兩個人，也不知是錯？是對？」她微微一頓之後，又道：「既然打死了兩個人，那就索性多打上幾個吧，你讓我瞧瞧哪個不順眼，就打死哪個，咱們兩個再拚命不遲。」

沈霞琳只覺握劍右手之上，汗水汩汩而出，心中產生了從未有過的緊張，只感到手中的寶劍似乎要脫手而落。

趙小蝶緩緩移動著目光，由群豪臉上掠過，當她目光觸及到王寒湘時，突然冷笑一聲，緩步直走過去。

王寒湘見過她一掌震斃了崔文奇的威勢，如果她真的決定了對自己下手，只怕難以保得性命。

心中忖思之間，趙小蝶已走近幾人身側，冷然問道：「你們天龍幫有幾個壇主？」

王寒湘道：「共分紅、黃、藍、白、黑五壇。」

趙小蝶道：「你們五壇主中，一共死了幾個？」

王寒湘一時之間，想不到她問話含意，隨口答道：「共傷亡兩人。」

趙小蝶接道：「五個傷亡了兩個，那是還有三個人了？」

王寒湘道：「不錯！姑娘這般追根問底，不知是何用心？」

趙小蝶道：「你把他們都叫來吧！」

王寒湘心中已知趙小蝶存了挑戰之心，但在眾目睽睽之下，心中雖明知非敵，但也不得不硬著頭皮出戰。

他已自知力難搏敵，如果聯合莫倫和勝一清，或可一拚高下。

回頭舉起摺扇，招呼莫倫和勝一清一齊走過來，低聲說道：「那女娃兒要找咱們挑戰，我自知難以憑藉個人之力和她動手，好在她是指名要我們三人出戰。」

莫倫在斷魂崖比武之時，雖然被創當場，一則妙手漁隱醫道高明，用藥恰到好處，二則莫倫內功深厚，略一調息，傷勢立即復元，故而，李滄瀾率眾拒擋九大門派歸路時，他已傷勢痊癒隨了同來。

勝一清手橫大砍刀，走到王寒湘左側站下身子，莫倫也選擇了一個適當的位置站好，三人排成了倚角之勢。

趙小蝶又轉臉望著李滄瀾道：「你怎麼不一齊上呢？」

海天一叟曾和她力拚一掌，心知三旗壇主合力，也未必是她敵手，何不借機一齊出手，先把這個武功難測高深的丫頭除去再說。心念一轉，拂髯大笑道：「你這般瞧不起老朽，未免欺人過甚了。」說話間，人已扶拐而進。

天宏大師低聲對崑崙三子等說道：「李滄瀾存心不善，想合力降了那女娃兒，咱們豈能坐視不管？」

一陽子望了望仰臥在地上的徒弟一眼，搖頭說道：「他們同來的人數不少，咱們還是別管的好，萬一弄巧成拙，只怕反而招惹來一場麻煩。」

五十　麗人遠行

天宏大師轉臉向朱若蘭望去，只見她滿臉莊肅之色，靜靜地望著場中局勢發展，玉簫仙子和三手羅剎彭秀葦，橫簫握箭，護守兩側。

趙小蝶回頭瞧了沈霞琳一眼，陡然欺身向王寒湘猛攻過去，素手一揮，劈臉打去。

王寒湘摺扇斜斜劃出一片扇影，護住身子，人卻向後疾退了兩步。

他在括蒼山中，已吃過趙小蝶的苦頭，心中餘悸猶存，一見她欺身攻來，立時向後退去。

趙小蝶冷冷說道：「你還能跑得了嗎？」皓腕疾推，一股潛力，湧了上去，王寒湘手中摺扇，立時被一陣強猛勁道封住，轉動失去靈活，不禁大吃一駭。

就這微一分散心神，趙小蝶已欺身而上，看她來勢不徐不疾，素手揮搖，砰砰兩聲脆響，王寒湘左右雙頰，各著了一記耳光，登時紅腫起來。

這時，勝一清已欺身而到，一招「推波助瀾」疾掃過去，刀勢出手，才大聲喝道：「看刀！」

趙小蝶忽的一蹲身子讓過刀勢，嬌軀一挺，人已欺到了勝一清的身邊，她來勢並不迅急，但卻是適巧至極，乘隙而入，叫人眼看著無法防備。

天宏大師和李滄瀾一見趙小蝶欺攻身法，忽然大悟，暗自想道：原來所有武功，均有破綻，只是平常無人瞧得出來而已。

但見趙小蝶玉掌揮動，砰然一掌，打在勝一清的臉上，笑道：「你這人還有點英雄氣度，打上一個耳光算了。」

勝一清哼了一聲，吐出一大口鮮血和兩顆牙齒，向左橫跨了兩步，剛好讓出五毒叟莫倫的停身方位，趙小蝶一個翻轉，攻了上去。

莫倫眼瞧王寒湘、勝一清被打耳光之辱，心中早已想好了對敵之策，一見趙小蝶欺攻過來，立時縱身躍起，向王寒湘停身之處飛去，身子躍起的同時，暗運五毒掌力，遙擊過去。

哪知趙小蝶身子陡然停下，凝神而立，左手玉琵琶斜斜推出，迎著莫倫掌力，一撥一轉，但聞錚錚兩聲弦響，一股潛力滑弦而過，直向李滄瀾撞擊過去，嬌軀倒向王寒湘躍去。

她功力已達收發隨心之境，想停就停，身隨念動，運用自如，靈活無比，莫倫身子剛落實地，趙小蝶早已停在他的面前，左右開弓，連打了兩個耳括子。

這兩記耳光，打得似極沉重，直打莫倫身子搖搖擺擺站立不穩。

趙小蝶在剎那間連打了江湖上三個身負盛名的高人，全場所有之人，無不看得心弦震蕩。

海天一叟李滄瀾振袖一拂，把趙小蝶玉琵琶滑擊過來的潛力震開，站在原地，進退都覺不對。

原來他見趙小蝶打王寒湘、莫倫和勝一清耳光之事，輕描淡寫，行若無事一般，只要一揚手，從無不中，不禁害怕起來，暗自想到：我如也被她打上兩記耳光，那可是生平第一大辱……趙小蝶打過三旗壇主之後，回頭問朱若蘭道：「蘭姊姊，我想把他們都殺了，免得留下禍根。」

朱若蘭想道：李滄瀾和其屬下幾位壇主，都是一代奇才，留著他們，難免有東山再起之日，那時尋仇報復，又不知要傷多少人性命，倒不如索性一鼓殲滅，當下點點頭，道：「好吧！殺百人而救千萬性命，也不能算是罪過。」玉手一揮，緩步向前走去。

玉簫仙子和三手羅剎彭秀葦，護守兩側，蓄勢而進。

趙小蝶目睹沈霞琳，微微一笑道：「琳姊姊，你瞧我今天大開一次殺戒，我要把天龍幫中的人，盡數殘滅於此。」纖手一轉，撥動懷中玉琵琶，但聞弦聲錚錚，一片殺伐之聲，她嬌艷欲滴的粉臉上，也隨著滿布殺機，直向李滄瀾逼去。

海天一叟李滄瀾，一見趙小蝶和朱若蘭一齊逼上，九大門派中人，也都躍躍欲動，心知今日之局，已難善罷，仰天一聲長嘯，舉起手中龍頭拐一揮。

天龍幫中群豪早已拔出兵刃戒備，一瞧李滄瀾的拐勢，突然分成五行，疾衝過來。

趙小蝶嬌叱一聲，縱身一點上去，素手一揚劈出，但聞應聲慘叫，兩個奔衝最快的大漢，齊齊被震飛起來，七竅湧血而死。

王寒湘摺扇一揮，大聲叫道：「快擺五方陣式拒敵。」

隨來的天龍幫中之人，都是各旗壇中選出的高手，聽得王寒湘大喝之聲，紛紛自懷中取出一方彩絹，迅快無比地纏在頭上。

朱若蘭星目轉動，掃掠全場，只見天龍幫中之人頭上的彩娟，共分紅、黃、藍、黑、白暗合五旗之色。

李滄瀾暗中運起「乾元指」的功力，目光卻不停地在玉簫仙子和三手羅剎彭秀葦身上轉來轉去，俟機下手。

他心中明白，「乾元指」功力，未必能傷得趙小蝶和朱若蘭，但玉簫仙子和三手羅剎彭秀葦，卻難抵得「乾元指」功力一擊，準備出手先殺一人，以振雄心。

朱若蘭目光何等銳利，一瞥之下，已然瞧出李滄瀾的用心，低聲對趙小蝶道：「蝶妹妹且慢出手，索性讓他們擺了五方陣，咱們再動手不遲。」

趙小蝶點點頭，站住身子，素手撥動玉琵琶的銀弦，縷縷清音，隨手而起。

不知她想到了什麼傷心之事，這次彈的音律十分淒涼，弦聲如訴，音韻幽幽，片刻間全場之人的心神，都爲淒涼的弦音感染，天龍幫中群豪將要布成的五方陣，也隨著停了下來，個個痴立不動，滿臉愁苦之容。

但聞那幽傷音韻，愈來愈是淒涼，恍如嫠婦婉啼深閨，聲聲斷腸，在場群豪，大部都黯然淚下。

天宏大師低宣了一聲佛號，道：「好淒涼的聲音……」這位功力深厚，定力超人的高僧，竟也爲那幽傷的弦音所感，漸漸地抵受不住。

朱若蘭環掃全場一眼，低頭對趙小蝶道：「蝶妹妹，不要彈啦，再彈下去，只怕在場之人，都要身受內傷了！」

趙小蝶道：「我想彈出『離真迷魂曲』，把他們全都傷在此地，眼下之人既都是武林中高手精英，要是全都傷損此地，今後武林之中，再也不會有什麼爭執發生了！」

朱若蘭搖頭笑道：「各門各派之下，都有門人弟子，首腦如全都傷亡此地，只怕要引起全面混亂之局……」她微微一頓之後，又道：「九大門派，經過這次比劍之後，彼此之間的嫌怨，無形中消減不少，只要能把天龍幫掃蕩一平，目下禍源即消。」

趙小蝶道：「也許姊姊說得不錯。」弦音一變，殺機大作。

李滄瀾突然仰面一聲長嘯，聲如龍吟，震得人耳際嗡嗡作響，天龍幫呆立的群雄，似都被這聲長嘯驚醒，紛紛搶奔方位，片刻間排成了五方陣式。

朱若蘭看對方陣式已成，低聲吩咐玉簫仙子、三手羅剎彭秀葦，道：「你們隨同趙姑娘破陣，李滄瀾由我對付。」嬌軀一晃，直向李滄瀾飛去。

天龍幫這五方陣式，原由五壇旗主各領一色旗隊，李滄瀾帶著川中四醜和陶玉、李瑤紅居中接應，此陣乃王寒湘依據五行生剋之術演化而成，集天龍幫中所有精英高手，群攻強敵的奇陣，但眼下無紅旗壇主百步飛鈸齊元同，和黑旗壇主開碑手崔文奇兩個領隊，又少了陶玉、李瑤紅和川中四醜，六個居中接迎之人，使此陣威力減去不少。

朱若蘭深解五行奇術，一瞧對方陣式，已知是由五行生剋演化而來，《歸元秘笈》之上，載有五行變化之術，決難不倒趙小蝶，心中大寬，立時把破陣之責，交給趙小蝶，自己卻搶奔李滄瀾，一則因那居中之人，是操縱全陣變化樞紐，如能引他自亂章法，全陣都將受影響。二則怕趙小蝶出手太狠，把李滄瀾擊斃手下，對李瑤紅不好交代，有上此二個原因，故而當先發動，搶鬥李滄瀾。

趙小蝶一看朱若蘭搶據中位，要獨鬥李滄瀾，只好退而主持破陣大局，當下吩咐隨身四婢和三手羅剎、玉簫仙子、陳葆等七人，排成天罡七星形勢，她一面解說，一面動手指點各人位置，片刻之間，七人已各自站好方位，排成了天罡北斗之形。

幾人初次排用此陣，站好方位之後；也不知如何發動，運用剋敵，只知呆呆地站在派定的方位之處。

趙小蝶瞧了七人一眼道：「你們只要記定方位，大小可隨意收縮擴展，彼此相互呼應，此陣變化精奇，決非短時間能運用自如，破敵之勢，有我一人擔負，你們只要固守原位即可……」轉目掃視，只見天龍幫的五方陣圖，已自緩緩發動，立時接口說道：「你們別小看了這座天罡七星陣式，只要你們能夠固守不亂，一如插入敵人五方陣中心臟一柄匕手，牽住它全陣變化。」

三手羅剎彭秀葦道：「趙姑娘但請放心。」

趙小蝶點頭一笑，緩步走到陣勢前面，運氣戒備，靜待對方出手。

這時，朱若蘭已和李滄瀾動手打了起來，李滄瀾拐勢翻飛，急如風雨，帶起強勁的嘯風之聲，威勢籠罩一丈四、五尺方圓大小。

朱若蘭仍然是赤手空拳，她連身上披的黃色披風都未脫下，掌掃拳襲，從容遊走在那波濤洶湧般的拐影之下。

這當兒，站在陣外的九大門派中人，亦都紛紛拔出兵刃，目注天宏大師，只待他一聲令下，立時向陣中衝去，救援朱若蘭等。

這時，天龍幫五方陣已然伸展發動，朱若蘭、趙小蝶等，重重圍入陣中，在陣外瞧來，幾人似已被困。

天宏大師回頭望了身後群豪一眼，道：「各位暫請放心，靜看變化，如若咱們此刻入陣中，不但幫不了忙，反將擾亂幾位姑娘耳目。」

九大門派中人，都已對這位武功深博、心地慈悲的高僧，有了敬仰信任之心，果然紛紛收了兵刃，靜觀變化。

天龍幫五方陣的連鎖攻勢，已然發動，層層波波，疾向趙小蝶等人衝擊，前波一擊而退，後波隨即攻上。

趙小蝶擔心那天罡七星陣位，被天龍幫重疊猛攻之勢衝亂，不敢放手還攻，守在陣前，準備隨時救應。

初打之時，玉簫仙子等因不諳陣法，彼此間支援不夠靈活，常被對方四面八方猛烈衝擊，逼得離開方位，幾乎被人衝亂，幸得趙小蝶及時發掌策應，才算應付過去。

但打了一陣工夫，七人漸熟方位，彼此呼應也靈活起來，已能自行對付天龍幫波浪式的猛攻。

要知這七人武功，都已列爲武林第一流高手，尤其玉簫仙子和三手羅剎彭秀葦及神鷹陳葆三人，不但武功高強，而且對敵經驗豐富，陣位既熟，心神集中，簫掃掌劈，穩住陣位。

趙小蝶眼看七人已能應付，心中放寬，素手撥弦，錚錚錚，連鳴三響。

這三聲簡簡單單的音符，卻瀰漫著一片殺機。

王寒湘手合摺扇，穿過人群，躍到了五毒叟莫倫身邊，低聲說道：「此女武功高強，世所罕見，而且胸博玄機，各種陣式變化，她都瞭如指掌，莫兄可用毒針，暗中施襲，或可奏效。」

說完話，立時躍回本隊，一面催動五方陣的連鎖攻勢，一面把黃旗壇主的暗器高手集中起來……他已知趙小蝶功夫精深，一般暗器決難傷害於她，集中壇下暗器，無非是要擾亂趙小蝶的耳目，以便掩護莫倫乘機下手，施放毒針。

三聲弦音響過，趙小蝶突然直衝過來，玉掌翻飛，指襲掌劈，隔空打穴，片刻之間，已被她連續點倒二十幾人。

要知這般人都是天龍幫千百人選的精英之士，武功都非弱手，但趙小蝶出手揮腕之間，必然有人應手而倒，從無一擊落空，不禁使天龍幫五方陣中之人個個心生驚駭，衝擊之勢，隨之緩了下來。

王寒湘舉手一揮摺扇，雲集他身側的暗器能手，突然揚腕打出暗器，霎時間飛刀、袖箭、鋼鏢等各型各類的暗器，紛紛飛出，疾如狂風驟雨一般襲到。

莫倫探手入懷，也摸出一把毒針，正準備出手之時，忽聞趙小蝶嬌叱一聲，玉掌連揮，擊向那紛紛襲來的暗器。

她氣怒之下出手，全力施爲，劈出內勁，強猛絕倫，但見狂飆突起，嘯風四生，雲集擊向趙小蝶的暗器，紛紛向四外飛射，因爲暗器過多，吃趙小蝶內功一撞，互相擊在一起，但聞一陣叮叮噹噹之聲，刀、鏢、袖箭等各類各型暗器橫飛斜走，到處亂撞，反而傷了不少天龍幫高手。

莫倫探針在手，但見趙小蝶擊震暗器手法，竟不敢把毒針打出手去。

因他施用的毒針陰歹異常，體積細小，一出手就數十百根，而且針上劇毒，中人極難救治，如被趙小蝶震得四外亂射，那就不知要傷好多人，是以他不敢出手施放。

趙小蝶擊落暗器之後，突然縱身一躍，直向人群之中衝去，只見她肩披藍紗飄飄，皓腕疾吐忽收，片刻間又被她點倒了二十幾人，五方陣人數一少，威勢大減。

王寒湘、勝一清、莫倫，看她只一出手，必有人傷亡，再過片刻工夫，五方陣非要完全破去，陣中一座天罡七星陣式，使五方陣的變化遇上了阻礙，玉寒湘幾次想牽動陣位，均難如願。

居中策應的李滄瀾被朱若蘭纏鬥，也不得不出手死拚一場。

王寒湘當下一搖摺扇，暗和莫倫、勝一清，三個人分由三個方位奔來。

趙小蝶嬌笑道：「好啊！我以爲你們永遠躲在陣後不出來了。」

陡然一躍，直向王寒湘欺攻過去。王寒湘早已試過厲害，哪裡還敢大意，暗中運集功力，摺扇疾出一招「風搖碧梧」，摺扇撒起一片扇影，護住身子。

趙小蝶冷笑一聲，抑腰一長，嬌軀直向重重扇影中衝去。

王寒湘突然一聲長嘯，右腕振處，點點扇影，倏忽合集一點，指襲向趙小蝶「玄機」要穴。

這一擊乃是他畢生功力所集，力能貫穿金石，威勢非同小可，而且來勢奇速，再加上趙小蝶前衝之勢，彼來此迎疾如閃電，眼看摺扇就要點中趙小蝶的要穴，忽見趙小蝶身子一側，摺扇掠衣點空，彼此一錯而過，趙小蝶已到了王寒湘的背後，玉腕回拂，輕輕一掌擊在王寒湘後背之上。

王寒湘萬沒想到，趙小蝶竟能在間不容髮的剎那，自然讓開自己點襲之勢，剛覺不對，背上已著了一掌，只覺一股勢力，浸入內體，全身氣血陡然向上一沖，登感眼睛一花，神智大亂，全身微顫動，疾向前面衝去。

子母神膽勝一清和五毒叟莫倫，在趙小蝶欺攻王寒湘時，也同時搶攻過來，兩人衝擊之勢，均極迅快，準備在王寒湘一擊不中時，雙雙出手。

哪知變化剎那，趙小蝶竟閃開王寒湘摺扇，錯身到了王寒湘的身後，王寒湘卻向前面衝來。

三人由三個不同的方位攻襲，目標集中一點，又都是全力施爲，快速絕倫，這一變出意外，三人疾向一處撞去。

莫倫、勝一清功力已到運用自如之境，一看不對，立時疾沉丹田真氣，硬把疾向前衝的身子收住，腳落實地。

勝一清左掌疾揚一推，隨手湧出一般潛力，喝道：「王壇主……」他以爲王寒湘被趙小蝶內家掌力推撞，身不由主，故而推出內力，準備攔住王寒湘的猛衝之勢。

哪知王寒湘摺扇一張，忽的一招「仙鶴亮翼」，疾向勝一清攻襲過去。

這一下變生肘腋，王寒湘雖是隨手攻出一招，但勝一清也不免驚慌失措，趕忙一吸丹田真氣，向後疾退數尺。

饒是他應變迅速，仍被王寒湘摺扇劃中了左臂，衣袖破裂，鮮血急湧而出，左臂上被摺扇劃了個三寸長短、深及筋骨的血口。

五毒叟莫倫急道：「勝壇主快些點住王壇主的穴道……」

勝一清傷疼雖烈，但聽得莫倫呼叫之言，立時閉氣封住穴道，強忍傷疼，縱身一躍，疾追過去。

但這一緩之勢，王寒湘已衝入了五方陣中，摺扇隨手揮掃，眨眼間被他連傷五人。

他是一旗壇主之尊，天龍幫中弟子都不敢和他動手，只有紛紛讓避開去，五方陣式，立時陷入混亂。

趙小蝶突然嬌叱一聲，身軀忽地一轉，直向人叢之中衝去，指風、掌拍，擊無不中，片刻間又被她傷了十多個人。

她的手法，也似是愈變愈狠，也不知何故，引起了她的殺機，凡是這一次著了她指掌的人，不是被震斷心脈而死，就是被指力點中要穴而亡，每個中掌指之人，鼻孔間，都湧出很多鮮血。

這等驚人的屠殺聲勢，震駭住了悍不畏死的天龍幫中高手，紛紛向後退去，五方陣自行互解。

玉簫仙子一抖手中玉簫，首先脫離了天罡七星陣位，向前追去。

趙小蝶突然低喝一聲：「回來！」隨手由地上撿起一柄單刀，運足內力，一振腕，拋擲出手。

但見一道白虹，疾射而去，閃電般衝入人層，刀光過處，血雨橫濺，連傷了六、七人，餘威仍然不減……這等罕聞罕見的手法，不禁使天龍幫之人，個個魂飛膽破，就是九大門派中人，也看得觸目驚心。

一刀未落，趙小蝶又伏身撿起了第二柄單刀，一振腕電射而出。

忽聞嘯風破空，兩枚子母膽，橫裡向上擊去，另一枚卻疾向趙小蝶打來。

但聞一聲金鐵交鳴，子母膽爆裂落地，但趙小蝶擲出的單刀，不過微微一偏，仍然射入人叢。

這次天龍幫中人早已有備，各舉兵刃，紛紛迎擊，想把飛刀擊落，哪知飛來單刀一遇攔阻，立時偏向斜飛，寒鋒閃動，又殺傷了數人。

趙小蝶目光移注那飛來子母膽上，手一揚，接在手中，一抖腕，疾向莫倫打去，腳尖一挑，手中又多了一柄單刀。

忽聽佛號高唱，飄傳來天宏大師的聲音，道：「姑娘手下留情。」

趙小蝶回頭望了天宏大師一眼，道：「怎麼？多殺幾個壞人，也有罪嗎？」

天宏合掌答道：「上天有好生之德，世間無不赦之人，眼下橫屍遍地，懲殺已夠，望姑娘上天好心，慈悲蒼生，留人一步自新之路。」

趙小蝶星目流動，瞧了地上橫七豎八的屍體，已不下三、四十人之多，不覺呆了一呆，低聲問玉簫仙子，道：「這些人可都是我殺的嗎？」

玉簫仙子笑道：「不錯，都是姑娘殺的。」

趙小蝶緩緩丟了手中撿起的單刀，回身對著沈霞琳走去。

三手羅剎彭秀葦橫跨一步，躬身叫道：「趙姑娘……」

趙小蝶微微一笑道：「我不會傷害琳姊姊的，你放心吧！」

忽聞李滄瀾一聲大喝，倒提龍頭拐，向後退了四、五步，跌坐在地上。

朱若蘭目注著倒坐在地上的李滄瀾一眼，長長吸一口氣，一面暗中運氣調息，一面忖思如何對付李滄瀾。

兩人經過了一番全力拚搏之後，朱若蘭已深知海天一叟李滄瀾的武功，除了在招術上不及自己之外，功力巧快，都非自己能及，如非日前在括蒼山天機石府中，借趙小蝶傳授楊夢寰武功之便，又學了《歸元秘笈》上不少精奇招術之外，今日這一戰縱然勝得李滄瀾，亦必要累得精疲力盡，是以，她心中甚感為難，只覺對方天生奇稟，如果再假以時日，其武功必有更高一層的成就，以他的雄才大略，決不肯屈居人下，若干年後，江湖上勢非又被他掀起一大風浪，造成一番浩劫不可，不殺他，後患無窮，殺了他，又覺著有點對不起李瑤紅……她雖是一向做事果決之人，但面對此情景，也生出猶豫難決之感。

這時，全場所有的搏鬥，都為趙小蝶驚人的屠殺，和朱若蘭擊敗李滄瀾的聲勢所懾服，都停下手來。

只有王寒湘被趙小蝶用出般若掌力，擊中一掌之後，使他全身氣血上沖，走錯經脈，腦力受震，神志陡然暈迷，衝入天龍幫五方陣中，揮手亂殺，莫倫攔他不住，兩個人打了起來。

全場中人，都為懾服，但王寒湘神智迷亂，根本不理，摺扇揮掃，招招盡都是殺手致命的武功，迫得莫倫不得不用出全力招架。

兩人正在動手，這時趙小蝶曾將一枚勝一清的子母膽，遙向兩人擊去，但卻被勝一清全力打出一個子母膽，在空中相擊，爆裂落地，如非勝一清擊落，兩人全都在集中精力相搏，勢非傷在趙小蝶的子母膽下不可。

李滄瀾跌坐地上之後，立時盤膝坐好，閉目運氣，他雖被朱若蘭施展玄門一元罡氣，硬接了他一招「乾元指」後，趁勢反擊，借勢施展「天罡指」力，把他震傷，但因朱若蘭玄門一元罡氣，尚未達爐火純青之境，被李滄瀾「乾元指」力一震之下，雖未重創，但也血氣浮散，反擊的「天罡指」力，勁道減去不少，李滄瀾功力深厚，是以傷得不重。

沈霞琳橫劍當胸，目光環掃全場，看橫屍遍地，血跡殷紅，不禁心中無限黯然，暗暗嘆道：這動手相搏之事，當真是慘酷無比，唉！

剛才還是好好的人，轉眼間就僵臥地上，動也不會動了，我要報父母之仇，但這些人不都是和我一樣的有著父母嗎？

趙小蝶緩緩走來，在沈霞琳身外兩三、步時，停了下來，叫道：「琳姊姊你當真存下了殺我的心嗎？」

沈霞琳橫劍沉吟良久，答不出話來，正感為難之際，忽見趙小蝶的臉上，閃掠過一抹微笑，不禁心中大感奇怪。

回頭望去，不知何時楊夢寰已清醒過來，正盤膝而坐，運氣調息。

她緩緩垂下橫在胸前的寶劍，搖搖頭道：「我是打你不過的！」

轉身直對楊夢寰走去，在他身側蹲下。

全場之人，都為趙小蝶驚世武功，和朱若蘭對李滄瀾猛烈拚搏所吸引，很少有人注意到楊夢寰，只有趙小蝶和一陽子暗中留心著楊夢寰的舉動，一個師徒關心，一個心中存疑，不知道是否真的做錯了一件事情。

果然，過了一段時間之後，楊夢寰自動清醒過來，挺身而起，自行盤膝坐好，閉目運氣調息。

趙小蝶看他挺身坐起，心中愁慮盡消，暗暗鬆了一口氣，不覺微微一笑。

這時凶慘的搏鬥，大都靜了下來，只有瘋瘋癲癲的王寒湘還在向莫倫猛攻……可是在場之人，心中都明白，這場慘烈大戰，並沒有真正的結束，天龍幫雖然傷亡極重，但如整隊重戰，仍然可以，何況，還有很多投效在天龍幫下馳名江湖的高手，未見出現，如非天龍幫圖保實力，必然另有埋伏，激戰隨時有重新爆發的可能……

楊夢寰經過一陣運氣之後，忽然覺著自己身體，有著一種奇異的變化，不但氣暢百穴，睏倦頓消，而且真氣流轉於全身上下，無處不通，一提氣，身子就躍躍欲飛。

他乃極爲聰明之人，略一沉忖，恍然大悟，暗道：難道我的任、督兩脈通了不成？

微一抬頭，凝眸瞧去，只見趙小蝶微顰秀眉，臉上似笑非笑，神情間若悲若喜，正在注視他……兩道目光一觸，彼此都迅快地轉臉避開，但在那匆匆交觸的一瞥之間，卻包含了無限的情意和惘惘的愁懷。

趙小蝶緩緩地轉過嬌軀，慢慢向朱若蘭走去，披肩藍紗在風中飄拂，步履沉重，若不勝力。

沈霞琳低聲問道：「寰哥哥，你沒有受傷嗎？」

楊夢寰搖頭一笑，道：「沒有。」霍然站起身子，直向場中走去。

他似是有心驚動別人，是以落足異常的沉重，沈霞琳伏身撿起寶劍，隨後相護。

朱若蘭回頭望了楊夢寰一眼，先感微微一怔，繼而淡然一笑，道：「你來得很好，這位李幫主交給你啦！」

李滄瀾突然冷哼一聲，扶拐而起。

李滄瀾掃視了四周一眼，看橫屍遍地，不禁暗裡一嘆，忖道：不知何人，出手這等狠辣，竟殺傷了這樣多的人。

朱若蘭怕楊夢寰抵不住李滄瀾，向後緩返的嬌軀，突然站住。

沈霞琳向前搶進兩步，擋在楊夢寰身前，橫劍對李滄瀾道：「你要幹什麼？」

李滄瀾經過一陣靜坐調息之後，精神體力，均已恢復了不少，眼看幫中弟子傷亡累累，橫屍遍野，心中異常悲忿，油然生出拚鬥之心，當下一頓龍頭拐，冷冷對沈霞琳喝道：「你不是我的敵手，快些給我閃開。」橫出一拐撥去。

沈霞琳舉劍一封，連人帶劍吃對方拐勢撥得向一側橫跨了三步。

楊夢寰霍然抽劍而進，擋住李滄瀾，低聲對沈霞琳道：「師妹快退下去。」

李滄瀾哈哈大笑道：「你也非老夫之敵，退下去吧！」舉手一拐，當胸點去。

楊夢寰知他拐勢沉重，不敢用劍封架，一吸丹田真氣，準備向後躍去。

只覺真氣流轉全身，念動氣行，雙腳還未頓地倒竄，身子已突然向後退去，一退就是七、八尺遠。

李滄瀾一拐點空，突然疾向前面欺去，人還未到，一拐橫掃而出。

楊夢寰一側身，讓開拐勢，舉手還了兩劍。

他知李滄瀾功力深厚，龍頭拐施展開，威勢雷霆萬鈞，是以還擊劍勢，也用了八成真力。劍勢出手，忽聞絲絲劍風，迫得李滄瀾收拐後躍退。

楊夢寰想不到自己真力，竟能借長劍傳擊過去逼退了敵人，不禁微微一怔。

李滄瀾躍退之後，也是一呆，只覺楊夢寰還擊的兩劍中，挾著一股凌厲的劍風，劍勢未到，劍風已自逼人，心頭大駭而退。

這時，天龍幫中沒有傷的弟子，又紛紛圍了上來，勝一清雙手分執子母膽，蓄勢待發。

李滄瀾回頭望了天龍幫圍攏上來的弟子一眼，突然高聲說道：「老朽組織這天龍幫，原意是希望能把無門無派的江湖草莽，連成一體，免得常受九大門派中人物欺凌，不想老朽無能，鬧得一敗塗地，致累各位白白送了不少性命……」他微微一頓之後，接道：「現下我以幫主身分，傳諭解散天龍幫，各位自行去吧！」

忽聞狂笑震耳，王寒湘倒提摺扇，狂奔過來，莫倫緊隨他身後而行，原來兩人激戰一陣，王寒湘突然停下手，閉目休息了一下，忽地仰臉狂笑，轉身奔來。

只見他摺扇揮處，兩個天龍弟子應手而倒，其他之人，看他不分敵我，舉手亂打，紛紛讓開，王寒湘狂笑一聲，疾向一座山峰上奔去。

莫倫大聲喝道：「王壇主哪裡走！」放腿追去。

天龍幫中弟子相互望了一陣，突然齊齊抱拳躬身說道：「我等身受幫主栽培翼護之恩，願隨幫主決一死戰，埋骨青山，死而無憾！」

李滄瀾目光如電，掃掠了幫中弟子一眼，道：「爾等區區武技，留此徒然枉死，豈能幫得老夫之忙，還不快給我散去。」

天龍幫弟子一見李滄瀾說得聲色俱厲，一齊把目光投注到子母神膽勝一清的身上。天龍幫五旗壇主，紅旗壇主齊元同，黑旗壇主崔文奇，一死在沈霞琳的劍下，一死在趙小蝶的掌下，瘋了個黃旗壇主王寒湘，追去個藍旗壇主莫倫，五旗壇主之中，只餘下一個白旗壇主勝一清，是以，天龍幫下弟子一齊把目光投集在他身上。

勝一清已看清眼下情勢，天龍幫決難勝得九大門派，留他們在此，也無非多造傷亡，無補於大局，當下高聲說道：「幫主既傳下令諭，爾等還不快走，更待何時？」

他這一喝，天龍幫下群豪忽然一起對著李滄瀾跪下，拜了一拜，才站起身子散去。

李滄瀾望著自己費盡心機，羅致天龍幫下的高手，四散而去，心中陣痛如絞，饒他豪氣干雲，也不覺黯然神傷……直待天龍幫四散而去的弟子，走得沒了蹤影，李滄瀾才轉過身子，一頓龍頭拐，大聲說道：「九大門派中人，哪位有興，願和老夫一決生死？」

楊夢寰回頭望了師父一眼，橫劍答道：「崑崙門下弟子楊夢寰，願先領教幫主的絕學。」

李滄瀾大笑一聲，道：「好！」當胸一拐點去。

楊夢寰縱身避開，揮劍還擊，刹那間拐影劍氣，混合為一，一場武林罕見的慘烈搏鬥，只看得九大門派中人，個個目瞪口呆，只覺楊夢寰的武功，似乎在陡然間增加了數倍，竟和一代梟雄怪傑的李滄瀾鬥個秋色平分，難分勝敗。耳際拐聲嘯風，觸目劍花朵朵，兩個搏鬥人的身形，早已為拐影劍花遮沒，不大工夫已激戰百回合以上，楊夢寰被趙小蝶巧力打通任、督二脈之後，耐戰內力大增，愈戰愈勇。

正當兩人激戰之際，山坳一角中，緩步走出一個全身灰衣的中年婦人，她身後緊隨著一個灰巾包頭、灰布對襟大褂、足著布履的少女。

此女一手抱著厚厚經卷，左袖隨風飄蕩，緩向場中走來。

這時，楊夢寰和李滄瀾的惡鬥，越來越是劇烈，劍風絲絲，拐勢如山，威力籠罩了丈餘方圓大小。

激鬥中，楊夢寰突然連演五招絕學，一劍接一劍，直攻過去，劍勢如驚霆迅雷，迫得李滄瀾向後疾退五步，這一招楊夢寰稍獲先機，劍招立時綿綿出手，盡都是《歸元秘笈》所載之學，招招變化無窮，劍劍奪魂拘魄，連攻十三劍，迫得李滄瀾手足無措。

慧真子轉臉低聲對一陽子道：「寰兒進境奇速，已然身集大成，如果將來能接掌崑崙派的門戶，當可把咱們崑崙派的武功，發揚光大。」

一陽子道：「我看他在和李滄瀾對敵之時，經常施出咱們崑崙派分光劍法中招術，挾雜在各種奇奧劍招攻出，並無忘本之心……」微一掠瞥間，發現玉靈子正在留心聽兩人說話，趕忙住口不言。

要知玉靈子乃一派掌門之尊，依據江湖規矩，楊夢寰既經掌門人把他逐出門牆，必需要玉靈子答允後，他才能重返師門。

楊夢寰連攻十幾劍，迫得李滄瀾手忙腳亂，爭得先機，正待再運劍猛攻一陣，迫敗李滄瀾，忽聽一個清脆、但極冷漠的聲音，道：「楊相公，暫請住手。」

此音入耳之後，楊夢寰忽然覺出這聲音似是很熟，但一時之間，卻想不起是何人的聲音，當下一收劍勢，轉臉望去。

只見數尺外站著個身著灰衣，灰巾包頭，足著布履，斷去一臂的人，圓睜著一雙明如秋水的雙目，望著他，不是李瑤紅是誰？

楊夢寰只覺胸前如受千斤鐵錘一擊般，豪壯之氣頓消，倒提長劍，一連向後退了三步。

李滄瀾回頭望了女兒一眼，冷冷地問道：「你來這裡幹什麼？」

李瑤紅垂手答道：「爹爹一世英豪，武功才謀，均非常人能及，如能勘破名利，不和人爭氣鬥狠，傲嘯山林……」

李滄瀾一頓龍頭拐，大聲叫道：「住口！你還要教訓於我不成……」目光轉處，只見勝一清左右雙手各握一顆子母膽，蓄勢戒備，不禁微微一嘆，問道：「勝壇主何以未走？」

勝一清笑道：「幫主待我情誼深厚，我勝一清豈能在危難之中，棄了幫主而去……」

李滄瀾道：「是我要你們走的，怎能反怪你們？快些去吧！」

勝一清目光流動，只見天龍幫散去的弟子，都已走得沒了蹤影，搖搖頭，大笑道：「勝一清早存相隨泉下之心，幫主不必多說……」

李瑤紅突然向前欺進了幾步，目光逼視住楊夢寰道：「我要替代父親一死……」她目光由楊夢寰的臉上緩緩掠過，投注數丈外群集的九大門派高人身上。

楊夢寰向後退了兩步，答道：「你勸令尊去吧！」

他說的聲音很低，除了李瑤紅聽得之外，只有站在最近的李滄瀾聽入耳中，當下一頓龍頭拐，大聲喝道：「老夫豈是畏刀避劍之人，咱們還未分出勝負……」說話之間，舉手一拐，當胸直點過來。

楊夢寰揮劍一撥，長劍貼著拐勢，疾滑而下。

李滄瀾振腕彈劍，那楊夢寰手中長劍上，似有一股極強的吸引之力，隨著李滄瀾彈震的拐勢一轉，巧妙無比地把李滄瀾龍頭拐上力道輕輕化去，劍勢仍然貼拐而下，這正是《歸元秘笈》上，一招奇奧絕倫的劍招，名叫「萬縷蛛絲」，不管對方內力如何強大，兵刃如何沉猛，彈震之力如何強勁，均無法震開這般陰柔的巧勁。

劍勢貼拐而下，寒鋒直逼手腕，迫得李滄瀾手一抖，丟棄了手中的龍頭拐。

這只是一種極自然的反應，李滄瀾在丟拐之時，並未想到什麼，似在拐勢脫手之後，卻如迅雷擊頂一般，呆在當地。

這是他生平從未有過之辱，說不出是恨是怒，凝眸靜立，長髯在風中飄舞……勝一清雙手分握著兩枚子母神膽，正待運力打去，忽聽一個幽幽的女人聲音，道：「勝壇主不可再惹麻煩……」

勝一清回頭望去，只見那發話之人是位年紀約四旬以上的中年婦人，布衣荊裙，一臉清雅之氣。他忽然想到李瑤紅適才之言，天龍幫中基業，已然被毀，不禁一陣黯然，倏而住口。

要知李滄瀾以雄才大略，挾武技網羅江湖高手，組織天龍幫，原本之意，只想在江湖爭得一席之位，和九大門派分庭抗禮，但後來實力愈來愈強，爭霸江湖，雄霸武林之心，油然而生，四出邀請奇人入幫，擴展幫中地盤，廣開山門，大收弟子。

李夫人雖是女流之輩，但卻是頗有高瞻遠矚之才，眼看李滄瀾收納亡命之徒，以擴大天龍幫實力，翼護宵小，遂進言相勸，曉以大義。

李滄瀾一心霸主武林，再加五旗壇主，個個是身負絕技之士，又對李滄瀾赤心忠膽，當時情景，如日方中，李滄瀾不但不肯接納良言，反而出言激諷李夫人婦人之見，致鬧得數十年恩愛夫婦反目，陌如路人。

李夫人傷痛之下，離開天龍幫，飄然遠走，當時李滄瀾氣忿之下，傳下龍頭令諭，召全幫中弟子，追查了夫人的下落，就地處死，幸得王寒湘、勝一清等五旗壇主苦苦相勸，李滄瀾才放手不究，日久氣消，回想前情，反而思念起才德兼具的夫人來。

五年後，李夫人突然重返天龍幫，結廬而居，自題「洗心庵」三字，整日青燈長明，高誦佛經，除了愛女李瑤紅每月有一次可以晉見之外，任何人均不許擅自入一步。李滄瀾憶念前情，午夜往訪，但均被拒不相見，李滄瀾無可奈何，只好暗自傳令，把李夫人結廬所在劃爲禁區，不准人擅自進入距廬百丈之內……是以，匆匆歲月，轉眼十年，十年中，李夫人沒有出過

「洗心庵」中一步。

李滄瀾也未能入庵一次，是以，勝一清見得李夫人後，瞧了半天，才認出來，只覺她十幾年來，似乎比過去更年輕些……李夫人喝止住勝一清後，緩步走到李滄瀾身側，柔聲說道：「二十年孽海塵夢，製造了多少殺劫，我已在『洗心庵』中代你備建了一座『忏悔堂』，不隨我走，還留戀什麼？」

李滄瀾慢慢回過頭來，兩道茫然的眼光盯在李夫人臉上，瞧了良久，不禁黯然一嘆，正待開口，李夫人又搶先說道：「殺孽果報已累及紅兒斷臂，恩怨糾結，幾時能還清孽債，一念向善，萬惡齊消，我已代你佛前懺悔了十五年，隨我走吧……」緩緩轉身，慢步向前行走，李滄瀾目光環掃全場一周，隨在夫人身後而去。

忽聽九大門派中有人叫道：「斬草不除根，春風吹又生……」峨嵋派超元、超塵、超慧，青城派松木道長，武當派靜玄道長等十數人，各仗兵刃奔了出來。

楊夢寰望了李瑤紅一眼，忽然因身橫劍，攔住九大門派中奔走而來的人，大聲說道：「諸位暫請留步，聽我楊某一言。」

奔來群豪眼瞧他鬥敗李滄瀾的功力，心中都有幾分懼怕，果然齊齊站住。

楊夢寰目注群豪，高聲說道：「如若李滄瀾不自動讓避開鐵索吊橋，斷魂崖崩沉絕壑，試問眼下之人，有哪個能自信留得性命？」

群豪一陣默然。

楊夢寰嘆息一聲，接道：「諸位今日縱然殺了李幫主，難道就真能使今後武林中平靜無波嗎?天龍幫中不少高手，並未參與此次比劍大戰，如果趕盡殺絕，勢必激起他們報復之心，九大門派實力雖強，但總不能常聚一起，殺一個李滄瀾，更將留下無窮禍患……」

靜玄道長一揮長劍，道：「本派中四大道長傷亡殆盡，難道就此放手不究?」

楊夢寰道：「天龍幫傷亡近百，又該要哪個償命?」

申元通忽然大聲喝道：「他們咎由自取，豈能怪別人?」一舉虯龍棒直衝過來。

楊夢寰長劍斜出，一招「劃地為界」，灑出朵朵劍花，逼退申元通，道：「勝得天龍幫，也一定能勝得了九大門派，你自認比李滄瀾武功如何?」

申元通只覺他出手一招劍勢中，潛含內力，不禁大駭，不敢再向前闖。

靜玄道長回頭望了崑崙三子一眼，揮劍緩步走來。

楊夢寰心中一動，暗道：今日如不現露幾招絕技，只怕要糾纏不清，凝神思索，忽然想到《歸元秘笈》上一招「移花接木」，當下暗提真氣，抱拳一禮，道：「道長譽滿武林，望重江湖，為何竟不肯留人一步餘地……」話出口，暗勁亦發，一股潛力，直撞過去。

靜玄右掌一擋，答道：「好說，好說……」但覺潛力強大無比，層層湧上，自知抵拒不住，不禁心頭大駭。

楊夢寰被趙小蝶一掌巧打，通了任、督二脈，全身真力聚散甚易，內勁增加數倍，一瞧靜玄道長抵受不住，忽地把潛力收了回來。

壓力驟減，靜玄不自覺地身子向前一栽，楊夢寰一吸真氣，把擊出暗勁收回，揮手一掌，反向峨嵋三老攻去。

這一收一攻之中，不但把本身力道用出，而且又加了靜玄道長的部份內力。

超元、超塵本是並肩而立，覺出一股暗勁潛湧而到，同時出手一擋。

只感對方內力，有如長江大河一般，重重波波湧到，而且一道比一道猛烈，一波比一波強勁。

忽地壓力大減，楊夢寰收回力道，笑道：「諸位老前輩請看在晚輩份上，放過李幫主吧！」

靜玄道長和超元、超塵都已吃過苦頭，自知不敵，默然而退。

這三人一退，群豪紛紛向後退。

李瑤紅低聲說道：「多謝相公救家父之恩……」轉身隨在李滄瀾身後而去。

楊夢寰望著她淒涼的背影，心中感慨萬千，心想叫住她說幾句慰藉相思之言，但卻又不知從何說起……山風吹飄著她虛蕩的衣袖，不住前後擺動。

忽聽沈霞琳大聲叫道：「紅姊姊！」放腿追了上去。

李瑤紅停下身子，回頭笑道：「琳妹妹，你還記得我嗎？」

沈霞琳伸手牽住了李瑤紅的衣袖，道：「姊姊再改變多一點，我也能認出來。」

驀聞簫聲幽怨，裊裊而起，緊接著響起了琵琶弦聲，少林派天宏大師突然回顧群豪說道：「這次天龍幫邀請我們九大門派比劍，使老衲感到，武林之中是非多出自誤會，如果都能拋去名利之爭，門戶之見，紅花、白藕、青蓮葉，三教原是一家人……」他微微一頓後，又道：「老衲作東，恭請各位到我們嵩山少林寺一遊，今後每隔五年，各派掌門人集會一次，當可消除江湖上不少是非。」

群豪同聲響應。

天宏大師微微一笑，當先帶路，向前走去。

慧真子低聲對二位師兄說道：「寰兒之事，咱們應該如何？」

玉靈子道：「由他去吧！」舉步相隨向前走去。

一陽子低聲說道：「寰兒心地忠厚，我想他定會找上崑崙山金頂峰三清宮去，現且別管他。」

楊夢寰目光環掃四周，只見朱若蘭、趙小蝶、玉簫仙子等分守四周，九大門派中人，正緩緩向前走去。

李瑤紅平靜肅穆的臉上，微泛激動之色，牽著沈霞琳的手，慢步走到朱若蘭身側，說道：「姊姊別來無恙？」

朱若蘭微微一笑道：「琳妹妹胸無城府，楊夢寰又被逐出崑崙門牆，你必需助他一臂之力……」

李瑤紅道：「我已成殘廢之人，而且又皈依佛門，塵緣早絕。」

朱若蘭接道：「伯母禪理精深，深具佛法，她已告訴我你塵緣未……」她微微一頓之後，又道：「請恕姊姊擅自作主，我已代你向伯母求得賜婚之約……」

楊夢寰走了過來，接道：「什麼……」

朱若蘭臉色一整接道：「你不要多講，瞧瞧這是什麼？」探手從懷中取出一封信來。

楊夢寰拆信一瞧，只見上面寫道：字諭寰兒知悉：吾兒年來一切，均得朱姑娘面告，沈、李二女，秀外慧中，皆不可多得佳女子也，見字即攜二女返「水月山莊」，汝母早已倚閭翹望！父字。

朱若蘭道：「你可認識伯父的筆跡嗎？」

楊夢寰道：「父母手筆，豈有不識之理？」

朱若蘭道：「筆跡不假，你就該遵諭行事。」說完，探手又從懷中摸出一塊佩玉，交到李瑤紅手中，笑道：「伯母怕你不信，交給我這塊佩玉爲證。」

李瑤紅接過佩玉一瞧，果然是母親之物，不禁一陣心酸，熱淚滿湧眼眶。

楊夢寰暗自忖思，想來想去，也只有朱若蘭替他安排的一條路可走，先回「水月山莊」見過父母再說……

趙小蝶忽然走到楊夢寰身側，取下胸前一枚白色珠花，插在楊夢寰身上，笑道：「我冒了極大危險，在真氣凝聚下一掌擊在你任、督兩脈的交匯之處，此是打通二脈的最爲簡便之法，也是最爲危險之法，分毫之差，鑄恨千古，總算蒼天有眼，未使我造成大錯，要不然琳姊姊非得殺我不可……」忽覺一股酸意，湧上心頭，慌忙別過臉去，說道：「蘭姊姊，咱們爲楊相公、琳姊姊和這位李姑娘，彈一曲『麗人行』，替他們一壯行色……」

朱若蘭笑道：「紅妹妹、琳妹妹，寰兄弟任、督二脈已通，當世高手，已難有幾人爲敵，你們好好地輔助他勤修武功，願他十年後成一代武學宗師。」

忽聞錚錚錚三聲弦響，緊接著簫聲相和，「麗人行」悠悠而起。

楊夢寰抱拳對朱若蘭深深一揖，道：「姊姊盛情，我永銘肺腑，願今生能有酬答之日。」

趙小蝶笑道：「我和蘭姊姊就要帶她們歸隱深山，今生今世不再重履紅塵，後會期杳，你要多多珍重……」

楊夢寰輕輕一嘆，回身而去。

李瑤紅、沈霞琳齊對朱若蘭、趙小蝶躬身行禮，灑淚告別，隨在楊夢寰身後而去。悠揚的管弦聲中，轉過了山腳。

山道旁，松蔭下，突然間傳出來一聲幽幽清音道：「紅姊姊，前途珍重……」

楊夢寰抬頭看去，只見巨松之下，站著個全身綠衣的美麗少女，緊靠身旁站著個青衫長髯的老人，正是妙手漁隱蕭天儀和他的獨生愛女蕭雪君。

李瑤紅欠身說道：「怎勞妹妹相送……」

蕭雪君解下身後黃絹包袱道：「伯母讓我把十卷經書交你帶走。」

李瑤紅正待伸手去接，沈霞琳卻搶先接到手中，道：「紅姊姊，我替你揹上好嗎？」李瑤紅道：「偏勞妹妹了。」

沈霞琳道：「姊姊，楊伯母最是慈愛，水月山莊景色如畫，門前小溪中游魚很多，咱們到那裡，可以捉魚玩，還有寰哥哥、絹表姊的青……」忽然想到，此言一出，定將使楊夢寰傷心，倏而住口不言。

蕭天儀忽然上前一步，抱拳對楊夢寰說：「老朽心中有一件事，不吐不快，說錯之處，楊兄不要見怪。」

楊夢寰道：「老前輩但請賜教，晚輩洗耳恭聽。」

蕭天儀道：「九大門派中人，全仗楊兄一番仁俠之心，得脫一場凶難。」

楊夢寰道：「請恕晚輩愚劣，難解語中之意。」

蕭天儀道：「這方圓五里內，暗藏桐油三千桶，深草掩遮，藥絲通接，一把火將燒盡五里內飛鳥蟲蟻，縱使自負舉世輕功之人，也難於片刻間飛出火圈。楊相公仗義相釋李幫主，老朽已傳諭令切斷火線，今後老朽當盡力相勸他安於山居，息隱林泉，但望楊相公轉告九大門派中人，天龍幫實力仍存，並沒有一敗塗地。」

楊夢寰嘆道：「晚輩如有機會，定當轉告老前輩吩咐之言。」

蕭天儀道：「此番天龍幫基業被毀，逃走了大覺寺三位凶僧，三僧曾傷在李幫主『乾元指』下，被囚禁總壇……」他微一停頓，又道：「不過，他們受過這次教訓，也許能改過向善。」說完，帶著蕭雪君扭身而去。

忽聞那悠揚的弦聲簫音，突地一拆，變成了淒涼幽怨之音，聲音如訴，九曲百轉，由空中飄灑下來。

抬頭望去，只見西面絕峰之上，魚貫而行著幾位衣袂飄飄的麗人……一抹斜陽，晚霞絢爛，長天燕去，人蹤漸杳，只聽弦聲琮琮，簫音嬝嬝……

《飛燕驚龍》全書完，相關情節請看《風雨燕歸來》

臥龍生武俠經典珍藏版 4

飛燕驚龍（四）大結局

作者：臥龍生
發行人：陳曉林
出版所：風雲時代出版股份有限公司
地址：10576台北市民生東路五段178號7樓之3
電話：(02) 2756-0949　　傳真：(02) 2765-3799
執行主編：劉宇青
美術設計：許惠芳
行銷企劃：林安莉
業務總監：張瑋鳳
出版日期：臥龍生60週年珍藏版 2022年2月
ISBN ：978-986-5589-57-8
風雲書網：http://www.eastbooks.com.tw
官方部落格：http://eastbooks.pixnet.net/blog
Facebook：http://www.facebook.com/h7560949
E-mail：h7560949@ms15.hinet.net
劃撥帳號：12043291
戶名：風雲時代出版股份有限公司

風雲發行所：33373桃園市龜山區公西村2鄰復興街304巷96號
電話：(03) 318-1378　　傳真：(03) 318-1378
法律顧問：永然法律事務所 李永然律師
　　　　　北辰著作權事務所 蕭雄淋律師

行政院新聞局局版台業字第3595號 營利事業統一編號22759935

定價：320元

國家圖書館出版品預行編目資料

飛燕驚龍／臥龍生 著. -- 臺北市：風雲時代出版股份有限公司，2021.06- 冊；公分（臥龍生武俠經典珍藏版）
ISBN：978-986-5589-54-7（第1冊：平裝）
ISBN：978-986-5589-55-4（第2冊：平裝）
ISBN：978-986-5589-56-1（第3冊：平裝）
ISBN：978-986-5589-57-8（第4冊：平裝）

863.57　　110007323